地域から公共政策を考える

現場の実践知をいかした課題解決

早稲田大学公共政策研究所 編

藤倉英世
泉澤佐江子
源田 孝
畠田千鶴
羽田智恵子
大原 透
渡瀬裕哉
仁木崇嗣
峯村昌子

早稲田大学出版部

はじめに

本書は、早稲田大学総合研究機構公共政策研究所公共経営研究部会が、二〇一九年一〇月から合計一〇回実施した連続公開講座『身近な地域から公共政策を考える』に基づいて、各講演者がまとめた研究成果の集成である。公開講座開始直後にＣｏｖｉｄ-19の蔓延が始まり、講座の半分以上はＺｏｏｍでの開催となったが、二〇二一年一〇月には、対面開催再開がかない、無事に連続講座はお開きとなった。

本書における執筆者の大半は、早稲田大学公共経営大学院修了者であり、志を同じくする人々を糾合して、招聘研究員として本研究所公共経営研究部会を形成している。九名すべて、各々の職業経験に基づいて公共政策に関する問題意識を抱き、研究を重ねてきた。各稿のテーマは、すべて講演・執筆者自身の問題設定に基づいたものであり、講演順に列挙すれば、福祉、ディジタル化、まちづくり、防災、地域ブランド、政治制度、金融・産業、地域再生、そして教育と非常に多岐に及んでいる。

各講演を貫く視点は、地域を基盤とする公共政策である。この点の詳細は続く序に譲りたいが、筆者の言葉で表現すれば、国民生活により密接した分野の問題を、国民により近接したレベルの政府と関連アクターが協力して解決する、ということである。各講演では、講演者のプレゼンテーションを受けて、出席くださった方々により多くの議論を展開していただくために、ファシリテイターという役割を招聘研究員相互に割り当て、その場で出席者から提示された質問をまとめると同時に、議論を主導する形式を採った。それによって、各講演者は、自分のプレゼンテーションへの新たな視点を見出すことが可能となり、講演当日の議論の成果が、今回の各稿に大きく反映されている。

加えて、各講演を論文としてまとめて出版する構想となった段階で、研究部会で再度各論文の内容を相互検討した。それによって、各論文が最小限共有すべき視点と、その上で各論文が独自に展開すべき方向性とを確認した。そうした検討の結果、序にまとめられている通り、第1部には具体的な個別政策に関する論文が、そして第2部として、それらの議論の前提となる下部構造領域に関する論文が、それぞれまとめられた。

各論文の議論の方法は、それぞれ異なっている。国であれ、自治体であれ、ある一定地域を研究対象とする場合、その地域を歴史的、時系列的に考察する方法を通時的比較と呼び、その地域と比肩する二つ以上の別地域とを考察する方法を共時的比較と呼ぶのが一般である。本書に集成され得た各論文は、論者の関心の赴くまま、この二つの方法がそれぞれ多様に展開されている。これが、各論文相互のテーマの多様性と、各論文の個性とを醸し出している。

地域から公共政策を考える場合、国民生活における異なったそれぞれの分野ごとに、解決すべき問題が何であり、その解決に向けて政府とともに協力すべきアクターが誰であり、その解決に向けて糾合可能な資源が何であり、その資源のうちのどれを誰が活用して、どのように解決するのか、少なくともこれらの視点を捉えて、解決向けた実装を果たすことが、重要であろう。本書における各論文が、自ら設定した問題解決に向け、何らかの糸口を示し得たとすれば、連続公開講座に発して本書刊行に漕ぎ着けた本研究部会として無上の喜びとなろう。

なお、本書の刊行に際しては、二〇二二年度早稲田大学総合研究機構出版助成制度から補助金を受給した。ここに記し、心からの謝意を表したい。

二〇二二年四月

早稲田大学総合研究機構公共政策研究所長　縣　公一郎

目次

序　地域から公共政策を捉え直す

藤倉　英世

1　地域という現場から公共政策を捉え直す

二〇二〇年冬から本格化したコロナ禍は、今まで政治、行政の中に隠れていた様々な課題を、「見える化」した。国の方針と地方自治体の政治的な調整や、自粛の法的根拠などの多くの情報が、テレビ、ＹｏｕＴｕｂｅ、ＳＮＳ、新聞などを通じて明らかになっていった。

さらに、国や地方自治体が、この緊急な事態に対応するため、事業種団体や国民全体に、協力を依頼している。[1]少し視点を変えて捉えれば、政府がコロナ対策という公共政策を対象として、広く国民や関連企業、団体などに、「政策への参加」を促す動きが生じている点に着目したい。

あらためて振り返れば、我が国では近年、財政再建、少子化、高齢化、東京一極集中、震災復興・防災、地方・地域の衰退など、質の違いこそあるものの、コロナ禍に匹敵するような政策課題が山積みである。また公共政策の担い手や受け手が多様化し、課題の構造自体も複合化してきている。こうした現代的な問題は、政治、行政中枢における専門的な政策立案だけでは解決できないということが、コロナ禍への対応で明らかになってきた。

現代の公共政策では、その一連の政策形成、実施、評価の過程において、社会活動の現場の実態を熟知しリアリティを有している企業や団体、住民などが、自ら政策のアクターとして積極的に参加していく重要性がますます高まってきている。

本書は、こうした公共政策への社会的な要請に対して、様々な政策分野の中で実践的な活動を続けている早稲田大学公共政策研究所の招聘研究員が、各々の専門分野の公共政策について、地域という現場の状況を踏まえて捉え直すものである。その上で、専門的な政策知識を持たない読者層も想定しながら、政策現場の現状やそこに生じている課題、実践的な政策アイディアを、できるかぎりわかりやすく提示する。

以上の試みを通じて本書は、すでに公共政策に関連している様々なアクターだけでなく、今後、自ら積極的に参加していく可能性がある多様な方々を対象に、立場を越えてともに議論ができる政策情報や視点を提供し、公共政策を支える裾野の拡大を目指すものである。

2　本書の特徴、構成、各章の紹介

本書の二つの特徴について

本書では前述の目的を踏まえ、全章を通じて、次に示す二点を共通事項としている。

第一の特徴は、公共政策に対する学術的な理論、分析を示すのではなく、現場の実践的なリアリティに支えられた政策情報、政策アイディアの提示、政策提言を目指す点にある。そのための方策として本書では、各政策分野に対して、国、地方自治体、さらには諸外国の事例や、民間企業、住民団体が主体となった事例など、幅広い視点から多様な政策事例を紹介し分析している。

第二の特徴は、公共政策という枠組みを今まで以上に広く捉え、公共的諸課題の解決に対して、政府部門だけでなく市民部門、民間部門が目的を共有し、相互に連携、役割を補完しながらその解決を目指す、いわゆる公共経営という基盤に立った公共政策を提案する点にある。[2]この点に関して、本書の各章が示す政策提言は、様々なアクターの公共政策への参加を進めることに資するものである。

本書の構成について

次に本書の構成について簡単に説明しておきたい。本書は、第1部「地域から公共政策を考える」、第2部「公共政策を支えるシステムを考える」の二部の構成をとっている。

第1部では、各著者が専門的、実践的に関わっている様々な分野の公共政策の概要を解説し、事例分析、政策提言などを行っている。対象とした政策分野は、「福祉政策」、「地域ブランディング政策」、「防災政策」、「教育政策」、「地域の金融、産業政策」の各分野である。これに続く第2部では、こうした公共政策を下支えしている様々な社会的なシステムを対象に据えて、事例分析やシステムの構造に関する考察、政策提言などを行っている。具体的な対象は「政治インフラ」、「デジタル・ガバナンス」、また被災地の「人々の心のつながり」、そして「公共圏的空間」である。

第2部の各内容は、第1部で取り上げる個別分野の政策を実現するための社会的な基盤を形成する役割を担っている。個別の公共政策の理解に加えて、公共政策の総合的な姿を、それを支えているシステムを含めて読み解いていく上での手がかりとなることを期待したい。

本書が対象とする政策分野や社会的なシステムは多岐にわたる。そこで、第1部、第2部の各章について執筆者の実務的背景を簡単に紹介した上で、その内容を概観しておく。本書の簡易的な見取り図として活用し、公共政策の理解に役立てていただきたい。

本書各章を概観する

第1部は、第1章から第5章の五章構成となっている。

本書の**第1部第1章「地域の幸せを仕事にするということ――住民福祉の意味と自治体職員の役割再考」**では、福祉政策が取り上げられる。執筆者の泉澤は、地方自治体職員として長年、協働、福祉、教育など住民対応を中心とした地域政策の実務に携わる傍ら、公務員のモチベーションのあり方に関する調査、研究を進めてきている。

泉澤は、本章冒頭に地方自治法第一条の二を掲げ、そこに示されている地方公共団体の役割である「住民福祉の増進」を、「広義」の福祉と捉える。そして、この広い意味での福祉を増進するためには、行政が担う「狭義」の福祉としての社会制度とともに、これに協力して住民自らが福祉を担う姿勢が不可欠である点を指摘する。この点について泉澤はまず、浦安市のアンケート調査から自治体の福祉現場の実務的な課題を抽出する。そして同市の「地域包括ケア評価会議」事例を対象とした分析から、課題解決に向けて市民・地域・関係機関・行政が情報を持ちより、対等に対話し、現場における各々の役割を確認し補完し合う、という協力の様子を描き出す。

以上の実態分析を通じて泉澤は、福祉政策における自治体職員の役割を、国のマクロ的な政策論理と現場のミクロ的な課題をつなぎ、広義の福祉と狭義の福祉との間を反復しながら、住民の福祉の増進を実現していく点に見出している。そして、このような循環を生む「場」を作り出す政策は、自治体においてのみ実現可能であることを明らかにしている。

第2章「災害多発時代を生き抜く知恵と新たな防災政策の創造——公助、共助、自助による災害からの回復」では、防災政策が扱われる。筆者である源田は危機管理を専門とする元航空自衛官、そして元防衛大学校教授であり、災害派遣の現場における豊富な実務経験を有している。

源田は、日本人には独特の天災感があり、これが「正常化バイアス」として働いている点を鋭く指摘する。そして、この正常化バイアスの作用により、日本の避難所環境が劣悪であるという事実を、国連難民救済「スフィア・プロジェクト」やイタリア、韓国の事例と比較し明らかにしていく。

次に、災害発生の初期段階の七二時間が被災者救済の面で極めて重要である点に注目する。その上で、政府部門、市民部門、民間部門の活動の特性を公助、共助、自助になぞらえて論を展開していく。内閣府への災害対策局の創設、基礎自治体レベルでのＳＮＳの活用、廃校となった小学校の防災拠点としての整備などの具体性の高い提案を行っている。さらに、ハザードマップを冷静に読み解く必要性や、市販されている高性能キャンプ用品で自活する方法など、国の政策から個人で実施できる施策まで、様々なレベルで多くの防災対策を、現場での検討に資する実現性のもとに提言している。

第３章「地域ブランドのグローカル戦略——地域の資源を世界につなぐ」では地域ブランディング政策が扱われる。担当する畠田は、「一般財団法人地域活性化センター」における長年の実務経験を通じて、自治体アンテナショップ、地域ブランディング、グローカル戦略の実践的な展開手法を熟知している。

畠田によれば、「地域ブランド」の対象は地域商品のブランド化に限定されない。地域ブランドとは地域の魅力の総体であり、この地域ブランドをグローバル市場へと展開するグローカル戦略の現代的な重要性を指摘する。その上で、「地域ブランドのグローカル戦略」に関連する中央省庁の制度や事業、各自治体の分野別の取り組み事例を網羅、横断的に紹介する。さらに、具体的な活動が理解できる事例として「倉敷ジーンズ」を取り上げ、地域ブランドがグローバルに展開していく過程や、各過程での課題とその克服方法などを詳細に分析している。

こうした分析の後に、ブランディングの実現に向けた四段階として「地域ブランドの発掘・育成」、「マネージメント」、「プロモーション」、「パブリックリレーション」を示し、各段階での課題とその解決策を提案している。また課題解決のために有用かつ実践的なヒントを提言している。

第４章「ロボットが空飛ぶ時代の教室は社会の現場に——「学校は何のためにあるのか」と教育の再生モデル」では、教育政策が語られる。執筆している羽田は、ジャーナリストの筑紫哲也氏が存命の頃、塾長に迎えて「途中塾」を開塾するなど多様な活動を重ね、社会の現場を重視した教育のあり方を模索してきた。

羽田は、人口減少社会、ＡＩ社会の到来を念頭に日本の将来を客観的に見つめ直す。その上で、生徒や若者が未来への夢を描ける教育環境を作ることが、教育政策の課題であると捉える。その理由として、日本財団の「社会や国に対する意識調査」の結果、国別比較において日本の若者の社会や国への関心が極めて薄いこと、また大学生キャリア意識調査においても、将来に向かって何をなすべきかを考え実行している学生が減っている点を指摘する。そして、先進的な中学校や中高一貫校の事例を紹介し、そのカリキュラムでは学校以外の「外の力」を活用しようとしている点が共通しており、また羽田自身が主催している途中塾では、塾生個別に対応する育成コンセプトが重要であった点を明らかにする。

以上の事例調査や独自調査を踏まえて羽田は、教師がプロデューサー役を担い、地域や企業、団体の専門家集団とどのように力を合わせるか、また教師という職業における人材の流動化をどのように進めていくかが、今後の教育政策の中で、ますます重要になっていく点を問題提起している。

第5章「株式市場から見た地域金融と産業政策――身近な地域から公共政策を考える」は、〝株式市場〟から地域金融、産業政策を分析評価している点に大きな特徴がある。担当する大原は、ファンドマネージャーとして、長年にわたり、日米の大手運用会社で日本株式運用の責任者を務めてきた実績を有する。

株式市場では集団知により予測能力が発揮される場合がある、という興味深い事例から本章は展開する。そして大原は株式市場における日本凋落の要因を、プラザ合意と日銀の金融政策、企業統治におけるチャレンジ精神の欠落、モノづくり日本への執着、人口減少に見る。特に人口減少については、東京一極集中は出生率低下、直下型地震など大きな課題がある点を指摘する。そしてこうした状況を踏まえた事例分析を通じて、地方金融と地域産業の現状課題を抽出している。

以上の分析から大原は、日本は人口増加モデル型の成長戦略を抜け出すべきである、と主張する。この点から地方金融に関しては、不動産担保主義を捨て、地域企業へ投資するための事業評価能力、コンサルタント力の向上を図る改革を提言し、地方産業は企業系列に頼らず、地域課題の解決にこそビジネスチャンスがあるとする。さらに世界の機関投資家の現状を示した上で、今後の地方における有望な展開が期待できる産業分野とその具体的な内容を提言している。

第2部は、第6章から第9章の四章構成となっている。

第2部第6章「民主主義を支える政治インフラ――米国保守派の草の根ネットワークの視点から」では、現代の政治、公共政策を支える政治インフラのあり方が問われる。執筆者の渡瀬は、アメリカの政権に関するポリティカルアナリシスを提供する国際情勢アナリストとし、特に米国共和党の動向分析の正確さには定評がある。

本章冒頭で渡瀬は、〝政治インフラ〟という日本では聞きなれない用語を提示する。渡瀬はこの用語を「政治家や政党の活動を資金的、政策的、あるいは知的に下から支える政治の下部構造」という意味合いで用いる。同時に、政治インフラを、徴税権、規制権限などを有する政府部門と対等に、民間部門、市民部門が政治に参加するための方策とも位置づける。

渡瀬は、共和党保守派の政治インフラを構成する各団体、組織、制度による自律的ネットワーク型の協力関係の「全体像」を、政治理念を中心に据えた「図」として提示する。そして当該図に現れる個別要素について、政治理念の普及を担う「オピニオン誌」、資金提供に関わる「財団」、「小口寄付者」、政策立案を支援する「シンクタンク」、人材育成・組織形式を育む「研修・訓練機関」、意思共有のための「年次総会」、「定例ミーティング」、「メディア」というように、その活動主体と内容を極めて具体的に説明している。

その上で日本に視点を戻し、冷戦終了とともに旧来型の政治インフラの価値が下がっている点を指摘した上で、多種多様な政治理念に基づく政治インフラを萌芽させること、また政治と市民の乖離を包摂する政治インフラを形成する仕組みづくりこそが、喫緊の課題であるとする。さらにその実現に向けて、実効性の高い方策を提言している。

第7章「「デジタル・ガバナンス」を考える――デジタル・デモクラシーの可能性」では、デジタル・ガバナンス政策を通じてデジタル・デモクラシーの可能性が取り上げられる。本章の執筆者である仁木は、国会議員の公設秘書として政策立案の実務に携わるなど、政策現場で実践的な活動を続けてきており、現在は専修大学で教鞭をとっている。

仁木は、まず「デジタル・ガバナンス」をデジタル・ガバメントとデジタル・デモクラシーの二つの要素に分けて捉える。そしてデジタル・デモクラシーの機能を、五分類、四段階に整理し、この機能分類が、デジタル・デモクラシー政策の判断基準に活用できるとする。その上で、デジタル・デモクラシーの具体例として、数か国（エストニア、フランス、米国〔ニューヨーク州等〕、等々）の議会情報のデジタル化に関する取り組みを紹介している。

また、デジタルによる直接民主主義的な取り組みの可能性を示すため「ネット請願」に関するスコットランド、ドイツ下院、イギリス下院の各状況を取り上げている。その分析からデジタル・デモクラシーを機能させる法体系などの充実を図るために、政治家や市民が主体的に、自らの政治的意志を示していく重要性を強調する。その上で、中国政府の密告サイトなどを問題視し、デジタル・ガバメントはデジタル・デモクラシーの存在しない権威主義の国家においても成立してしまう点に警鐘を鳴らしている。

第8章「町と人をつなぐもの――震災一〇年から考える未来へ向けての町づくりとそのフィロソフィー」では、町づくりの哲学が問われている。担当する峯村は、大手新聞社の記者として約三〇年間、地域政策、観光、医療などの分野で取材、執筆を続けてきた。

峯村は、まず町や町づくりの定義を紐解きながら、町を単なる経済や公共インフラの共同体ではなく、「漠然とまとう歴史と文化の場」として捉え直している。また自身の研究成果を踏まえて、持続可能な「町づくり」の方法として、「町直し」、「つながり力」という概念を示す。

こうした整理を経た上で峯村は、東日本大震災後の復興事業における被災者の心の問題を、防波堤事業の事例から丁寧に分析していく。そして、行政が安全・安心を最優先に事業を進めた段階では、被災住民が、海の恵みのために災害リスクを引き受けるか、海の見えない生活をやむなしとするかを、「覚悟」を持って選択するだけの気持ちの余裕がなかったと指摘する。さらに、「覚悟」という心の問題を、岩手県宮古市田老地区の「学ぶ防災ガイド」や、福島県新地町の「復興フラグ」の事例から丁寧に捉え直している。その上で、被災地で暮らすことを決断した人々に共通する思いや、その思いの持つ意味について考察を深めている。

第9章「「地域の物語」とその再生——「持続可能性とは何か」を地域の側から「問い」直す」は、ごく一般に聞かれる基礎自治体や地域の「持続可能性」という言葉の内実、本質を問い直そうと試みている。執筆者の藤倉は、社会科学と工学の両面から地域づくり政策に数多く関わるかたわら、学際的研究グループの一員として、日・仏・独の小規模基礎自治体や地域を対象とした国際比較研究を続けている。

本章において藤倉は、まず、約半世紀にわたり「景観まちづくり」を継続してきた長野県木曽町開田高原地域と、短期間に持続性のあり方の転換を図っている同県上伊那郡宮田村の「まちづくり政策」を詳細に分析する。その上で、二事例には共通して先行研究が「公共圏的空間」と定義している〈場〉が形成され、この「公共圏的空間」における活動を通じて「地域イメージ」が転換されていく点に着目する。さらに、この転換過程を「地域の物語」という仮説を用いて読み解き、持続可能性が更新されていく一連の過程を、構造として抽出している。

以上の分析、考察を踏まえて藤倉は、「持続可能性」という「問い」には、〝公共（open to all）〟とそれを支える主体（基礎自治体や地域）の成り立ち自体を問うような、より本質的な「問い」が含まれている点を指摘する。そしてこの点を起点として、持続可能性の内実を、基礎自治体を支える地域、地域を支える「公共圏的空間」、さらにそれらを下支えしている多様な主体による公共的な活動という重層的な構造として描き出し、その現在進行形の「現場」である地域から〝公共（open to all）〟の政策を捉え直すことの意義を論じている。

ここまでに、本書を構成する九つの章を概観してきた。

各章では、国と地方自治体の関係や機能、役割の分担、政府部門と民間部門、市民部門の連携と機能補完、国民の正常化バイアスの問題、教育と地域社会、地域ブランドとグローバル世界のつながり、グローバル指向の反映としての株式市場と地域政策の関係、政治への市民参加のための政治インフラの必要性、デジタル社会とデモクラシーの関係、被災地の人々の心と「覚悟」、多様な公共的な活動を支える空間の重要性など、現代社会と公共政策の関係を巡る様々な情報が現場の実状に即して提示されている。

各章における検討成果を踏まえて本書全体から、現代社会と公共政策の多様で複雑な関係性を、総合的に捉えていただけることを期待している。

本書が対象としているのは公共政策のほんの一部にすぎないが、公共政策の領域やそれを支えるシステム、ネットワークの広がりなどにより、現在、日常生活の場や仕事先から、容易に様々な公共的な政策にアクセスできる社会的状況が生まれている。各章を、興味に沿って順番を問わずに読み進め、公共政策をより身近なものにしていただければ幸いである。

注

1　一例として国は、「労使団体や業種別事業主団体に対して、職場における感染防止対策の実践例等を活用して、労使が一体となって職場の状況に応じた感染防止対策に取り組んでいただくよう協力依頼を実施」している。首相官邸ＨＰより引用。https://www.kantei.go.jp/jp/headline/tokushu/corona.html（最終閲覧日二〇二一年三月二〇日）。

2　ここでは「公共経営（Public Management）」という用語を、一般向けに簡略化して説明している。学術的な文献としては、Koichiro Agata, "Public Management, Public Policy, and Public Policy Research" が参考となる。当該論文では先行研究の整理の後、公共経営（Public Management）を、governmental（政府）、market（市場）、civic（市民）という基本原理の異なる（正確には different fundamental principles regarding the exchange of goods and services with payment.）、三つの部門のうち、少なくとも二つが共通の社会問題の解決に向け、一定の自己犠牲を前提に協力すること、と説明している。

第1部

地域から公共政策を考える

第1章

地域の幸せを仕事にするということ

――住民福祉の意味と自治体職員の役割再考

泉澤 佐江子

はじめに――福祉概念の様相

地方自治法第一条の二 地方公共団体は、住民の福祉の増進を図ることを基本として、地域における行政を自主的かつ総合的に実施する役割を広く担うものとする。

（地方自治法第一条の二）

地方自治法第一条の二に示される「住民福祉の増進」。ここで言う「福祉」とは、「福」「祉」

というそれぞれの文字が示すように「幸せ、幸福」を意味する。つまり自治体の目的は、住民が暮らす地域の幸せを増やすことである。しかしながら自治体において「福祉」という単語が用いられるとき、それは困難を抱える人を対象とした政策やサービスの提供など、扶助的要素の強い限定された一領域として扱われることが多い。これは言うなれば狭義の福祉であり、広義の福祉である住民福祉は地域における小さな福祉（幸せ）の集積によってできあがるものである。

一方、狭義の福祉における共通の基本事項を定めた社会福祉法には、地域福祉とは地域における社会福祉であること（第一条）、地域住民も地域福祉の担い手であること（第四条）、そして国や自治体は福祉が円滑に提供されるための制度と体制の整備をすること（第六条）が示されている。ここには、地域の幸せを実現するためには、社会制度の整備と、同じ地域に暮らす住民らが協力して行う活動の二つが欠かせないということが示されている。そして自治体の職員は地域の最前線でこの双方に関わる立場にある。

すなわち職員の役割は、目の前の事象や課題から地域全体の幸せを実現する制度を整え、さらに目の前の住民が地域福祉の主体として活動（生活）できるよう支援していくことの二点になる。それは狭義の福祉と広義の福祉の間を取り結ぶことでもある。本章の目的はそのための方策について考察することにある。狭義の福祉の例として、障害福祉と高齢者福祉を取り上げ、具体的な事例をもとに考えていく[1]。

1　障害福祉——マクロの変化とミクロの複雑さ

本節では、社会福祉基礎構造改革によって生じたマクロな変化と、現実に生じるミクロな複雑さを確認する。例として障害福祉を取り上げ、障害に対する概念の変化と具体的なサービスの動きや世の中の変化を整理する。

社会福祉基礎構造改革

二〇二一年東京パラリンピックはまだ記憶に新しいが、多くの人々にとって障害の多様さとその可能性に初めて気がついた大会であったのではないだろうか。今大会では、前回の一九六四年大会のときと比べて、障害者の存在の意味づけが異なっていた。当時のＶＴＲには、社会人として働きながらスポーツに励んでいる外国人選手に対して、日本選手は病院や施設で生活する入院患者であった様子が記録されている。しかし、今大会では障害者の能力や可能性に目が向けられており、日本においても障害は社会や環境が生み出すものという考え方へと変化しつつあることが示された。

この根底には、障害をはじめとする福祉全般の位置づけの変化がある。日本の社会福祉制度は、戦後の救貧対策の考えを基に整備が進められた。社会的弱者への福祉サービスは行政が実施する措置となり、措置は行政処分であるゆえ、サービスの受給にあたっては対象者本人の希望がかなう範囲は狭く、かつ厳格な所得調査が求められていた。

戦後から高度経済成長期にかけ、潤沢な財源と機関委任事務制度により福祉政策は日本全国に広く行きわたったが、経済成長の鈍化を迎え、一九七〇～八〇年代には支出削減に向けた制度調整が行われていく。さらに少子高齢化が顕著になり始めた一九九〇年代に入ると、行政改革に地方分権改革の流れが加わり、福祉分野においても制度の民主化・分権化・地域化が図られていった。そして一九九五年、社会保障制度審議会勧告[2]において、国民の自立と社会連帯の考えが社会保障制度の基盤となることが確認された。つまり行政が福祉を個別に措置するというこれまでの方式から、福祉を社会化して地域全体で担う方式へと改め、行政はそのための仕組みづくり行うということである。

この社会福祉における基礎構造改革は、「措置から契約へ」と表される。それは、行政と福祉を受ける者の関係が、措置権者とその対象者から、区分認定を行う者とその認定区分に応じて自分で必要とされるサービスを選び、契約する利用者という関係へと変化したからである[3]。

さらに地域にとっては、それまで家族や入所施設で保護されていた者が、地域で生活する隣人に変わることを意味する。そうした人たちが地域で暮らすには、住民の理解を深め相互扶助の仕組みを作ると同時に、実際に必要となる福祉サービス事業の総量を増やす必要がある。そのため官製市場の色彩が強かった社会福祉分野においても、株式会社などの多様な事業者の参入を認め、かつ競争原理を用いて質の向上を図ろうとする規制改革が進められた。[4]

制度という点では社会福祉、介護保険、障害福祉、児童福祉など分野別に分かれているが、近年ではより大局的な視点から、自治体に対しそれぞれの福祉分野の共通事項を定めた地域福祉計画の策定が求められるなど、分野の枠組みを超えた福祉政策が進められている。[5] また地域づくりという点では、障害者、高齢者、外国人など、その人の属性に関わらず、誰もが社会の一員としてお互いを尊重し、支え合って暮らすことを目指すという地域共生社会の考え方が提唱され、国民の認知度も高まっている。[6]

ミクロな現実の複雑さ

二〇一九年、参議院議員選挙において重度の障害を持つ議員が二名誕生した。筋萎縮性側索硬化症（ＡＬＳ）患者の舩後靖彦議員と、脳性まひを患う木村英子議員である。両議員には地域共生社会の実現に向けた当事者目線からの意見の表明など、存在そのものに期待が寄せられている。当選を受け、参議院では、初登庁までの短い間に施設の改修や運用の変更等のバリアフリー化が進められた。[7]

図表 1-1　障害者手帳の種類と対象

手帳の種類	対象
身体障害者手帳：1級～6級	視覚、聴覚、平衡機能、音声・言語またはそしゃくの障害、肢体不自由（上肢・下肢・体幹・脳原性運動機能障害）、内部障害（心臓・じん臓・呼吸器・ぼうこう・直腸・小腸・肝臓機能及び免疫機能障害）があると医師の診断を受けた方。
療育手帳：Ⓐの1～Bの2（6区分）	知能指数、社会性、基本的生活等の年齢に応じた障害の程度を総合判定するもの。
精神障害者保健福祉手帳：1級～3級	統合失調症・気分（感情）障害・非定型精神病・てんかん・中毒精神病・器質性精神障害（高次脳機能障害を含む）・発達障害、及びその他の精神疾患を対象。精神障害のために長期にわたり、日常生活または社会生活への制約がある方。

出所：浦安市資料をもとに筆者作成。

しかし一方で、より本質的な問いも投げかけることになった。両議員が利用する重度訪問介護サービスは自宅での介護が対象で、通勤・勤務中は対象となっていない。これは重度障害者が働くことを想定していないためで、もし介助を受けて働くならば、費用は本人または雇用主が負担することになる。[8]障害者の就労機会の拡大に向け、両議員は国の負担とすることを求めているが、それは社会保障費の増大につながる。働くための費用を誰が負担するのかという問題の解決には、多くの議論と時間を必要とする。理念を具現化することは、その都度生じる現実的な諸問題に一つひとつ対応していく過程でもある。

さらに障害者と一口に言っても、そのありようは非常に多様である。例えば障害者手帳は三種類あるが、それぞれ障害の程度によって、身体障害者手帳は六区分、療育手帳は六区分、[9]精神障害者保健福祉手帳は三段階に区分けされている（図表1―1）。

加えて、障害福祉サービスの受給者という観点に立つと、対象は手帳保持者にとどまらない。知的障害・精神障害があると診断されている人、特定医療費（指定難病）受給者証保持者、対象疾患の診断を受けた人も含まれる。[10] さらに障害の区分と等級、身体障害の場合は部位（視覚障害、聴覚等、肢体不自由、内部障害等）、疾患名等によって受けられるサービスが異なっており、一口に障害者と括ることのできない現状がある。

また、障害者と一括りに捉えてしまうことは、障害者の間にも難しい問題を引き起こす。例えば、東京都の取り組み「TEAM BEYOND」の事例がある。パラスポーツを応援するこのプロジェクトでは、二〇一八年一〇月に開催した啓発イベントで二三人のアスリートの競技中の写真に印象的なキャッチコピーを載せて展示した。そのうちの一枚、パラバドミントンの杉野選手のポスターに載せた「障がいは言い訳に過ぎない。負けたら自分が弱いだけ。」というコピーに対して障害者からの批判が殺到し、四日後には東京都がポスターを撤去して公式に謝罪するという事態が生じた。[11] コピーはパラアスリートが勝負にこだわる文脈での発言の一部分であったが、競技の世界での勝ち負けに言及した部分が省略されたことで「障害を言い訳にする人はダメ」というニュアンスが生じてしまい、批判につながった。[12]

障害という狭い範囲の福祉においてもこれほど多様で複雑な現実がある。

2　障害福祉――障害を巡る地域の現状

本節では、千葉県浦安市が行った市民を対象としたアンケート調査の結果を用いて、地域において障害がどのように捉えられているかについて整理する。

浦安市の調査

浦安市には、Uモニ（浦安市インターネット市政モニター制度）という制度がある。登録した市民モニターにインターネットやEメールを利用して身近な行政課題についてアンケート調査に回答してもらい、意見・意向を地域づくりの参考としている。[13] 二〇一〇年度に運用が開始され、二〇一八年一〇月に実施した第一〇〇回調査では障害をテーマに調査を行った。本節ではこの調査結果の概要及び寄せられた自由意見をもとに、地域の現状について整理する。[14]

ただしこの調査は登録制のため、回答者の市政への関心度は高めである。かつ回数を重ねるごとに知識は蓄積されることから、無作為抽出の調査に比べればバイアスがある。しかしながら、市政に興味関心のある人の積極的な意見として捉え、自由意見の内容を併せて整理することで、障害を巡る地域社会の意識の現状を確認していく。

定量的分析

〈調査の概要〉

・調査名：「障がいのある方への理解を深めることに関するアンケート調査」
・調査期間：二〇一八年一〇月四日〜一〇月一〇日
・調査方法：インターネットによる回答（回答者は事前登録者）
・回答者：四〇〇人（登録者七七九人、回答率五一・三四％）
・男女比率：男性二一三人（五三・二五％）、女性一八七人（四六・七五％）
・年齢別：一〇代　一人（〇・二五％）、二〇代　一〇人（二・五％）、三〇代　五四人（一三・五％）、四〇代　一三八人（三四・五％）、五〇代　八六人（二一・五％）、六〇代　五四人（一三・五％）、七〇代　四五人（一一・二五％）、八〇代　一二人（三％）
・質問数：八問

本項では、選択式の質問七つのうち五つについて確認する。なお、内閣府が二〇一七年度に実施した「障害者に関する世論調査[15]」と重複する質問もあるため、それらについては内閣府調査の回答との比較も含めて表示した。

まず、回答者の障害に対する関心度について確認しておく。図表1―2は、障害者差別解消法の認知度である。内閣府の調査結果と比較してみると、内容理解層は浦安市の方が約三倍、認知層も約一・七倍高くなっている。ただしこれに関しては浦安市のモニターが登録制であるためもとより市政に関心のある住民が回答したバイアスと捉えるのが妥当であろう。

さらに図表1―3を見ると、浦安市が障害者差別解消法と同時に制定した、浦安市障がいを理由とする差別の解消の推進に関する条例の認知度についての内容理解層が七・五％ある。一般的な住民が、興味関心のない分野の条例まで認知していることは考え難い。しかもこれは障害者差別解消法についての内閣府調査の内容理解層五・一％を上回っており、さらに図表1―4では「自分自身または身近な家族・親族が障害者」という回答者が約三割いることなどを勘案すると、無作為抽出で実施された内閣府調査[16]と比べて浦安市の回答者は、行政の動向や障害福祉への関心が高めであると言える。

こうした傾向を踏まえて「世の中の障害者差別の有無」について見てみると、「差別がある」または「ある程度ある」と回答した人の合計は浦安市調査八六・〇％、内閣府調査八三・九％である一方、「あまりない」「ない」と回答した人の合計は浦安市一二・二五％、内閣府調査一四・一％となっており、浦安市の方が差別や偏見を感じる割合が若干大きい（図表1―5）。これはもともとの関心度の差異に加えて、回答者の年齢分布の影響も考えられる。浦安市調査では一〇代～四〇代の回答者が五割を超えるのに対して内閣府調査での同年代の割合は三五・一％、五〇代

図表1-2　平成28年4月施行「障害者差別解消法」について知っているか（問1）

回答	浦安市調査	内閣府調査
1. 法律の内容も含めて知っている	59（14.75%）	5.1%
2. 内容は知らないが、法律ができたことは聞いたことがある	114（28.5 %）	16.8%
3. 知らない	227（56.75%）	77.2%

出所：浦安市及び内閣府資料をもとに筆者作成。

図表1-3　平成28年4月施行「浦安市障がいを理由とする差別の解消の推進に関する条例」について知っているか（問2）

回答	浦安市調査
1. 条例の内容も含めて知っている	30（ 7.5 %）
2. 内容は知らないが、条例ができたことは聞いたことがある	63（15.75%）
3. 知らない	307（76.75%）

出所：浦安市資料をもとに筆者作成。

図表1-4　身近に障がいのある方はいるか（いたことはあるか）（複数回答）（問5）

回答	浦安市調査	回答	浦安市調査
1. 自分自身・身近な親族	112（28.0 %）	6. 趣味などの活動の場	39（ 9.75%）
2. 学校	96（24.0 %）	7. 身近にいたことがない	69（17.25%）
3. 自分の職場	130（32.5 %）	8. わからない	12（ 3.0 %）
4. 仕事関係（3以外）	55（13.75%）	9. その他	18（ 4.5 %）
5. 隣近所	113（28.25%）		

出所：浦安市資料をもとに筆者作成。

図表1-5　世の中に障がい者に対して、差別や偏見があると思うか（問6）

回答	浦安市調査	内閣府調査
1. あると思う	171（42.75%）	50.8%
2. ある程度あると思う	173（43.25%）	33.1%
3. あまりないと思う	37（ 9.25%）	7.7%
4. ないと思う	12（ 3.0 %）	6.4%
5. わからない	7（ 1.75%）	1.9%

出所：浦安市及び内閣府資料をもとに筆者作成。

まで含めると浦安市七二・二五%に対して内閣府調査は五一・〇二%と、浦安市調査の方が回答者の年齢が若い。[17]現役世代の回答者が多いということは、社会の中で進展する障害者施策や福祉教育の変化を間近に感じているために、差別や偏見についてより敏感であると考えられる。

では、行政の動向や障害福祉に関心があり、かつ社会の動きにも敏感な回答者が、障害者への理解を深めるために必要と考えるものは何か。その答えが図表1―6である。「障がいのある方もない方もともに参加するイベントの開催」、「障がいのある方の生活を知る」、「福祉人権教育を充実する」、「企業が積極的に福祉活動に携わる」、「障がいのある方が積極的に社会に進出する」が高くなっており、これらからは障害者との接点、社会の中で相互に知り合うことが必要であると考える人が多いことがわかる。

内閣府調査においても、「企業や民間団体が行う活動への希望」という質問に対して、「障害のある人の雇用の促進」、「障害者になっても継続して働くことができる体制の整備」などの回答が六割を超

図表 1-6　障がいのある方への理解を深めるために何が必要と思うか（3つまで）（問7）

回答	浦安市調査
1. 福祉人権教育を充実する	139（34.75%）
2. 障がいのある方もない方も共に参加するイベントを開催	152（38.0 %）
3. 障がいに関する後援会や学習会などを開催する	82（20.5 %）
4. 企業が積極的に福祉活動に携わる	139（34.75%）
5. 障がいのある方の生活を知る	152（38.0 %）
6. 広報紙等で障がいや障がいのある方への理解を呼びかける	75（18.75%）
7. 障がいのある方が積極的に社会に進出する	119（29.75%）
8. わからない	39（ 9.75%）
9. 現状で十分	8（ 2.0 %）
10. 理解を深める必要はない	7（ 1.75%）
11. その他	18（ 4.5 %）

出所：浦安市資料をもとに筆者作成。

えている。[18] さらに「国や地方公共団体がもっと力を入れる必要があると思う施策」については、「障害のある人に配慮した住宅や建物、交通機関の整備」、「障害に応じた職業訓練の充実や雇用の確保」等が五割を超える。[19] これらは社会に参加し、ともに活動することに対しての意見であり、前述した「共生社会の認知度」が上がっていることの表れであるといえよう。

定性的分析

定量的分析からは、障害者が病院や施設で暮らす遠い存在ではなく、地域でともに暮らす近しい存在として、社会が整備されていくことを望む意見が多い様子がうかがえる。だが、これに沿って国や自治体がやるべきことをやれば地域共生社会は進むのだろうか。第2節では障害を巡る多様な状況を確認したが、地域社会も同様に多様性に満ちており、一括りにまとめられるものではない。ここでは自由意見を用いて、単純には分類しきれない細かなニュアンスの違いに着目していく。

問8は「理解を広めることについての自由意見」を求める質問で、有効回答数の四四・五％にあたる一七八人から意見が寄せられた。全体的な印象としては大きく三つに分かれる。まずあらためて理想を語る「あるべき論」、次にどれだけ理想を述べても無理だという「諦め」、そして「わからない」という正直な気持ちである。[20] ただし、それぞれの意見にも微妙なニュアンスの違いがある。

例えば、「あるべき論」には単に規範を述べるだけのものから、それが守られていないことに対する不満や怒りが含まれているものがある。「諦め」はそうした不満や怒りの裏返しとして生じているものから、できるわけがないからというものまである。そしてその理由が最も多様であった「わからない」は、「接したことがないから、身近にいないから」という理由から、（手助けしたいと思うが）「何をどうすればいいのか／見た目でわからない人もいる（目印があるといいのだが）／見てはいけないのではないか／（当人は）何もしてほしくないのではないか（と相手の気持ちを考えてしまう）」というもの、「当事者になって初めてわかるのでは」など、実に様々である。

ただ自由意見には、そうした状況を打破するために「こうしたらいいのではないか、こうしたことが必要なのではないか」という提案が含まれるものも少なくない。

提案が含まれる意見は五〇（二八・一％）あり、そのほとんどは障害者との接点を持つこと、接する機会の必要性について述べている。特に学校教育の中で、できるだけ低学年の頃からカリキュラムに組み込むべきという意見が目立つ。それも知識としての教育だけでなく、実際に障害児（者）とともに過ごす時間や機会を持つことで自分と異なる特性を持つ他者への配慮を自然に身につけることに言及している。大人に対しては、社会教育の必要性のほか、交流や体験のためのイベントの開催などがあがっている。行政や企業に対しては、仕事や活動のための環境整備を求める意見がある。そして接点を持つ以前に、知識や情報の絶対的な不足があり、その不足を補うために「具体的な配慮の方法が知りたい」、「地域の掲示板や広報紙などで定期的に知らせてほしい」など、あらゆる機会を用いて情報の発信を求める意見があがっている。これらは定量的な分析結果と符合する。

ただ、必ずしも肯定的な意見ばかりではない。社会の無理解や行政に対する不満のほか、逆差別にはなりはしないかという問題の投げかけも一三件（七・三％）あった。「やりすぎると健常者への逆差別や利権の温床になり危険」、「（障害者にも）サポートに税金がかかっていることを理解してもらいたい」などである。

当事者についても「もっと積極的に外に出るべきだ」という一方で、「無理に社会参加する必要はない」という意見がある。また、「配慮すべき弱者である」という一方で、「怖い」という意見もある。加えて、「一括りにするな」という意見は当事者（と思われる人）と健常者の双方から寄せられている。さらには、事故などで誰もが障害者になる可能性があることを知っておくべきという意見、障害者とは何かという範囲をあらためて問う意見、条例制定も意識調査も行政の自己満足であるという意見もあった。

「誰しも知らないものは怖い。だからこそ知識・情報を得て、かつ実際の接点を持つことで〝わからない〟状況を減らすことが肝心」。自由意見から得られる課題解決の方向性はこうしたものであろう。しかしその中には様々な意見が混在しており、一様にまとめられるわけではない。それが地域の実態である。

浦安市のアンケート結果からは、定量的にも定性的にも、障害に対して理解が進みつつあること、さらに地域共生社会に対しては基本的に肯定的であり、そのための理解を深めていくための施策が求められていることが導出された。ただし、自由意見を詳細に検証すると、一つにまとめられる意見の中にも微妙なニュアンスの違いもあることが確認できた。

実際に現場で地域づくりを行っていく段階になると、この微妙なニュアンスの違いや温度差が重要になってくる。それは賛同であれ、怒りであれ、諦めであれ、何らかの関心を寄せる多様な住民こそが、地域の幸せに関わる主体となり得るからである。職員にはこうした温度差を感じながら、住民の意見を丁寧に拾い上げていくことが求められる。

3　高齢者福祉——地域包括ケアシステムにおける浦安市の試み

本節では、地域づくりという視点から、障害福祉に先行して展開されてきた高齢者福祉での取り組みを取り上げる。浦安市で地域包括ケアシステムの構築と並行して行ってきた「地域包括ケア評価会議（以下、「評価会議」と略す）」の内容と成果について考察する。

交わることの実践——地域包括ケア評価会議

福祉を社会化し、地域全体で担っていくことを目指す社会福祉基礎構造改革の後、いち早くその進展が見られたのが高齢者福祉の分野である。介護保険制度が導入されるとともに、高齢者の暮らしを支える地域のあり方として地域包括ケアシステムが提唱された。

地域包括ケアシステムとは、「地域の実情に応じて高齢者が、可能な限り、住み慣れた地域で、その有する能力に応じ、自立した日常生活を営むことができるよう、医療、介護、介護予防、住まい、及び自立した日常生活の支援が包括的に確保される体制[21]」のことである。その実現に向けて市町村は、地域の高齢者の総合相談、権利擁護や地域の支援体制づくり等を行う地域包括支援センターを設置できることになっており[22]、さらに努力義務として地域の課題を共有し、検討する場である地域ケア会議を置くことが定められている[23]。

浦安市においても地域包括ケアシステムの構築に向けて地域包括支援センターが設置されており、二〇一〇年九月からは、地域ケア会議である評価会議を年に五～六回開催している[24]。目的は、「地域包括ケアシステムの実現を目指す市民・地域・関係機関・行政が、それぞれの立場で日頃感じていることや情報を持ちより、設定されたテーマについて、同じ立ち位置で話し合い、役割を確認、補完し合う[25]」ことである。

会議という名称であるが、参加者は固定されておらず、介護サービス事業者、社会福祉協議会、福祉施設、NPO法人、市民活動団体、ボランティアなど、福祉につながる何らかの団体に所属していれば誰でも参加が可能である。浦安市では市民活動団体が主体となった介護予防を進めており[26]、かつてはサービスを受ける側だった人がその活動に賛同して団体に参加し、担い手となる例も少なくない。評価会議にはこうした市民活動団体のほか、うらやす市民大学の学生[27]、医療関係者、福祉部を中心とした市職員らも参加している。

評価会議では毎回ごとのテーマを設け、まずは基礎的な情報をセミナー形式で共有する（図表1―7）。福祉関係者も実は自分の業務以外のことについてはよくわかっていないという場合は意外に多い。市が正しい知識や情報を発信していくことは重要である。セミナー講師は職員や大学教員だけでなく、評価会議の参加者である地域のサービス事業者や市民活動団体が務めることもある。こうして学び合いの形式をとることで、自分たちが市の地域包括ケアシステムの一翼を担う存在であるという当事者意識を醸成し、各自、自分の役割を確認することにもつながっていく。

セミナーの後は、テーマに関するグループワークを行って意見を交換する。グループは属性がかぶらないよう、かつ毎回違うメンバーと意見交換できるように分けられる。市の職員も各グループに振り分けられて意見を交換するが、地域包括支援センターの職員は中立の立場でグループのファシリテートを行い、全体での意見共有に向けての発表者は他のメンバーが行う場合が多い。多いときには一〇以上のグループができるが、全グループが発表を行い内容を共有している。

地域包括ケア評価会議の成果

評価会議には専門のアドバイザーが置かれ[28]、中立的な立場から助言を行う。地域づくりで陥りがちな行政批判や行政側の自己防衛的な態度を指摘しつつ、本質的な課題に目が向くよう気づきを促していく。会議後には、市がその回の会議内容を「地包評たより」として取りまとめ[29]、アドバイザーからの助言を加えて次の評価会議で参加者に配布している。これにより、会議参加者の

年度	回	テーマ
2017	1	地域で支えあうために「支部社協」の活動を知ろう
	2	地域包括ケアシステムの深化と発展
	3	転入高齢者の介護予防
	4	転入者の地域デビューに向けて
	5	浦安市高齢者保健福祉計画及び第7期浦安市介護保険事業計画について
	6	協働をすすめてきた浦安市の地域づくりの現在と今後
2018	1	新時代の浦安市の地域包括ケアシステムについて考える～高齢者の自動車運転を通して
	2	詐欺被害から地域を守るためにできることを考える
	3	想定外を想定する～大規模水害に対する浦安市の対策、地域の対策、あなたの対策
	4	浦安における「移動手段」を考える
	5	あなたができる「生活支援」～浦安における支えあいの仕組みづくりのために
	6	できる人が、できることを、具現化、実践するために必要なこと～協働の視点から
2019	1	認知症の人が自分らしく暮らし続ける地域づくりについて～市民・地域・関係機関・行政が一緒にできること
	2	認知症を前向きに捉える社会を目指して
	3	これからの浦安の超高齢社会を見据えて～おたがいさまの地域活動から学ぶ
	4	地域を元気にする支部社協の活動について～市民・地域・関係機関と支部社協がどうつながり、活かしていくか
	5	人生の最期まで自分のしたいことが続けられるために～あなたに最適な地域医療とは
	6	人生の最期まで自分らしく生きるための支援～エンド・オブ・ライフケアを支える語り合い・学び合いのコミュニティづくり
2020	1	高齢者の新しいつながり方を考える～新型コロナウィルス感染症予防の視点から
	2	高齢者の新しいつながり方を考える②～ウィルスはどこから、どこへ、どうやって
	3	地域包括支援センターのサテライトについて～自治会レベルでの設置を目指して
	4	浦安市高齢者保健福祉計画及び第8期浦安市介護保険事業計画について
	5	コロナ禍での新しいコミュニティとまちづくり
2021	1	コロナ禍を機に考えるこれからの地域包括ケアシステムについて～新浦安駅前地域包括支援センターの10年間の取り組みより
	2	コロナ禍での高齢者のつながり方について～ワクチン接種が進む中において
	3	認知症の人が自分らしく暮らし続ける社会の実現を目指して～認知症条例の制定に向けて
	4	知って得する成年後見制度～転ばぬ先の杖のために

出所：浦安市資料をもとに筆者作成。

図表 1-7　浦安市地域包括ケア評価会議テーマ一覧

年度	回	テーマ
2010	1	アンケート結果より　浦安市地域ケアシステムの課題の明確化
	2	地域包括支援ネットワークの意義
	3	高齢者のつながりの再確認
2011	1	震災を振り返って
	2	地域包括支援センターの役割と意義
	3	地域の中でつながるための高齢者サービス
	4	地域の課題を明確化し計画に反映する
	5	地域づくりの意義
	6	民生委員との連携
2012	1	新たなつながりを考える
	2	市民と協働で考える認知症対策
	3	高齢者のひとり暮らしを考える
	4	人とのつながり方から孤独死をとらえる
	5	つながりの拠点整備と居場所づくり
	6	地域の“つながり”の活動報告
2013	1	高齢者を誰が、どう支えるか〜買い物支援と介護人材の不足
	2	介護予防健診から見えること
	3	地域のいいところ探し
	4	男性高齢者の元気のとびらをひらく地域づくり
	5	高齢者見守りネットワーク
	6	介護保険法改正を先取りした浦安市の市民協働
2014	1	浦安市が目指す地域包括ケアシステムとは　最終イメージの共有
	2	高齢者のボランティア・地域活動・役割づくりを考える
	3	市民主体の生活支援・介護予防サービスを考える
	4	生活支援サービスの担い手を考える　ボランティアでできること
	5	在宅で安心して療養生活を送るために①〜いま、求められている市民と医療の関係性とは
	6	在宅で安心して療養生活を送るために②〜自分らしく生きるための支援　エンド・オブ・ライフケアとは
2015	1	地域包括支援センターの機能強化
	2	これまでの地域包括ケア評価会議と今後のあり方について〜地域ケア会議と協議体、評価会議の展望を含めて
	3	認知症の人とその家族が安心して尊厳ある生活を継続するために必要なこと
	4	その人らしい「社会参加」とは〜社会参加の場所探し
	5	浦安市における地域リハビリテーション活動支援事業の活用を考える
2016	1	浦安市における地域包括ケア実現に向けて
	2	浦安市における認知症の家族の現状と必要としていること
	3	これからの高齢者の住まいのあり方について
	4	地域で支えあうために総合事業をどう活用するか①担い手づくり
	5	地域で支えあうために総合事業をどう活用するか②生活支援コーディネーター

所属団体の中での情報共有が容易になる。

テーマには繰り返し取り上げられているものもあるが、肝心なことは、その時々に応じて自分たちの地域に当てはめて考えることである。社会の変化に伴って同じテーマも意味合いは変わってくる。取り上げる視点を変えることで、テーマについての理解を深める工夫がされている。

例えば、二〇一八年度第5回の「あなたができる「生活支援」」というテーマでは、「地域でできること（人）と困っていること（人）のミスマッチ」という課題の解消に向けて、事前に「（サービス以外の）誰かによって解決できる〝困りごと〟」についてのアンケートを実施した。グループワークではその結果を用いて「困りごとの本質、その本質への支援を考える」をテーマに議論を深めている。自分ひとりの考えだけでなく、人の考えを知り、さらにそこから導き出される共通項を整理しながら本質的な課題を見つけようとする試みである。こうして表層的な事象からその奥にある課題の本質を考える訓練が繰り返されており、会議そのものが教育的な機能を持っている。

また、グループワークのメンバーが毎回異なることも見逃せない。評価会議は単に市が一方的に開催するセミナーではない。セミナーで得た情報と現場の諸問題をもとに対話し、課題解決の糸口を探りながらネットワークを育む基盤である。しかもそこには職員が対話の傍観者ではなく

図表 1-8　住民・評価会議参加者・職員（自治体）との関係性

住民（当事者）	評価会議参加者	職員（自治体）
困りごとの当事者である。 日常的な困りごとを苦情・要望以外の形で行政に伝えることが難しい。	当事者を直接支援できる。	当事者を直接支援できない（制約）。
	当事者の実態をよく知る。支援の課題をわかっている（かつて当事者であった者も含まれる）。	実態・課題を知りたいと思っている。
	自分のクライアント以外の事例は知らない。	多くの課題・事例を知る立場にある。
	当事者の実態を、支援体制の課題を踏まえながら抽象化して自治体に伝えることができる。	国の制度・市の動向を知っている。福祉以外の市の動向（状況）を知っている。
	課題を解決する制度を作ることはできない。	課題解決に向けて公的制度を作ることができる。

出所：筆者作成。

当事者として加わっている。このことは参加者や参加団体にとってだけでなく、自治体にとってより大きな意味がある。こうした基盤に参加することで職員の人材育成が図られ、人事異動等で一時的に生じる職員の経験不足やマンパワー不足を補うことにつながるからである。すべてのメンバーが入れ替わりながら継続していくという評価会議の仕組みそのものが成果といえる。

あらためて職員と評価会議参加者、及び当事者である住民の関係性をまとめると図表1—8のようになろう。評価会議の参加者は当事者を直接支援しており、その中にはかつて当事者だった者も含まれている。それゆえ当事者の考え方の傾向や抱えがちな困りごとの実態、支援の課題についてよく知っている。しかし彼らは個別のケースには詳しいが、地域課題の全体像はつかめておらず、公的な制度を作る立場にもない。一方、職員は当事者からは一歩遠ざかるが、地域全体の課題のありようを把握し、それを公的な制度整備につなげていける立場にある。つまり両者は補完し合う関係にあるのである。

さらに自治体にとってのメリットは、会議参加者が自治体と住民の間をつなげる中間支援的機能を果たしてくれるだけではない。彼らのフィルターを通して当事者の声をすくい上げることで、本質的な課題にたどり着くことが容易になる。一旦整理した意見を持ち寄ることで、本質的な課題についての議論へと進みやすくなるのだ。しかも地域的な特徴や課題をよく知る人たちが意見を整理してくれるのである。

行政計画や制度を策定する際、自治体は住民に対してアンケート調査を実施して、地域の状況や意見を分析する。しかしながら、調査結果報告書では意見は平たく整えられてしまいがちである。これに対して評価会議は、より住民に近い場所で当事者に関わる者と、継続的かつ定期的に会議を設けることによってアンケート調査の数値には表れない意見の取りこぼしを防ぎ、地域の現状をより的確に捉える役割を果たしている。浦安市では、評価会議で得たミクロな現場の情報を、マクロな国や市の動向、財政状況等を踏まえて実現可能性との折り合いをつけながら、よりよい地域包括ケアシステム実現につなげている。

福祉分野では、今回事例とした地域包括ケア会議と同様の仕組みが障害福祉、児童福祉の分野でも取り入れられており、なおかつそれらを地域共生社会の観点から包括的に運用する多重的支援施策体制整備事業も始まっている[30]。地域の意見を聴く場に学び合いの場、協働の場としての意味を持たせ、ともに目指す地域づくりについて考え、実践することが始まっている。

まとめ――住民福祉の増進に向けた自治体職員の役割

本章では、住民福祉の意味を住民の幸せとしてより広く捉え、自治体職員が果たすべき役割を二点示した上で、その具体的な方策について考察してきた。

第2節では、社会福祉基礎構造改革によって生じたマクロな変化とミクロな現実の複雑さについて整理した。国の新たな方針は福祉を社会化して地域全体で担うこと、そして誰もが共生する地域社会を目指すことである。しかし障害福祉分野だけを見ても、そのありようは非常に多様かつ複雑であった。第3節では、生活の場である地域の現状を知るため、千葉県浦安市で実施したアンケート調査を用いて障害に対する地域の意識を整理した。その結果、地域での共生という理念に対しては賛成しつつも、個別には相反する意見が存在していることをあらためて確認した。

こうした多様で複雑な障害当事者に対して、多様で複雑な意識を抱く地域の中で、職員はどう役割を果たしていけばいいのか。第4節では、その方策の一つとして、高齢者福祉領域での浦安市の取り組み「地域包括ケア評価会議」について検討したところ、評価会議参加者と職員の立場と果たす役割の補完関係が見えてきた。前者は個別の実情に詳しいが制度を作ることはできず、後者は制度を作る立場にあるが個別案件への関与には限界がある。このジレンマを解消する方策として、浦安市では参加者を固定しない評価会議を定期的かつ継続的に開催し、情報の発信と細かな意見の拾い上げを行っていた。評価会議は当事者と自治体の間で中間支援的機能を果たしているだけでなく、住民でもある会議参加者を地域福祉に関わる主体へと押し上げ、その活動を後押しする場となっていることが見てとれた。

ここであらためて職員の役割を考えると次のようになろう。

自治体の役割は地域の幸せを増やすことであり、そのために職員は法律、国や自治体の動向、財政状況等を踏まえて、理想と実現可能性の折り合いをつけながら制度を整える。これが第一の役割である。だが制度は住民の間に一定の境界線を引くことであるため、複雑な現実には対応できない。制度をよりよく機能させるためには、地域住民、当事者、実態をよく知る関係者から実情を聞き取りながら柔軟に運用することが欠かせない。だが地域は複雑かつ多様であり、より本質的な課題に近づくには時間をかけて地域住民等との関係性を築く必要がある。その過程において初めて職員は、彼らの中間支援的な活動を促し、支えていくという第二の役割を果たすことができる。さらにはその成果が第一の役割へと還元されるのである（図表1―9）。

図表 1-9　住民・中間支援者としての住民・職員（自治体）との関係性

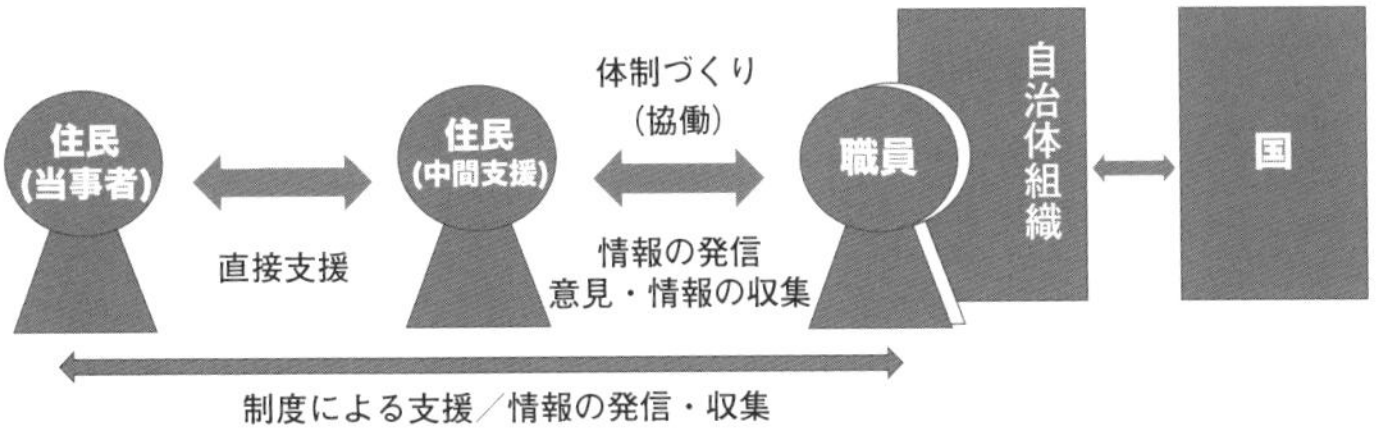

出所：筆者作成。

今回は、障害福祉、高齢者福祉という困りごとを抱える人に対する狭義の福祉への取り組みを例に考えたが、このことは防犯や防災、環境問題、観光、商業振興など、すべての行政領域に当てはまる。職員は自分が担当する分野の中で必要な制度を整えると同時に、住民と制度の関係、住民が果たす役割を見える化させ、そこに住民の関与を求めていく。それによって住民が主体的に地域に関わることになれば、それは地域福祉（幸せ）の実現につながる。もちろん自治体には住民と直接関わることのない管理部門もあるが、そうした部署は制度の根幹を整える役割を担っており、住民を起点に考えれば住民と関わる部門を補佐し、地域福祉の実現を陰から支える役割を果たしている。

もう一つ大事なこととして、職員にとっては、その過程に関わることが、目の前のミクロの状況をマクロの政策・施策へと転換させていく訓練となるだけではない。それによって職員が住民としての立場を再発見し、地域に関わるきっかけにもなり得ることも忘れてはならないだろう。それは地域福祉の実現に両側から近づくことでもある。

住民に直接関わることができるのは、住民に最も身近な行政機関である地方自治体だけである。目の前の混沌とした状況を住民全体の福祉へとつなげるために、職員はミクロとマクロの間、狭義と広義の福祉の間を行き来しながら制度を整え、そして一人ひとり異なる目の前の住民が主体的に地域に関われるよう支援していく。こうした循環を生み出す具体的な場を自治体においてもっと積極的に作り出していく必要があるのではないだろうか。

注

1 障害の表記について、障害と障がいが混在しているが、「障がい」とある箇所については、参照資料の原文のままとしたものである。

2 一九九五年七月四日 社会保障体制の再構築（勧告）～安心して暮らせる21世紀の社会をめざして～社会保障制度審議会勧告（https://www.ipss.go.jp/publication/j/shiryou/no.13/data/shiryou/souron/21.pdf）。

3 当事者とサービスを提供する事業との関係で見ると、措置制度では当事者は受託事業者からサービスを受けるだけであったが（措置委託や支払いに関することは行政と事業者の間のみのやりとり）、利用制度では当事者が直接指定事業者と契約し、サービスを受け、自己負担分の支払いも行うという関係（権利の主体）へと変化した。

4　かつては市区町村または社会福祉法人のみがサービス提供主体として認められていた。

5　二〇一八年の社会福祉法の一部改正で、高齢者福祉、障害福祉、児童福祉その他の福祉分野の共通事項を記載した「地域福祉計画」の策定が地方自治体の努力義務となった。

6　内閣府が実施した「障害者に関する世論調査」で「地域共生社会」の認知度について二〇一二年度と二〇一七年度を比較してみると、「知っている」と回答した人が四〇・九％から四六・六％へ上昇している（「聞いたことがある」は二四・二％→一九・六％、「知らない」は三五・〇％→三三・七％）。

7　大型車椅子が入れるように本会議場の一部議席の椅子を撤去、電動車いす等のため電源を設置するなどの施設改修のほか、本会議場への介助者の帯同許可、介助者による代理投票や記名投票等の運用変更が行われた。

8　『日本経済新聞』二〇一九年七月三〇日朝刊。両議員の活動中の費用は、当面、参議院が負担することになっている。

9　知的障害の程度に応じて、軽度（Bの2）、中度（Bの1）、重度（Aの1、Aの2）、最重度（Ⓐの1、Ⓐの2）に区分けされる。ただし、一八歳未満は最重度が未分化のため五区分。

10　対象疾患数は一定ではない。例えば、千葉県浦安市では二〇一八年度は難病の対象疾患は三七八だったが、二〇二一年度には三八〇となっている（『浦安市障がい福祉ハンドブック』より）。

11　寄せられた批判の内容は、次のようなものである。これは典型的な障害者差別の言い方であり、障害者には頑張ってもできないことや無理なことがある中で、言い訳に対しての単なる説教であるように捉えられるし、そうした誤解や曲解を助長してしまうというもの。

12　引用元の言葉の全体は次の通り。「それまで健常の大会に出ているときは、障がいがあってもできるんだという気持ちもあれば、負けたら〝障がいがあるから仕方ない〟と言い訳している自分がありました。でもパラバドでは言い訳ができないんです。シンプルに勝ち負け。負けたら自分が弱いだけ」。こうした批判に対してさらに批判があがるなど批判の応酬が行われた。

13　浦安市Uモニ制度について（https://www.city.urayasu.lg.jp/shisei/kocho/umoni/1001814.html）。

14　浦安市Uモニ第一〇〇回アンケート結果。

・調査結果の概要（https://www.city.urayasu.lg.jp/_res/projects/default_project/_page_/001/023/049/bunseki100.pdf）。

・自由意見（二〇一八年度第三回浦安市自立支援協議会権利擁護部会　議事録　議題二資料九〜一二頁）（https://www.city.urayasu.lg.jp/_res/projects/default_project/_page_/001/022/853/30kenri03.pdf）。

15　内閣府：障害者に関する世論調査（https://survey.gov-online.go.jp/h29/h29-shougai/index.html）。

16　内閣府調査は層化二段無作為抽出法による。

17　二〇一七年度内閣府調査の回答者の年齢構成は、一〇代一・七五%、二〇代六・七一%、三〇代一一・八五%、四〇代一四・七九%、五〇代一五・九二%、六〇代二一・〇七%、七〇代以上二六・八七%。

18　「障害のある人の雇用の促進（六六・三%）」、「障害者になっても継続して働くことができる体制の整備（六二・三%）」のほか、「障害のある人に配慮した事業所等の改善・整備（四九・〇%）」、「職場での精神的な不安を解消する相談体制の整備（四二・〇%）」などが挙がっている（複数回答）。

19　「障害のある人に配慮した住宅や建物、交通機関の整備（五二・〇%）」、「障害に応じた職業訓練の充実や雇用の確保（五〇・四％）」のほか、「障害のある子どもの相談・支援体制や教育と、障害のある人への生涯学習の充実（四八・一％）」、「生活の安定のための年金や手当の充実（四七・九％）」等が挙がっている（複数回答）。

20　分類及び件数のカウントについては、筆者の統一した判断と分類によるもの。行政への苦情や要望は主に「諦め」に分類した。ただし、意見の中には複数の内容を含むものがあり、これらはそれぞれに分類・カウントしている。

21　地域における医療及び介護の総合的な確保の促進に関する法律第二条。

22　介護保険法第一一五条の四六第一項。

23　介護保険法第一一五条の四八第一項、第二項。地域ケア会議には「個別課題の解決」、「地域包括支援ネットワークの構築」、「地域課題の発見」、「地域づくり資源開発」、「政策の形成」の五つの機能が求められている（厚生労働省ホームページより）。

24　コロナ禍にあってもいち早くｚｏｏｍを取り入れて評価会議を継続させた。

25　浦安市中央地域包括支援センター資料。

26　高齢者支援を行う団体は複数あるが、代表的なものとして「浦安介護予防アカデミア」がある。当該団体は二〇〇九年に浦安市が開催した「介護予防リーダー養成講座」の修了生が作った市民活動団体で、運動器の機能向上、栄養改善、口腔機能向上、認知症予防、閉じこもり予防、うつ予防をベースとして七班に分かれて活動している。浦安市では、当該団体との協働により介護予防教室の参加者数が、三四〇四人（二〇一〇年度）から一万七七〇七人（二〇一一年度）に増加。コロナ禍直前の二〇一八年度は三万一二五〇人まで増加した。

27 うらやす市民大学は、浦安市が協働の担い手育成を目的に設置した学びの場。シニア層を中心に浦安の地域づくりについてその実情と実践に向けて学んでいる。二〇二一年度はコロナ禍の影響により休校。

28 アドバイザーは医師の岩室紳也氏。公衆衛生の専門家であり、このコロナ禍において評価会議でもコロナウィルスについての正しい知識を取り上げた。

29 「地包評たより」は二〇一五年度から作成・配布されている。

30 厚生労働省重層的支援体制整備事業について（https://www.mhlw.go.jp/kyouseisyakaiportal/jigyou/）。

＊ホームページ資料については、すべて二〇二二年二月二八日最終確認。

第2章

災害多発時代を生き抜く知恵と新たな防災政策の創造

——公助、共助、自助による災害からの回復

源田　孝

はじめに

公共経営とは、「社会的存在を共有する人々が、共通する社会的ニーズを充足し、そして、その他の方法で公共的諸問題を解決するために、公共目的を設定し、問題の解決を図っていく集合的営為」[1]と定義される。そして、集合的営為は、政府部門、シビック部門、民間部門に分類される。

我が国は、人口密度／単位面積当たりでは世界一の災害大国と言われる。政府部門を「公助」、

シビック部門を「共助」、民間部門を「自助」と階層化して、災害多発時代を生き抜く知恵と新たな災害対策を提案する。

1 災害多発時代が到来している

気候変動は重大な局面に来ている

二〇二一年八月九日に国連の「気候変動に関する政府間パネル（IPCC）第六次評価報告書」[2]が公開され、「気候の変化の多くは、数千年単位では前例のないものであり、海面上昇など、すでに発生しているいくつの変化は数百年から数千年に及ぶ不可逆的な変化である」と報告した。

この報告では、地球温暖化の要因について、初めて「人類の影響は疑う余地はない」と断定しており、画期的なことであった。

この報告書が指摘した地球の現状と予測をまとめると、次の通りである。

（1）平均気温が一・五℃上昇すると、熱波の増加、暖候期の長期化、寒冷期の短期化が進む。
（2）平均気温が二℃上昇すると、猛暑によって農業と健康の耐性の臨界に達する。
（3）永久凍土の融解、積雪の減少、氷河と氷床の融解、夏季の北極圏の海氷減少が進む。
（4）海洋の水温上昇、海洋熱波の頻度増加、海洋の酸性化、海洋の酸素濃度の減少によって、海洋の生態系に影響を及ぼす。

（5）沿岸地域で海面が上昇し、沿岸洪水と海岸浸食が深刻になる。

（6）降雨と洪水が激しくなり、干ばつが深刻化する。

（7）降水量は、高緯度地域では増加し、亜熱帯地域では減少する。

（8）市街地では、高温、豪雨、洪水が発生する。

温帯に位置している日本では、地球温暖化は、次の二つの気象に影響を与えている。

一つ目は、二〇一四年八月の広島市の土砂災害以降、広く知られるようになった、発達した雨雲が次々に線状に発生し、同じ場所に停滞して大雨を降らす「線状降水帯」が頻発していることである。二〇一八年の西日本豪雨、二〇二〇年の熊本豪雨、そして二〇二一年に熱海を襲った豪雨は、予想雨量と土壌に溜まる水分が基準値を超えたため「一〇〇年に一度の豪雨」と呼ばれた。

このような状況から、東京大学の中村尚教授は、「今までの経験をもとに避難訓練を繰り返していたら、命を落としかねない状況になりつつある。雨の降り方が局地化、集中化、激甚化しており、過去にないほど激しくなる恐れがあることを肝に銘じておくべきだ」と警告している。[3]

二つ目は、巨大化した台風が発生する可能性が高まることである。日本近海の海面水温は、一〇〇年あたり一・一四度のペースで上昇し続けており、海面水温が高まると大気に含まれる水蒸気の量が増え、台風が巨大化しやすくなる。このまま温暖化が進むと、風速が毎秒五四メートル以上の「猛烈な台風」が増える可能性が高いと予想されている。

さらに、近年、日本上空の偏西風も北上する傾向にあるため、台風を移動させる風が弱まり、台風が「低速化」していると指摘されている。

今後は、「低速化」した「猛烈な台風が多発する」可能性が高く、浸水被害や土砂災害が深刻化することが予想される。

日本は地震大国である

二〇一四年七月、政府の地震調査研究推進本部は、東京都、茨城県、千葉県、埼玉県、神奈川県、山梨県を含む南関東地域震源とするマグニチュード七・〇の首都直下型地震が発生確率について、「三〇年以内に七〇％[4]」という予測を発表した。

二〇二〇年一月、政府の地震調査推進研究本部は、近い将来に発生が懸念される南海トラフ地震に伴う津波の予測を公表した。それによると、南海トラフ地震の発生確率は、「三〇年以内に七〇％から八〇％[5]」と非常に高く、地震のマグニチュードはM七・九からM九・〇で、九州地方から東海地方にかけての太平洋沿岸の広い範囲に三メートル以上の津波が発生すると予測している。地震調査推進研究本部の平田直委員長は、「地震は非常に高い確率で、生きている間に起きると思うべきだ[6]」と警告している。

二〇二〇年四月、内閣府は、北海道から東北地方北部の太平洋側を震源とする地震の想定を発表した。地震のマグニチュードは、日本海溝でM九・一、千島海溝でM九・三を想定し、最大で高さ三〇メートルの大津波が北海道と東日本の太平洋沿岸を襲うと推計した。いずれも、「発生が切迫している」[7]として、これまでの防災対策を見直す必要があることを指摘した。

このように、日本列島は、「千島海溝」、「日本海溝」、「首都直下」、「南海トラフ」と地震多発地層の上に位置しており、今後は、「地震」、「津波」、「火山噴火」に加え、さらに「台風」、「水害」も加わることから、人口密度／単位面積当たりでは世界一の災害大国と言われている。

とりわけ、懸念すべきは、それらの災害は、「防災計画の予想を超えた災害」、「自治体の規模を超えた広域の災害」、そして「連続発生するため被害が累積する災害」となる傾向があることである。さらに、災害が酷暑期や厳冬期に発生したならば、被災者の肉体的、心的苦痛は計り知れないものになる。

2　日本人の天災観と災害文化

日本の避難所は、悲惨である

島国である日本は、古来から異民族の侵入による人災は少なかったため、日本人が共通して対

写真 2-1　1930 年の北伊豆地震と 2016 年の熊本地震における避難所の写真[8]

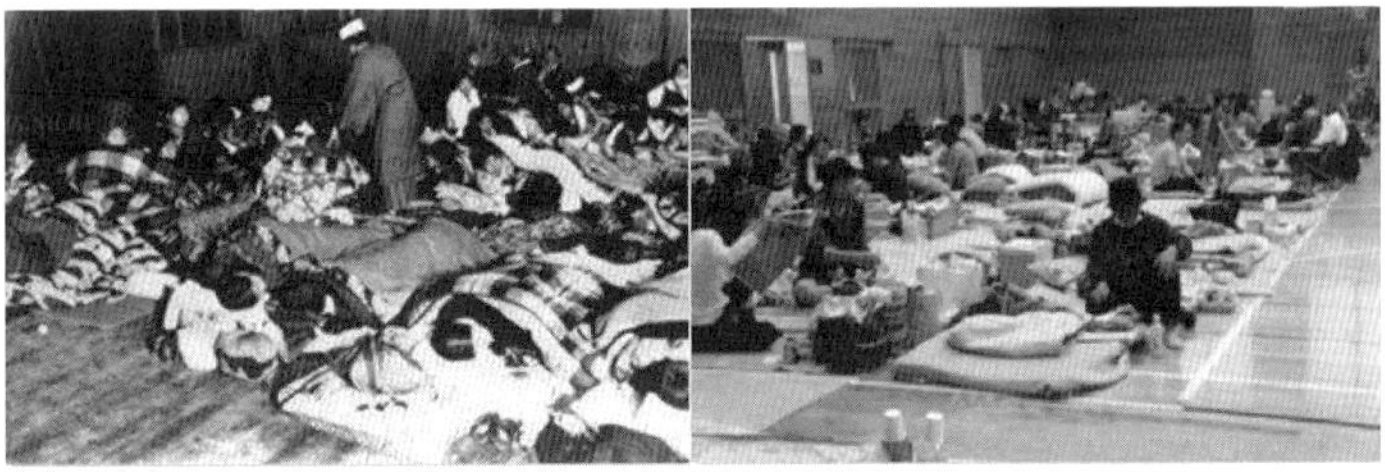

峙してきた災難は天災であった。天災は、予測不能で、何が起きるか、どこに起きるか、誰に起きるかが不明であることから、事前に準備し、対応することは困難なので、自然に対する諦観が生まれやすい。

ここから、「命あっての物種」、「首をすくめて天災が過ぎるのを待つ」、そして、天災が起きれば、「新規まき直しで、あきらめず何回でも復興する」という天災観が生まれ、「復興は共同体の作業」となる。このことから、日本人独特の自然に対する天災観と災害文化が生まれ、そして、今日でも日本人独特の災害文化が残っているのではないかと考えられる。その場しのぎの災害対策である。

例えば、日本人の災害対策を示す一例として、避難所の問題がある。一九三〇年の北伊豆地震と二〇一六年の熊本地震における避難所を比較したが、写真２—１の通り何も改良がなされていないことがわかる。

体育館に多数の被災者を詰め込んだ場合の平均スペースは、一人あたり三・五平方メートルでトイレは平均二〇人に一つである。この環境では、避難者の権利と尊厳が保障されず、災害関連死にもつながる恐れもある。災害の二次被害を防ぐことは、自治体の責任なのである。

災害発生時は、正常性バイアスを克服しなければならない

イソップ童話の『嘘をつく子供』の物語[9]は、羊飼いの子供が退屈しのぎに「狼が来た！」と嘘をついて騒ぎを起こすことから始まる。子供の警告に村人は武器をとって向かうが、徒労に終わる。子供が繰り返し同じ嘘をついたので、村人は慣れてしまい、本当に狼が現れたときには誰も出ていかず、そして、村の羊は狼に食べられてしまう、というストーリーである。村人は、頻発する警告に慣れてしまい、本当の危機に的確に対応できず、被害を被ったのである。

このような村人の態度は、正常性バイアス（normalcy bias）と呼ばれる。正常性バイアスとは、「不測の事態に遭遇したとき、脳の防御作用で『ありえない』という先入観と偏見（バイアス）が働き、非常を正常と誤認識して危険にさらされる[10]」ことである。

天災も同様であり、いつ天災が発生してもおかしくない環境に長くいると、慣れてしまって正常性バイアスが働き、自分は災害に巻き込まれることはないとの予断から、危機を受け入れることができず、現実に起きた危機に的確に対応できなくなるのである。

正常性バイアスを克服するには、「災害の被害はどの程度かを予測する合理的な判断力を養う」ことが最も必要とされる。判断力が適切であれば、「いざというときにどのような準備をするか」が想像でき、そして、準備と事前訓練が万全であれば、「災害発生時に適切に行動できるようになる」のである。

3　比較の視座

災害多発時代を生き抜く知恵と新たな防災文化を創造するために、比較の視座を提供する。

「スフィア・プロジェクト」が参考になる

日本での災害被災者の基準として参考となるのが、一九九七年に難民や被災者に対する人道援助の最低基準を定める目的で非政府組織（NGO）グループと赤十字・赤新月運動によって開始された「スフィア・プロジェクト」である。「スフィア・プロジェクト」ではハンド・ブック『人道憲章と人道対応に関する最低基準』[11]を発表している。

このハンド・ブックは、難民の人道援助に関し、人間の尊厳を守ることを念頭に、以下の最低基準（通称スフィア基準）を規定している。

・給水、衛生、衛生促進に関する最低基準
・食糧の確保と栄養に関する最低基準
・シェルター、居留地、ノン・フードアイテムに関する最低基準
・保健活動に関する最低基準

スフィア基準と比較すれば、日本の災害被災者への対応は、国連の難民人道援助の最低基準すら満たしていないことがわかる。災害被災者を「災害難民」と見なせば、スフィア基準の最低基準は、災害対策の基準として参考になる。

イタリアの災害対策の事例が参考になる[12]

イタリアの災害対策組織は、国家レベル、州レベル、県レベル、市レベルで階層化しており、また、NPOやNGOなどの災害ボランティア団体と共同で活動するよう組織化されている。イタリア全土に一四〇万人以上いる災害ボランティアは、災害対応についての専門研修を受けており、ボランティア団体に災害派遣希望を登録している。災害ボランティアが被災地に派遣される場合は、日当、交通費、労災保険が保証される。

イタリアでは、絶望の淵に沈み、不安感で満ちた被災者を救済するために、避難所は最低限の文化的設備を保証している。特に、家族や親族を一単位として過ごせるように衣食住を配慮し、

写真 2-2　イタリアの避難所で出されていた食堂と食事

慣れ親しんだ味の温かい料理を提供することを主眼にしている。避難所で提供される食事と食堂例は、写真２―２の通りである。

榛沢和彦によれば、「イタリアの避難所の現状は、日本の避難所に比べれば別世界と言いたくなるほどであり、被災地で展開される避難生活とは、人の生活そのものである」と評価している。そして、「災害対応アセスメントもイタリアのような取り組みも、日本の現在の技術水準で十分に可能である」と結論づけている。

韓国の災害対策の事例が参考になる[13]

キャンプ道具が発達している韓国では、避難所で個人のプライバシーを守り、そして、厳冬期の寒さから保護するため、屋内でもテントを張って避難させる。また、各テントにテーブルとイスを配置し、食事をとったり、団らんができるよう配慮している。仮眠ベッドも充実している。

韓国では、高品質のキャンプ道具を大規模に導入して、避難所での被災者の快適な生活を保障しているのである。日本でも、避難所では、この程度の装備は可能である。

4　災害発生時にどのフェーズに注目するか

災害発生時、何を最も重視すべきかというと、なんといっても「被災者の救済」である。しかし、これまでの災害と災害派遣の実情を観察すれば、災害発生初期段階の試行錯誤と混乱の中、初動のフェーズでの対応が遅れ、人間が食料や水なしで、がれきの中で生存できる限度と言われる七二時間以内で被災者を救出ができないケースが多いことがわかる。災害派遣の組織的な立ち上がりが遅いのである。

このような場合、初動対処が適切であれば多くの生命が救われたにもかかわらず、生命が失われ、そして、結果として、それはしかたのないこととして誰もその責任は問われない。しかし、これは、オペレーションのミスであり、「七二時間以内で被災者を救出すること」を第一の方針に掲げて防災組織を整備し、運用方法を確立し、そして、機動力を確保すべきである。

5　政府部門と「公助」

内閣府の防災担当組織、地方自治体の防災組織とは

現在、内閣府には、防災行政を担当する内閣府特命担当大臣[14]（防災担当）が任命されており、「災害予防」、「災害応急対策」、「災害復旧」、「災害からの復興」に関わる政策を所管する。また、内閣総理大臣が議長を務める中央防災会議を所掌する。

内閣府特命担当大臣（防災担当）隷下の組織として、内閣府政策統括官（防災担当）とその配下の組織があり、「自然災害から国民の生命、身体、財産を守るため、関係省庁と緊密に連携を図りつつ、災害の予防、応急、復旧・復興対策に努め、災害に強い国づくりを推進すること」を目的としている。また、官房審議官（防災担当）がいる。

内閣府には、別に、東日本大震災の復興を目的として、二〇一二年から二〇三一年までに期間を限定して設置された復興庁がある。

地方自治体の防災組織を観察すると、例えば、神奈川県の例[15]では、副知事の下に防災担当部局として安全防災局が置かれ、その下に安全防災部、災害対策課、危機管理対策課、消防課がある。

横浜市の例[16]では、副市長（危機管理監）の下に、危機管理室、危機管理部、危機管理課、緊急

対策課、危機対処計画課、情報技術課がある。

これらの陣容を確認してわかるのは、担当者は行政官が主体で、必ずしも災害対策実務の経験者ではないことである。組織は、防災と復興の予算を執行する行政としての側面が強く、災害対策組織としての機能は有していない、静的（Static）な組織である。

とりわけ、広域災害が発生した場合に、これらの自治体の要員のみで対処しようとすれば、すぐさまハードワークが続いてオーバーロードになり、作業効率が落ちる。また、自分たちが被災者となる可能性もあって、長期にわたる災害対策勤務は困難である。ここは、部外から、災害対策専門家集団（タスクフォース）が展開することが望ましい。そうすることによって、行政はいつも「とても遅く、とても少数で、とても混乱する（Too Late, Too Little, Too Complicated）」と芳しくない評価を払拭できるのである。

比較の視座として、アメリカの連邦緊急事態管理庁が参考になる

静的な日本の政府防災組織と比べ、動的（Dynamic）な運用を前提としている組織として参考になるのが、アメリカの連邦緊急事態管理庁（FEMA：Federal Emergency Management Agency）[17]である。

FEMAは、アメリカ国土安全保障省の隷下の組織である。緊急準備・即応担当次官の下に置

かれ、洪水、ハリケーン、地震、原子力災害等の災害に際して、連邦機関、州政府、地元機関の業務を調整し、家屋や工場の再建や企業活動、行政活動の復旧を資金面から支援する。

ＦＥＭＡは、常勤職員三七〇〇人、待機要員四〇〇〇人の巨大組織で、その特質は、「政府組織であること」、「災害救援基金を運用できること」、「専門家集団であること」、「適時、適切にタスクフォースを派遣できること」である。

日本版ＦＥＭＡ、災害対策局の創設を提唱する

近年、多発している「自治体の規模を超えた広域の災害」に対処するため、災害対策専門者集団の機動的組織として、内閣府特命担当大臣（防災担当）下に日本版ＦＥＭＡ、災害対策局（仮称）を創設することを提唱したい。

災害対策局は、常勤職員と待機要員で構成され、「災害用予算を運用できること」、「専門家集団であること」、「災害対策専門家集団を機動的に被災地に派遣すること」を目的として組織する。とりわけ、災害対策の豊富な実務経験を有する、自衛官、警察官、消防官のＯＢを多数採用することが望ましい。

重要なことは、災害対策局は、災害対策に応急的に対応できる予算を握っていることであり、現場での柔軟な予算執行が可能となる。また、タスクフォースを被災地に派遣することにより、

災害の初動フェーズにおいて、がれきの中で生存している被災者を早期に救出することが可能となる。

6　シビック部門と「共助」

ソーシャル・ネットワーク・システムを活用する

二〇一九年一〇月に発生した台風一九号（令和元年東日本台風）では、静岡県、関東地方、甲信越地方、東北地方で記録的な大雨となり、甚大な被害をもたらした。このとき、新たな取り組みとして、ソーシャル・ネットワーク・システム（ＳＮＳ）を活用した災害対策が行われた。

関東地方某市の市長は、台風一九号の接近に伴い、自身のフェイス・ブックに「台風情報」「行政の実情」、「被害見積り」、「避難情報」、「災害発生情報」、「支援情報」、そして「市長からのメッセージ」を発信した。市長のフェイス・ブックは、口コミで広がり、市民は災害時に起こりがちなフェイク・ニュースや風評に惑わされることなく、信頼性の高い市長の情報をもとに、自立的に行動して被害を極限することができた。

特に重要だったのは、「市長からのメッセージ」で、戸惑う市民や被害にあって意気消沈した市民へ問いかけたことにより、市長が市民と同じ立ち位置にいるとの姿勢に元気づけられた市民も多かったと言われる。

また、台風の通過後は、同じ市長のフェイス・ブックに市内の被害状況の写真がアップされ、復旧作業に貢献した。さらに、このフェイス・ブックでは、ボランティア活動の紹介とボランティアの募集も行っている。

たった一つのSNSではあったが、災害時にはこれほど信頼性が高く、有効な情報ツールはないとして、市民の高い評価を得た。この事例は、双方向で情報を交換でき、画像も送信できるSNSが、工夫すれば災害時に有効に機能することを示した。

台風一九号では、SNSを活用した事例がもう一つある。長野県危機管理防災課の職員は、SNSを通じて被災者の情報を入手し、被災者を元気づけながら、自衛隊と調整して災害派遣要員を現場に向かわせた。この際、県職員は「絶対に救出します」というメッセージを送り、不安な精神状態にある被災者に希望の光を与えている。

この事例により、行政側の情報発信と市民の情報共有、そして双方向の情報交換が、災害時に市民の的確な意思決定を誘発して、災害の被害を極限できることがわかる。

今後は、「いつでも」、「どこでも」、「誰でも」アクセスできるユビキタス社会を構築して減災を図ることが重要である。さらには、ユビキタス社会で老人、子供、婦人、妊婦、病人等の社会的弱者への配慮、そして、外国人への防災用多言語ネットワークも必要であろう。

地域に防災拠点を整備する

神奈川県Y市では少子高齢化が進み、就学児童も少なくなっていることから、小学校の統廃合問題が持ち上がっている。そして、廃校となった校舎は、取り壊されて更地とし、別の施設を建設して利活用するようである。

かつて、そのような鉄筋コンクリート製の小学校を訪れたことがあるが、よく観察すると、小学校には、教室、職員室、図書室、保健室、便所、体育館、プール、運動場、倉庫、駐車場があり、これらの施設を総合的に勘案すると、廃校となった小学校は、「地域の防災拠点」として活用できる可能性がある。

すなわち、普段は、市がコミュニティ・センターとして使用するとともに、地域住民に対する防災教育や防災訓練を行うが、災害発生時は、避難所として利用するのである。「教室、体育館、廊下は、被災者の避難所」、「保険室は、救急医務室」、「倉庫は、防災資材と保存食料の備蓄庫」、「運動場は、食料の炊き出し場所、仮設テント、ボランティアの運営所、災害ごみの一時集積所、仮設住宅の設営所」、「駐車場は、災害派遣車両の駐車場」に活用できる。

訪れた小学校は、資材と食料さえあれば、一校で被災者二〇〇人、少し詰め込めば三〇〇名が一週間は生活できると思えた。人口四〇万人のY市には、人口密集地域が四地区あるので、このような防災拠点を四カ所設置すれば、緊急時には最大一二〇〇人は収容できる。

小学校の施設と跡地を防災拠点とするメリットは、小学校が、長い間、地域の住民が慣れ親しんだ場所にあることから、住民は「何かあれば、迷うことなく」小学校の跡地に集まることができるからである。大雨洪水警報が発令された場合も、住民は一時的に避難することもできる。とりあえず、防災拠点に行けば、なんとかなるという安心感が住民に与える心理的効果は大きい。

この際、避難所での被災者の衣食住の管理は、市の担当者が行うが、被災者の支援については、普段から訓練を受けた町内会か自治会のボランティア、さらには、被災者の中に健常者がいれば、ボランティアとして加わることが望ましい。これこそがシビック部門での「共助」であろう。

7　民間部門と「自助」

ハザードマップは嘘をつかない

河川の氾濫、堤防の決壊のような水害被害を最小限にくい止めることを目的として、浸水が予想される区域、避難場所、避難経路の情報をわかりやすく地図上に示したハザードマップは、精度が高いことで定評がある。

そして、ハザードマップの予測と実際に水害が発生した地域を比較すれば、当然のことながら見事に一致している。ハザードマップは嘘をつかないのである。問題は、市民が身近にあるハザードマップを家族の防災に生かそうとしていないケースが多いことである。とりわけ、市民の生存に深く関係する、避難場所や避難経路の確認と避難の事前訓練はおざなりになっている。

一つの例を示したい。図表2―1は、「東京都の高潮浸水想定区域図」[18]であるが、荒川の両岸を中心として、亀有駅、新小岩駅、両国駅で囲まれた、いわゆる「海抜〇メートル地帯」は、三メートル以上、中心部は五メートル以上の浸水が予想される。三メートル以上の浸水が発生すれば、平屋はすべて、二階家とマンションは一階部分が水没する。

これだけ広範な地域が水没すれば、被災者は少なくとも一〇万人以上であり、江東区、墨田区、台東区の機能は麻痺し、区の救済計画は破綻することは間違いない。

すなわち、この地域の住民は、浸水の被害と混乱の中で、自治体の救援が期待できない可能性があることが十分予測される。正常性バイアスを取り払って、ハザードマップの予想を前提として、住民自らが生存を図らなければならないのである。

「自助」で三日間は自活する

多くの家庭では、災害に備えて食料や水を備蓄しており、また、冷蔵庫や倉庫に食材が残っているケースが多い。問題は、地震や水害により水道、電気、ガスが途絶した場合に、それらの食

図表 2-1　東京都の高潮浸水想定区域図

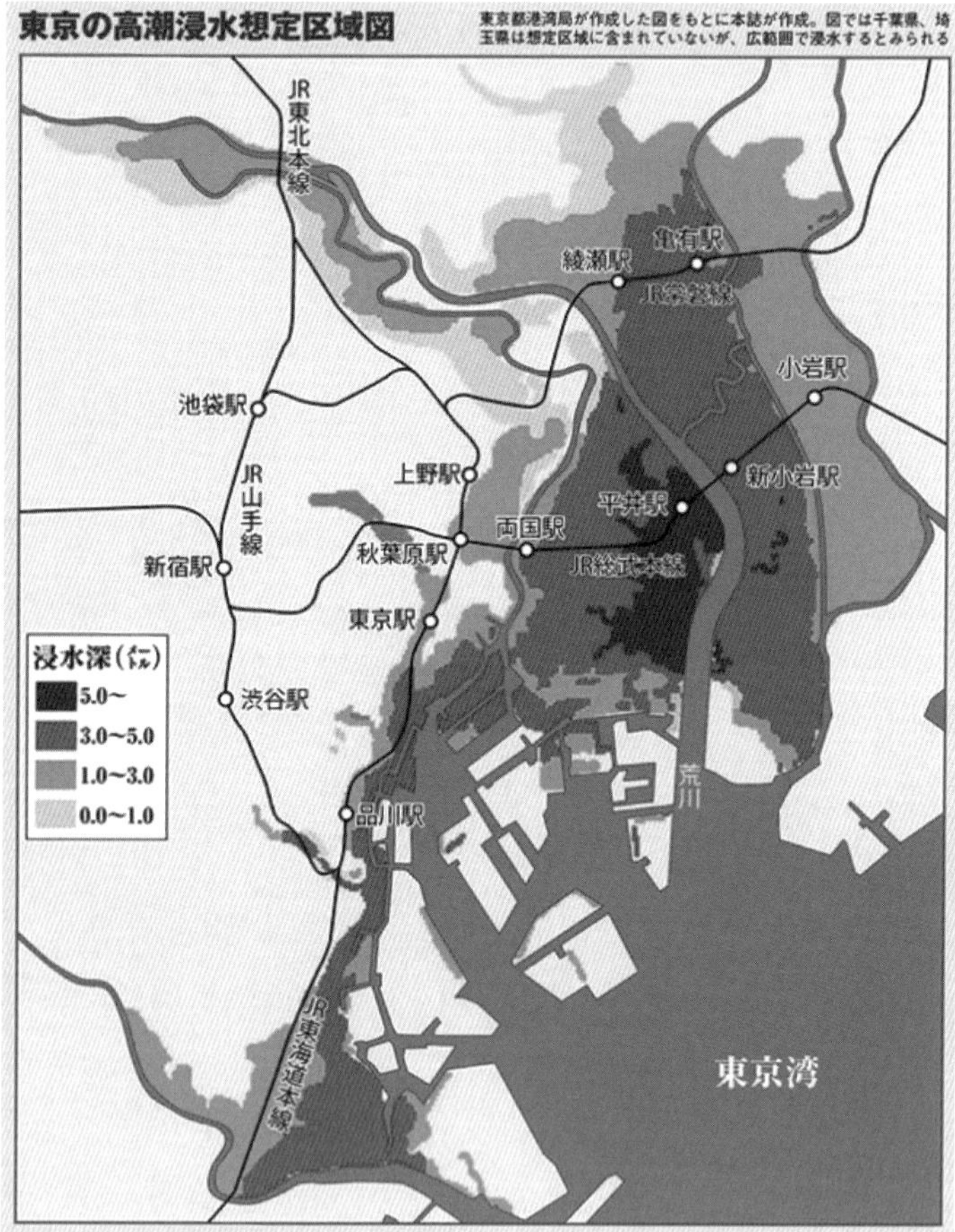

料を使って、自活する道具を準備していないケースが多いことである。

自治体が本格的な救援を開始するまで、あるいは、水道、電気、ガスが回復するまで、自宅の空き部屋・二階・ベランダ・庭、空き地、避難所で最低で三日、できれば一週間は自活することを前提として、サバイバル道具を整えておくことが重要である。とりわけ、厳冬期に被災するという最悪の事態に備える準備が必要である。自宅に自活用の道具が揃っており、かつ、取り扱いに習熟していれば自信につながり、自治体の救援が遅れた場合でも、生活が維持できるのである。

自活には、高機能で種類も多いキャンプ道具を活用する。近年、キャンプ道具は、質、量ともに充実している。最低でも、テント、ランタン、コンロ、鍋やフライパンなどの調理道具、簡易ベッド、シェラフ、簡易トイレ、テーブル、チェアが必要である。

とりわけ自活で重要なのが栄養価の高い温食をいただくことで、疲労が回復するだけでなく、不安な精神を和ませて、生きる望みにつながるからである。

次に重要なのが簡易トイレで、プライバシー確保の観点から、簡易トイレにはトイレ覆いを忘れないように準備する必要がある。

以下は、市販品の高機能のキャンプ道具の一例である。

①折り畳み式グリル

市販品に、「炎が旋回し、煙が少ない」、「風に強い」、「組立、分解、洗浄が容易」な折り畳み式チタン製のグリルがある。燃料は、薪、木炭、ペレット、練炭、竹、枯葉など可燃物であれば、なんでも使用でき、便利である。

被災地でのグリルは、囲炉裏と同じであり、料理にも使用するが、焚火としての機能もあり、家族はグリルの炎で温まるとともに交流でき、厳冬期は特に重宝する。

②ローラーバッグ

市販品に、被災者が絶望の淵から抜け出て、何とかして生きようとする希望が生まれるサバイバル・バッグがある。バッグにはローラーがついているので、持ち運びは簡単であり、背負うこともできる。防水加工されているので、備品を取り出せば、水タンクとしても使用できる。

備品は、主食、副食、甘味物、飲料水、発熱剤、加熱袋、ラップフィルム、フォークとスプーン、カップ、ラジオ付多機能自家発電ライト、単三乾電池、ボールペン付メモ帳、使い捨てライター、マスク、生理ナプキン、トイレットペーパー、ティッシュ、簡易トイレセット、使い捨て下着、包帯、ガーゼ付救急絆創膏、体温計、アルミシート、収納ポーチ、ろうそく、ろ過フィルター、粘着テープ、軍手・笛・ロープセット、雨衣、カッターナイフ、ごみ袋、防災マニュアル、手鏡付裁縫セット、拡大レンズである。

各自がこれだけの備品を装備すれば、どこでも三日間は生存できる。

おわりに

今回提案した防災と災害対策に必要な費用は、「公助」で一〇〇〇億円、「共助」で数十億円、「自助」で数十万円程度である。一方で、定性評価も定量評価も困難な災害対処の特質から、いつ発生するかわからない災害に備える予算は、公官庁での予算要求と予算執行の制度になじみにくい。はやい話が、高額の費用を投入して、防災施設と防災用具を整備しても、関係者には正常性バイアスが働き、「長い間、災害は起きていない。予算は無駄だったのではないか」との批判が生まれやすい。しかし、「被災者の人間としての権利と尊厳を守る」、そして「最悪に備える」との観点から、「災害対策費は、価値ある無駄」であると発想を転換することが必要である。

すぐそこに来ている災害多発時代に備えるため、正常性バイアスを克服して、「公助」、「共助」、「自助」の各ステージで経験知を実質的で有効な公共施策に反映させて、未来の災害に備えることが必要なのである。

注

1 『早稲田パブリックマネジメント第01号』日経ＰＢ出版センター。同書では、早稲田大学名誉教授片岡寛光先生が公共経営の基本理念について説明している。
2　環境省「気候変動に関する政府間パネル（ＩＰＣＣ）第六次評価報告書第一作業部会報告書（自然科学的根拠）政策決定者向け要約（ＳＰＭ）の概要」。同報告書が指摘した地球の現状とその予測は、多岐にわたるが、人類共通のテーマとして環境問題を的確に指摘していることに意義がある。
3　気象庁「異常気象分析検討会報告」。
4　国土交通省「令和三年度国土交通白書二〇二〇――危機を乗り越え遥かな未来へ」。
5　文部科学省「全国地震動予測地図二〇二〇年版」。
6　日刊スポーツ「政府・地震調査委の平田直委員長インタビュー」二〇二〇年二月二八日。
7　産経新聞「北海道でＭ９・３、津波三〇メートル、内閣府、国内最大の地震想定」二〇二〇年四月二一日、朝刊。
8　ＮＨＫ解説アーカイブス「人道的な避難所設営と運営を（視点・論点）」。災難所運営の専門家である榛沢和彦は、メディアで日本の災害対策の特に避難所の後進性を指摘し続け、今後の取り組むべき視点を提供している。
9　イソップ著、河野与一編纂・翻訳『イソップのお話』岩波書店。
10　広瀬弘忠『人はなぜ逃げおくれるのか――災害の心理学』集英社。広瀬弘忠は、本書で災害と正常性バイアスの関係を多面的に説明しており、人間の心理に「正常性バイアス」が存在していることが広く知られる契機となった。
11　Sphere Association『スフィア・プロジェクト――人道憲章と人道対応に関する最低基準』二〇一八年。

本書は、人道の観点から、被災者に対する援助の最低基準を定めたものであり、我が国の災害対策の基準となるべきものである。

12　NHK解説アーカイブス「人道的な避難所設営と運営を（視点・論点）」。

13　生産研究「韓国・浦項地震における避難所の運営実態調査」。日本に比べて地震の少ない韓国で、避難所運営の実態と問題点を抽出しており、参考になる。

14　内閣府「令和三年度版防災白書」。

15　神奈川県「神奈川県地域防災計画」。

16　横浜市「横浜市防災計画震災対策編」。

17　米国連邦緊急事態管理庁（FEMA）編著、まちづくり計画研究所（machiken）訳・監修『アメリカFEMAから学ぶ　災害危機管理と防災対策――ノースリッジ地震一年間の軌跡』近代消防社。本土防衛の先進国であるアメリカが、危機管理の観点から防災に取り組んだ記録であり、組織力と実行力において我が国との違いが明らかである。

18　東京都「東京都建設局高潮浸水想定区域図」。

第3章

地域ブランドのグローカル戦略

――地域の資源を世界につなぐ

畠田 千鶴

はじめに

日本の人口減少は加速化し、特に地方では顕著である。また、労働力人口の減少により生産性が低下し、農業の担い手不足、企業の廃業、移転、倒産など、地域経済に深刻なダメージを与えている。

一方、地域が持つ資源をブランド化し、ビジネスにつなげ、地域経済にインパクトを与えている事例が日本国内に数多くある。本章では、地域のブランディング、グローバル化の現状と今後の展望について考察する。

海外市場において、かつて日本の主力産業だった家電製品、半導体はアジア諸国の躍進で後塵を拝するなど製造業の将来が危惧されているが、ユニクロなど日本製衣料はクオリティが高く評価され、漫画、アニメは世界中に熱狂的なファンがおりブランディングに成功している。そして、日本各地には、磨けば光る原石（地域資源）が数多く存在している。だが、海外に売り込むグローカル戦略はまだ発展の途上にある。

二〇〇六年発行の「地域ブランド・マネジメントの現状と課題 調査研究報告」（一般財団法人地域活性化センター）によれば、「地域ブランドとは、地域で生産されるブランド化された商品（狭義）、また地域全体の魅力（広義）のことを総称している」と定義づけられている。地域資源を発掘し、戦略的に活用し、地域の総力を結集して地域の活性化につなげる取り組みである。日本において、このような取り組みは、古くから行われており、魅力的な商品、財、サービスの蓄積が数多くある。例えば、江戸時代の参勤交代やお伊勢参りを例に挙げると、大名による幕府への献上品、道中の寺社仏閣や名所・旧跡の見物、名物料理、土産物などがブランド化され経済的効果を上げている。

図表 3-1　一般の商品とブランド化の対象としての地域の比較

項目	一般商品	地域			
最終目的	利益の拡大	地域の活性化（経済、クオリティ・オブ・ライフ）			
コミュニケーションの対象	顧客（消費者・企業）株主、従業員	産業	観光	住みやすさ	投資の受け入れ
		顧客（消費者・企業）	旅行者	住民・潜在的住民	企業家・投資家
実施主体	企業組織	地方自治体（都道府県・市町村）、住民、生産者、法人（大学、財団等）			

出所：「地域ブランド・マネジメントの現状と課題　調査研究報告書」（一般財団法人地域活性化センター、2016年3月）より筆者作成。

1　地域ブランドの意義とグローカル戦略

地域ブランドとは何か

まず、「ブランド」という言葉について述べる。「焼き印を押す」という意味で、放牧した牛の所有者を明確にするために行われたのが起源とされている。現代では、銘柄や商標を表す意味だ。

次に、「地域ブランド」という言葉だが、地域活性化の政策に携わる人々の間では定着している言葉だが、一般的にはその持つ意味を深く意識しているわけではなく、多くは、有名な特産品である神戸牛、夕張メロンなどをイメージするだろう。本章で述べる地域ブランドの対象は、地域の特産品の販売のみを目的にしておらず、「観光」、「住みやすさ」、「知的財産」、「投資の受け入れ」などを指す（図表3—1）。

日本における地域ブランドの施策は、一九七九〜二〇〇三年まで六期二四年間、大分県知事を務めた平松守彦によって提唱された「一村一品」運動の流れを継承していると考えられる。県内の市町村単位で農林水産品や加工品を高品質なものに改善し、他の産地と差別化し、域外に販路を開拓するというものである。結果、関アジ、関サバ、カボス、「下町のナポレオン」のキャッチフレーズで有名な麦焼酎「いいちこ」などがブランド化され、地域経済の浮揚や「地域の誇り」にもつなげた。

近年では民間調査会社のブランド総合研究所が、地域のブランド力（魅力度、認知度、観光意欲度など全八九項目）についてインターネットで調査を行い、結果を公表している（二〇〇六年から毎年実施）。都道府県の「魅力度」のランキングも発表され、メディアがセンセーショナルに取り上げるため、下位にランキングされた県からは調査方法を疑問視されている。同研究所では、「地域版ＳＤＧｓ調査」も実施しており、その中に「幸福度」調査がある。こちらも、インターネットによる全国的調査で都道府県のランキングを発表している。調査方法は、「あなたは幸せですか」という問いに対して、「とても幸せ」、「少し幸せ」、「どちらでもない」、「あまり幸せではない」、「全く幸せではない」の問いに回答する。その結果、魅力度ランキングが高い都道府県と幸福度ランキングの結果が必ずしも一致しておらず興味深い。幸福度や住みやすさの数値化は難しいが、地域のブランディングを評価する際に重要な視点である。

幸福度の調査は、内閣府や地方自治体（以下、「自治体」と略す）でも実施している。東京都荒川区では、二〇一三年から荒川区自治総合研修所が荒川区民総幸福度「ＧＡＨ（グロスアラカワハピネス）」の指標を算出し、政策に反映している。また、住民の幸せを目指す八三自治体（二〇二二年四月七日現在）と「幸せリーグ」を結成し、情報の共有など連携を深めている。

日本におけるグローカルとは

まず、「グローカル」という言葉の定義について考察する。『大辞林』によると「グローバル（Global）とローカル（Local）をかけ合わせた造語で、日本で生まれた」とされている。意味は「国境を越えた地球規模の視野と、草の根の地域の視点で、様々な問題を捉えていこう」とする考え方である。いつ頃から、使われ始めた言葉かは正確に把握できないが二〇〇二年には平松守彦が角川書店から、『地方からの変革――地域力と人間力――グローカルという発想』という書籍を発行し、二〇〇四年には、『日経グローカル』という雑誌も創刊されており、約二〇年前から、グローカリズムが地域のビジネスに根付き始めていたことが推察される。

二〇一五年から始まった国の政策「地方創生」においても、日本の地域資源を海外のビジネスに活かす方針が掲げられている。

実は、地域のグローカルな動きは、前出の一村一品運動より以前の一九六〇年代から行われていた。一九六一年に大分県大山町（現、日田市）で、農協が取り組んだNPC（New Plum and Chestnut）運動は、米作に不適な山間で、作業負担が少なく、収益性の高い梅と栗を栽培し、梅干しなどの加工品を作った。雇用の確保や地域のブランディングにも成功している。この運動には、「梅栗植えてハワイに行こう」というスローガンがあり、地域外からの所得の確保を目指している。農業構造改善を進め、収益を上げた農業従事者がハワイ旅行に出かけられるようにという願いも込められている。現在では、農産物の直売所、加工場、レストラン、テーマパークを運営し、農業人材育成のために海外研修も実施している。

一村一品運動が生まれる経緯や活動自体がブランディングされており、現在でも、アジア、アフリカ、南米の国々でOVOP（One Village One Product）として導入されている。

グローカル戦略の現状

二〇一三年の東京オリンピック・パラリンピック（以下、「東京五輪」と略す）の開催決定以降、訪日外国人へのビザ緩和や免税措置、円安などの要因で訪日外国人が急増した。それを機に、訪日外国人をさらに増やすために様々な事業が行われ、二〇一九年には、訪日外国人は年間約三〇〇〇万人を超え、順調に推移していた。春節などの長期休暇を利用して日本を訪れる中国人観光客は、デパートや家電量販店で大量に買い物をする、いわゆる「爆買い」によって、旅行産業だけではなく小売業や飲食業にも好影響を与えた。また、東京五輪開催時の宿泊所不足の問題解決と地域経済活性化のため、二〇一八年には民泊の法整備も行われた。一方で、京都市内など国内の有名観光地では、想定をはるかに超える外国人観光客が訪れ、道路は混雑し、間違えて民家に侵入し、習慣の違いからトラブルを起こすなどオーバーツーリズムの現象が顕著化した。対策として、案内板の多言語化やインターネットによる情報サービスの整備が急ピッチで行われた。しかし、二〇一九年から世界中に感染拡大した新型コロナウイルス感染症（以下、「新型コロナ」と略す）のため、東京五輪は二〇二一年に一年延期され、緊急事態宣言下での開催となった。無観客開催で規模を縮小し、検疫体制の強化のため、想定していた外国人観光客が来日せず、期待していた経済効果を上げることができなかった。新型コロナ発生以来、二年以上経つ現在においても訪日外国人数は回復していない。

また、国内では度重なる新型コロナの緊急事態宣言発出により旅行の需要が激減し、飲食店では営業時間の短縮、酒類提供の制限によって経営に打撃を受け、供給する生産地にも深刻な影響を及ぼした。一方、特産品のネット販売やふるさと納税の返礼品の利用は伸びを見せ、海外に向けてのネット販売の導入も検討されるようになった。例えば、日本貿易振興機構（ＪＥＴＲＯ）は、二〇一八年に海外におけるＥＣプロジェクト「ＪＡＰＡＮ　ＭＡＬＬ」事業を立ち上げている。世界六〇以上のＥＣバイヤーに商品を紹介し、原則として、国内納品・国内販売・円建て決裁で取引を完結し、成約した商品のプロモーションもＪＥＴＲＯがサポートすることで、企業の越境ＥＣ導入の支援を行っている。

※ＥＣ（Electronic Commerce）とは、電子商取引（通販サイトやオークションなど）の意味。

海外のグローカル戦略

諸外国において、人口規模の小さい地域でも地域資源を発掘し、地域ブランドに育て上げ、世界的な市場（グローバル）に進出し、成功を納めている例がある。「ニッチトップ」と呼ばれるような高度な技術を有する中小企業、高品質の食品の生産者（農・林・漁業に携わる人も含む）や食品の製造・加工会社、醸造所など多種多様な産業がある。

日本において、地域資源を発掘して地方から新たにグローカル産業を育て上げ、企業の経営を維持するには超えるべきハードルが多々ある。だが、国内市場が低迷する中、グローカルビジネスの推進は、リスクがあっても地域振興に重要な役割を果たすと考えられる。そのためには、公的機関の支援、民間企業や先駆者からの情報提供や研究が必要だ。その好事例として、国内の私企業の九九％を中小企業が占め、中小企業が積極的に国際展開を行っているドイツの取り組みを以下に報告する。

【ドイツの事例】

「隠れたチャンピオン（Hidden Champion）」は、ドイツの中堅企業の中から特に優良な企業を呼んでいる。ドイツの経営学者ハーマン・サイモン氏によって提唱された。

■隠れたチャンピオンの定義：以下の三点をすべて満たす企業

①特定の分野で世界トップ3または大陸欧州で一位

②売上高が四〇億ドル未満

③一般的にあまり知られていない

■産業的特徴：以下の四点

①差別化された製品に特化：ニッチ分野でリーダー的地位（グローバル・ニッチトップ）を獲得
海外展開によりビジネス規模を確保

②ブランド・品質重視：価格よりも製品の品質で勝負。事業展開上、「メイドイン　ジャーマニー　ブランド」や「自社製ブランド」を重視

③長期的視点：家族経営による長期的な研究開発、人材育成。従業員の入れ替わりが少ない

④地方への分散：国内各地に分散、産官学クラスターを形成。近隣の中小企業同士の補完関係がある

■海外事業活動支援

ドイツでは、独自で海外事業に進出が難しい中小企業のために、行政と民間による支援が実

施されている。大別すると以下の三つ機関で、重層的な支援体制が構築されている。すなわち、①ドイツ貿易・投資振興機関、②在外商工会議所、③大使館・領事館、である[1]

2　国と自治体の地域ブランドのグローバル戦略

国の取り組み

地域ブランドのグローバル戦略は、前述した通り特産品の輸出による経済的効果だけではなく、観光、文化、コンテンツ産業まで広範囲にわたる。

国の事業においては、クールジャパンに代表されるように、国内のあるあらゆる資源を活用して推進している（図表3―2）。以下に、各省庁のグローカル戦略すると考えられる事業を抽出し取りまとめた。

①内閣府

■「知的財産戦略本部」

〈事業内容〉国内外の社会経済情勢の変化に伴い、日本の産業の国際競争力の強化を図る必要性が増大していることから、知的財産の創造、保護及び活用に関する施策を集中的かつ計画

図表 3-2　クールジャパン戦略における政府の取り組み

	情報発信	海外展開	インバウンド振興
分野横断	●イベントカレンダー ●CJアンバサダー	●ジェトロによる支援 ●CJ機構による出資 ●プロデューサー派遣 ●CJ地域プロデューサー	●地域資源の磨き上げ
コンテンツ	●放送コンテンツ海外展開支援 ●コンテンツのローカライズ・プロモーション支援 ●コンテンツフェスティバル開催		
食	●国際空港で日本酒類のPR	●日本産食材サポーター店	●食と農の景勝地 ●酒蔵開放・酒蔵体験
文化等	●現代アート出展支援 ●メディア芸術データベース	●日本遺産の拡充 ●エコツーリズムの推進	
拠点等	●在外公館 ●ジャパン・ハウス	●CJプラットホーム ●ジャパン・ハウス	●JNTO ●道の駅、海の駅

注：CJ＝クールジャパンの略。
出所：内閣府ウェブサイト「クールジャパン戦略について」（https://www.cao.go.jp/cool_japan/about/about.html）より筆者作成。

的に推進するため、内閣に知的財産戦略本部を二〇〇三年に設置した。クールジャパン戦略も同本部が所管する。[2]

②経済産業省

■「地域団体商標制度」（特許庁）

〈事業内容〉地域の産品等について、事業者の信用の維持を図り、「地域ブランド」の保護による地域経済の活性化を目的として二〇〇六年に導入した。「地域ブランド」として用いられることが多く、地域の名称及び商品（サービス）の名称等からなる文字商標について、登録要件を緩和する制度である。[3]

■「JAPANブランド育成支援事業」（中小企業庁）

〈事業内容〉中小企業の新たな海外の販路

開拓につなげるために、新商品・サービスの開発・改良、ブランディングや、海外展示会などプロモーション活動を支援する。[4]

③国土交通省

■観光地域づくり法人（登録ＤＭＯ）（観光庁）

〈事業内容〉「観光経営」の視点から、地域の「稼ぐ力」を引き出し、住民の誇りや愛着を醸成する観光地域づくりのプロデュース役を担う組織であるＤＭＯの活動を推進するため登録制度を実施している。二〇二一年一一月四日現在、「広域連携ＤＭＯ」一〇件、「地域連携ＤＭＯ」九五件、「地域ＤＭＯ」一〇八件の計二一三件を登録している（ＤＭＯは、「Destination Management Organization」の略字[5]）。

④農林水産省

■「地理的表示（ＧＩ）保護制度」

〈事業内容〉地域には、伝統的な生産方法や気候・風土・土壌などの生産地の特性、品質の特性に結びついている産品が多く存在する。これらの産品の名称を知的財産として登録し、保護する制度が「地理的表示（ＧＩ）保護制度」。農林水産省は、地理的表示保護制度の導入を通じて、それらの生産業者の利益の保護を図ると同時に、農林水産業や関連産業の発展、需要者の利益を図るよう取り組んでいる（ＧＩは、「Geographical Indication」の略字[6]）。

■「世界農業遺産」
〈事業内容〉世界農業遺産は、世界的に重要かつ伝統的な農林水産業を営む地域（農林水産業システム）を、国際連合食糧農業機関（ＦＡＯ）が認定する制度。日本国内では、二〇二二年一月現在一一地域認定。
■「日本農業遺産」
〈事業内容〉日本農業遺産は、我が国において重要かつ伝統的な農林水産業を営む地域（農林水産業システム）を農林水産大臣が認定する制度。二〇二二年一月現在二二地域認定。[7]
⑤文部科学省
■「世界文化遺産」（文化庁）
〈事業内容〉国際的な観点から価値があると考えられる文化財を世界文化遺産に推薦する。また「保存」、「活用」、「人材育成等基盤整備」を行い、次世代へ継承し、広く国民が文化財に親しみ、価値への理解を深めるよう事業を実施している。国内では、二〇二一年七月現在二〇件登録。[8]
■「日本遺産」（文化庁）
〈事業内容〉地域の歴史的魅力や特色を通じて我が国の文化・伝統を語るストーリーを「日本遺産（Japan Heritage）」として認定し、ストーリーを語る上で不可欠な魅力ある有形・無形の様々な文化財群を総合的に活用する取り組みを支援している。「かかあ天下――ぐんまの絹物語」など全国各地の一〇四ストーリー（二〇二二年二月二八日アクセス）が登録されている。[9]

⑥環境庁

■「世界自然遺産」

〈事業内容〉世界自然遺産に登録されるためには、「自然美」、「地形・地質」、「生態系」、「生物多様性」の四つの基準のいずれかを満たす必要がある。推薦できる国内の候補地を検討し、指定地域の価値を将来にわたって維持を行う。世界自然遺産地域を、国が責任をもって管理できる国立公園、自然環境保全地域、森林生態系保護地域、天然記念物として法律や制度に基づく保全措置している。国内では、二〇二一年七月現在五件登録（環境庁・文化庁Ｗｅｂサイトより）。[10、11]

⑦外務省

■「Japan House 設置」

〈事業内容〉戦略的対外発信の強化に向けた取り組み。世界に日本の魅力を発信し、日本へのより深い理解と共感を広げるために設置。設置国は、イギリス（ロンドン）、アメリカ（ロサンゼルス）、ブラジル（サンパウロ）である。展示スペース、シアター機能のある多目的スペース、物販、飲食、書籍、ウェブ、カフェなどの活動を融合している。活動範囲は、歴史文化的なものから漫画・アニメなどサブカルチャーまでに及ぶ[12]。

地方・地域の取り組み

地域のブランディングとグローバル戦略は、地勢、歴史、文化など地域の特性によって大きく違ってくる。海辺と山間部、人口規模、都市部と過疎地、工業地帯と農村地帯と様々である。自治体、地域団体（農協、商工会議所等）、企業、研究機関の総合力によって様々な、商品やサービスが生み出されている。以下に、各分野における現状や取り組みについて考察する。

①農林水産物

農山漁村地域のブランディングでまず注目したいのが、「6次産業化事業」の定着と商品開発の取り組みである。6次産業化とは、農業経済学者の今村奈良臣が提唱者し、「農業が1次産業のみにとどまるのではなく、2次産業（農産物の加工・製造業）、3次産業（卸・小売、情報サービス、観光など）にまで踏み込むことで農村に新たな価値を呼び込み、高齢者や女性にも新たな就業機会を自ら創り出す事業と活動」と定義している。単に、1次産業（林業者、農業者なども含む）、2次産業、3次産業を単に寄せ集めるのではなく、この三つの産業が融合し、連携することで、新たな付加価値を生み出す「1次産業×2次産業×3次産業＝6次産業」を意味している。6次産業化は当初、農・林・漁業者が生産だけでなく、加工・販売等の関連事業に多角化する動きを意味していたが、近年では2次産業や3次産業の企業が1次産業との事業連携を行う動きも意味している。

6次産業化を加速するため、地方では道の駅、直売所、地域商社を設立している。地域外にセールスプロモーションを行い収益につながっている例も多々ある。その市場（顧客）は、地元や周辺地域が中心であるが、最近ではふるさと納税の返礼品やネット通販などを活用し全国に広げる例が増えつつある。

次に、海外への販路拡大について述べる。農林水産物・商品の輸出は、今後の成長分野といえる。農林水産省は、「二〇二一年の農林水産物・食品の輸出実績」を取りまとめた。前年度比二五・六%、二五二五億円増加し、一兆二三八五億円となった。政府は、輸出額を二〇二五年に二兆円、二〇三〇年には五兆円に達成するために「GFP農林水産物・食品輸出プロジェクト」などを推進している。また、二〇一三年に「和食」が無形文化遺産への登録以降の日本食ブームになるなど、今後の輸出の伸びが期待できる。

地方での海外輸出の取り組みは、すでに積極的に取り組まれ、収益を上げ順調に推移している例も多い。帯広市川西農業協同組合は、一九九九年に台湾へ薬膳料理の需要から長いもを輸出し、これを機に品質の良さが認められ「十勝川西長いも（とかち太郎）」としてブランドが定着してい

る。品種改良や経営の改善を進め、現在は、アメリカ、中国、シンガポールほか世界に販路を拡大している。[13,14,15]

②工芸品、工業製品

日本が世界に誇れるものの一つに「ものづくり」がある。伝統工芸品やそれを現代風にアレンジした商品、あるいは、ネジなどに代表される機械の部品や日用品など多岐にわたっている。伝統工芸品を現代風にアレンジして、世界的に評価されている物の一つに広島県熊野町の化粧筆がある。江戸時代末期、農閑期の収入を得るための毛筆用の筆づくりが始まりで、「良質な筆を生産するまち」として全国的に有名になった。ライフスタイルの変化で、毛筆用の筆の需要は少なくなったものの、その後、絵画用の筆、化粧筆が生産されるようになった。現在では、熊野の化粧筆は世界的なブランドに成長し、パリコレクションなど世界のファッションショーでメイクアップアーティストが使用している。

③観光

「自由の女神」や「エッフェル塔」のように、固有名詞を耳にしただけで、世界中の人たちが国名と都市を認知している場所がある。地域のシンボルがあり、地域のブランド化に成功している有名な観光地は多い。世界遺産に登録され、地域ブランドの価値を上げ、観光客の増加する例も多い。世界遺産には、人類の悲惨な記憶を風化させないために、戦争跡地で有名な場所である、ポーランドの「アウシュヴィッツ・ビルケナウ　ナチスドイツの強制絶滅収容所（一九四〇～一九四五年）」、日本の「原爆ドーム（広島平和記念碑）」が登録されている。悲劇にまつわる場所をあえて訪ねるダークツーリズムという新たな潮流がある。

日本においては、新型コロナの発生前、訪日外国人の増加を目指し、様々な事業を官民で推進し、ＭＩＣＥ（大規模な会議、展示会等）の誘致やクルーズ船の運行でも集客効果が見え始めていた。歴史・文化を巡る旅（四国八十八カ所巡りなど）、農家民泊などの体験旅行、ＳＤＧｓを意識したエコツーリズムも注目をされており、コロナ後の観光再生に向けてのヒントになると考えられる。また、経済面だけではなくシビックプライド（郷土愛）の醸成にも良い影響を与えることができる。

④伝統・文化・芸術

京都・奈良に代表されるように、日本の伝統や文化は、海外から注目されており、新型コロナの発生前には多くの観光客が訪れていたことは前述した通りだ。能、歌舞伎やねぶた祭、阿波おどりなど地方の祝祭に訪れ、地方文化の魅力にとりつかれ、ついには定住する外国人もいる。新たな文化イベントの「大地の芸術祭　越後妻有アートトリエンナーレ」（新潟県、二〇〇〇年から開催）、「瀬戸内国際芸術祭」（香川県・岡山県、二〇一〇年から開催）の開催期間は多くの訪日外国人が訪れている。また、一九九〇年代に、新潟県の佐渡島で誕生した創作太鼓パフォーマンス集団の「鼓童」は現在では世界に活動の場を拡げている。

⑤コンテンツ

日本のアニメ、漫画は海外でも人気で、映画『鬼滅の刃』は、新型コロナの感染が拡大していた時期にありながら、世界中で興行収入の記録を塗り替えた。しかし、国内において、アニメ、漫画、日本映画のコンテンツ産業も人材も大都市に集中し、地方の経済にインパクトを与えることは難しい。だが、アニメファンが舞台となった町を〝聖地巡礼〟として訪ね歩く、埼玉県久喜市「らき☆すた」、茨城県大洗町「ガールズ&パンツァー」のように地域活性化につながる例も多々ある。

また、官民が一体となって、映画やテレビ番組、CMのロケ地を誘致し、地域の知名度アップや経済に好影響を与えている。制作支援、公共施設使用の許認可・調整を行うなどの便宜供与を行う組織を地域ごとに設置している。全国組織としては、国内外の映画・映像作品の制作支援を行う「ジャパン・フィルムコミッション」、ロケ地をインバウンドやシティーセールスにつなげる「ロケツーリズム協議会」がある。

倉敷ジーンズのブランディングとグローバル化（事例）

一九六七年に、倉敷・児島・玉島の旧三市が合併してできた倉敷市は、岡山県の南部に位置し瀬戸内海に面した温暖な地域である。人口は、四八万人、県内では隣接する県庁所在地である岡山市に次いで二番目に多い。臨海部は、江戸時代から、塩業も盛んで一九七二年までは塩田で製塩作業が行われていた。また、農業や漁業は今でも盛んで、特に高品質・高価格のマスカットや白桃などは全国的に有名であるが、最近では、スイートピーの花卉栽培で、全国二位の生産量となっている。干拓地である臨海部には、石油コンビナート、自動車製作所などの重化学工業を有する水島臨海工業地帯が広がり、一九六四年に新産業都市に指定された。また、干拓地で作られた綿花を使った繊維産業も盛んで、かつての倉敷紡績工場の建物は今も残っている。蔦とレンガづくりの美しい建物は、「倉敷アイビースクエア」と呼ばれ、現在もホテルやギャラリーとして利用されている。アイビースクエアのある一帯は「倉敷美観地区」と呼ばれ、その中心を流れる倉敷川の両岸には、なまこ壁の土蔵や古い洋館など歴史的建造物が多く建ち並んでいる。その中には、世界的に有名な「大原美術館」もある。一九七〇年代には、国鉄のキャンペーン「ディスカバー・ジャパン」でも取り上げられ、さらに女性ファッション誌でも紹介されたことで多くの女性が倉敷美観地区に訪れた。当時は、それらの雑誌を片手に持ち、おしゃれをして全国を旅することが、ある種のファッションでもあり、雑誌名にちなんで、その女性たちを「アンノン族」と呼んだ。このような現象から推察すると、倉敷市は、すでに一九七〇年代に地域ブランドを確立していたと考えられる。

倉敷市の地域活性化やブランディングは、歴史や文化の地域資源を背景に順調に進んでいるが、いくつかの課題を乗り越えている。

①日本一の繊維のまち

国の統計資料、二〇一六年度経済センサスの繊維工業の製造品出荷額では、全国市区町村の中で倉敷市が一位となった。二〇一七年四月、倉敷市の繊維産業発展のストーリー「一輪の綿花から始まる倉敷物語〜和と洋が織りなす繊維のまち〜」が文化庁から日本遺産として認定されたように、倉敷市では江戸時代中頃に現在につながる繊維産業の礎が築かれている。

倉敷市の児島市区は、まさしく繊維のまちの中心である。木綿の産地でもあり、江戸時代には域内の下津井港に北前船が寄港したことから、運行に欠かせない帆布も製造していた。明治以降、製造技術の近代化とともに多くの帆布会社が誕生し、テントやトラック用の幌（ほろ）を製造した。現在、日本の帆布生産の約七〇％を児島にある繊維メーカー　倉敷帆布株式会社が生産している。戦後は、倉敷レーヨン（クラレ）など合成化学繊維のメーカーと連携して事業を展開し、輸出織物への転換を図った。また、帆布（はんぷ）製造の技術をもとに、大正時代以降、工事用の作業服や学生服の生産も行われている。学生服は全国シェアの四〇％を占める。このように、繊維産業により、地域経済にインパクトを与え、新たなイノベーションを起こした。

②地域経済の課題解決に向けて

重化学工業、繊維産業、農林水産業と地域経済は順調に推移している倉敷市ではあるが、地域経済の活性化において、いくつかの問題があった。

その一つは、多くの市民を落胆させた、二〇〇九年の「倉敷チボリ公園」の閉園であろう。世界最古のテーマパークと言われる、デンマークのコペンハーゲンにある「チボリ公園」をコンセプトに一九九七年に開園した。当初、倉敷チボリ公園は岡山市内に建設予定であったが、建設・開業を巡るトラブルで、倉敷駅北口の倉敷紡績（現クラボウ）の工場跡地で開業することになった。場所は、美観地区の近隣にあり、当時の日本のテーマパークブームの相乗効果もあって、開園当初は二〇〇万人以上の年間来園者があった（「二〇〇一年岡山県観光客動態調査報告書」より）。だが、景気後退による来園者の減少を受けて地方のテーマパークは相次いで閉園し、倉敷チボリ公園もその流れには勝てず閉園した。閉園前には、デンマークの街並みとは異なる、演歌歌手の歌謡ショーなどが開催され、コンセプトの陳腐化が著しかった。現在、跡地には三井アウトレットパークが建てられ、観光客のみならず近隣の地域からも集客している。

二つ目は、繊維産業の産業転換である。きっかけは、繊維の技術革新による危機である。学生服生産日本一を誇る倉敷では、素材を木綿から合成化学繊維ビニロンそして一九六〇年頃からテトロンへと変化していく。その過程で、テトロンのライセンス生産に、参入できなかった業者は、学生服の発注が激減し、経営は危機的状況になった。

しかし、その結果、新たなイノベーションが起こることになる。地域ブランド「日本初の国産ジーンズ」の誕生につながった。

③国産ジーンズの発祥地

テトロンの使用に参入できなかった学生服メーカーの一つに、マルオ被服株式会社（以下、「マルオ被服」と略す）があった。後に、日本で初めて国産ジーンズを製造した。

発色がきれいで、シワになりにくい素材であるテトロンが使えないため、今まで使っていたビニロン素材の学生服は売れなくなり、在庫を抱え、会社経営が危ぶまれる状況であった。そこで、一九六〇年代の若者に圧倒的な支持を受けていた「Gパン」製造で勝負する決断をする。当時、中古の輸入品が広く出回っていたので、同社は一九五八年に、ジーンズの輸入の受託生産を手掛けており、一九六〇年に米国屈指のデニムメーカー「キャントン」の生地を使った、日本で初めての国産ジーンズ「キャントン」を発売した。児島には学生服や作業服の縫製技術、藍染の技術など繊維産業の技術を持っていたが、決して順調に事業化したわけではなかった。試作段階で、学生服の三倍の厚みのあるデニム生地に合うミシン、針、糸、リベット、ファスナー、ボタンなどが揃えられず、アメリカから輸入することになり手間取った。

一九六七年、国内初のジーンズブランド「ビッグジョン（BIG JOHN）」をマルオ被服は発売した。その後、硬い生地が日本人に不評だったため、一度洗って柔らかくするワンウォッシュという技術を発明した。現在では、世界中の常識となっているワンウォッシュ加工である。当時、洗いのプロセスには、約一〇〇人の人員を必要としたため、地域の雇用にもつながった。また、販売のために、ブーム創出やブランディング、販売ルートづくりにも取り組んだ。岡山県出身でIVYルックの先駆者であるVANの創設者、石津謙介氏のアドバイスを受け、伊勢丹との取引を取りつけている。海外戦略のため、北米での「BIG JOHN」の商標登録も行った。カナダにはすでに商標が登録されていたので、ウェア限定の使用許諾を二〇〇〇万円で買い取り事業を展開した。

その後、岡山市に「ボブソン」、東京に「エドウイン」など国産ジーンズが相次いで誕生した。近年ではユニクロなどの手頃な価格のジーンズが幅広い年代で愛用されているが、児島では、それらとは差別化した個性的なジーンズを製造するメーカーが続々と誕生し、集積している。日本最初の女性用ジーンズを作ったメーカー「ベティスミス」、デザイン性溢れるフォルムで国内外のセレブにも人気のジーンズを製造する「キャピタル」、生地を手織りして染料も縫製も贅を尽くし、価格が一〇万円以上のオリジナルジーンズを製造していた「藍布屋」は、新ブランドの桃太郎ジーンズを売り出し、社名を「ジャパンブルージーンズ」と変更し、環境に配慮したエシカルジーンズを作り、世界に向けてビジネスを展開している。また、市民、他業種、経済団体、市役所も「ジーンズの聖地」として誇りを持ち、ブランドづくりに関わっている。この産業構造の転換は小学校の教科書にも掲載され、まちづくりの後押しとなった。

④地域で支えるまちのブランディング

倉敷市児島地区が「ジーンズの聖地」として定着した事によって、倉敷市には新しい観光の拠点ができた。多くの観光客が訪れる美観地区では、大原美術館を見るなど数時間滞在しただけで、次の観光地に移動していたが、最近では児島もルートに入ることがある。前出のジーンズメーカー、ベティスミスは「ジーンズミュージアム&ビレッジ」を建設し、ミシン、反物、リベットを打つ機械、ストーンウォシュの石、ノベルティなどを展示し、工場見学、体験コーナーも設置している。また、アウトレット棟も建設し、ジーンズやハギレで作ったデニム地の小物などが低価格で販売され、旅行客の人気を集めている。

美観地区を訪れた観光客に、児島地区まで足を伸ばしてもらう工夫も行っている。休日には、同地区間のジーンズバスを運行している。運行する「下津井バス」と倉敷市が連携し、停留所の場所と児島の見どころ（ジーンズショップや見学可能な工場・工房など）を紹介した地図を作成し、PRを行った。また、企業独自の取り組みとして、下津井バスは、車体をジーンズ模様にラッピングし、社内のシートやつり革もデニムを使いインディゴ色に統一した。タクシー会社も同様の取り組みでジーンズタクシーを運行している。二〇一五年には、ＪＲ児島駅が「ジーンズステー

図表 3-3　児島ジーンズストリート（倉敷市）

写真提供：倉敷市観光コンベンションビューロー。

ション児島」と命名され、駅構内の階段やコインロッカー、自販機に至るまでをジーンズでラッピング、駅員はジーンズの制服を着用し、改札を出るとジーンズののぼりが出迎えてくれ、集積地である「児島ジーンズストリート」への動線の一つとなっている。このように、地域がまるごとまちづくりに協力している。

「ベストジーニストアワード」は、一九八四年から日本ジーンズメーカーと岡山県アパレル工業組合がジーンズの良さをＰＲするために、毎年一回開催し、各界のジーンズが似合う有名人を選考している。また、倉敷市、倉敷観光コンベンションビューロー、児島商工会議所も、様々なサポートをしている。倉敷市ではユニークな取り組み「ジーンズ議会」を実施している。毎年、倉敷市議会九月定例会において、特産品のジーンズをPRするために、市長、市議会議員、職員らがジーンズを着用して議場に出席し、メディアに訴求している。児島から始まった新たなイノベーションは、児島だけにとどまらず、まず、観光ルートとして美観地区と線で結び、その後、水島重化学工場地帯の夜景や、瀬戸大橋のライトアップの見学も始めた。また、平成の合併で新たに真備町と船穂町が加わり、奈良時代の豪族である吉備真備に由来する地名と歴史文化、さらに、ぶどうや桃などの果物生産量の拡大と、地元マスカットを活用しワインの醸造・販売など新しい地域のブランドを有するようになった。

今、点から線、線から面へとシティプロモーションを広げている倉敷市は、世界的に認知されている倉敷美観地区と新たに国内外の観光客を集めているジーンズの児島をフックに、工業技術、歴史文化、農産品のブランディングを重ね合わせている。一五年前、筆者は倉敷ジーンズを地域活性化の起爆剤にするための事業を手伝わせていただいた。その際、現地を何度か訪れたとき、倉敷市内の関係者にインタビューをする機会を得た。市の合併からすでに三〇年以上経っていたが、商工会議所は倉敷、児島、玉島地区がそれぞれ独立して活動しており、地域性の違いを感じると同時に、別の自治体同士のようにも感じた。しかし、五年前に再訪した際には、その違和感はなく、地区、年齢、職種、国籍を超えた、新たな波が起こるように思われた。

なお、本事例を執筆するにあたり、長年、倉敷市の観光行政に携わり、倉敷観光コンベンションビューローの事務局長も務められた玄馬正雄氏に多大なるご協力をいただいた。

3　まとめ――グローカル化に向けてのカギ「三つのT」とは

一村一品運動から活発になった日本の地域ブランドの推移、自治体、企業、市民の関わり方、地域資源の磨き上げ、ブランド化の現状について述べてきた。

道の駅や直売所など域内や近隣で生産・販売されていた物、中小企業が生産した商品、サービスや伝統・文化の中から、付加価値を付け、広域的（大都市や海外）に通用するビジネスに結びつけるには、どのようにすれば良いのか。その課題と解決方法について、筆者の意見を以下にまとめた。

地域ブランドの課題

①初期段階：地域ブランドの発掘・育成

すでにある地域資源を住民が認識していない。また、認識していても、事業化する人材が不足している。伝統産業など技術力が必要とされる分野において継承する人材が不足している。

②二段階：マネージメント

事業が立ち上がった場合でも、ブランド力を保つための、運営計画、資金繰り、技術革新など長期的に安定した経営を継続するマネージメント能力を持つ人材が不足している。

③三段階：事業展開のためのプロモーション

地域ブランドを売り出すための計画（イベントの開催、誘客、店舗出店、ふるさと納税への参入、海外への進出など）を十分に行うとともに見直しをはかる。

④四段階：パブリックリレーション

地域ブランドを認知してもらうための、宣伝、ＰＲ活動、営業活動、メディアへの訴求、ＳＮＳ活用などのスキルが不足している。

地域ブランドの課題解決に向けてのヒント

①地域資源の再発掘（移住者、旅行者など第三者目線）

②磨き直し（後継者育成、技術革新、市場調査）

③プロモーション（コーディネーター育成、情報発信スキルの習得）

①～③を推進するには以下の三点が重要である。

・専門家のアドバイス

・新しいヒントを得るために異業種との連携

・デジタルの活用（経営、集客、技術ノウハウ、分析データの蓄積、情報発信ほか）

むすびに

二〇二一年に発足した、岸田政権は、デジタル技術の活用により、地域の個性を生かしながら、地方を活性化し、持続可能な経済社会を目指す「デジタル田園都市国家構想」を推進し、予算化した。地方でもイノベーションを起こし、地域ブランドを世界に売り出すための後押しとなることが期待できる構想である[16]。

デジタル化は急がれる課題である。だが、グローカル化を目指す地域社会において三つの要素が不可欠だと思う。それは、「Technology（技術）」、「Talent（才能）」、「寛容性（Tolerance）」の頭文字から取った三つのTである（社会学者　リチャード・フロリダが提唱）。中でも、多様化する社会の中で、地域の伝統を守りつつ、革新を進めていくためには、「寛容性」は常に忘れてはならない言葉だと思う。

注

1　『通商白書（二〇一二年度）』第二章第三節二「ドイツの海外事業活動の特徴と支援策」（https://www.

meti.go.jp/report/tsuhaku2012/2012honbun/html/i3220000.html)。

2　内閣府ウェブサイト「知的財産戦略本部」(https://www.kantei.go.jp/jp/singi/titeki2/index.html)。

3　特許庁ウェブサイト「地域団体商標制度」(https://www.jpo.go.jp/system/trademark/gaiyo/chidan/index.html)。

4　中小企業庁ウェブサイト「ＪＡＰＡＮブランド育成支援事業」(https://www.chusho.meti.go.jp/sho-gyo/chiiki/japan_brand/)。

5　観光庁ウェブサイト「観光地域づくり法人（ＤＭＯ）」(https://www.mlit.go.jp/kankocho/page04_000053.html)。

6　農林水産省ウェブサイト「地理的表示（ＧＩ）保護制度」(https://www.maff.go.jp/j/heya/sodan/1902/01.html)。

7　農林水産省ウェブサイト「世界農業遺産・日本農業遺産」(https://www.maff.go.jp/j/nousin/kantai/index.html)。

8　文化庁ウェブサイト「世界遺産文化遺産」(https://www.bunka.go.jp/seisaku/bunkazai/shokai/sekai_isan/)。

9　文化庁ウェブサイト「日本遺産」(https://www.bunka.go.jp/seisaku/bunkazai/nihon_isan/)。

10　環境庁ウェブサイト「世界自然遺産」(https://www.env.go.jp/nature/isan/worldheritage/)。

11　文化庁ウェブサイト「日本の世界遺産一覧」(https://www.bunka.go.jp/seisaku/bunkazai/shokai/sekai_isan/ichiran/)。

12　外務省ウェブサイト「Japan House」（https://www.mofa.go.jp/mofaj/p_pd/pds/page24_000421.html）。
13　農林水産省ウェブサイト「6次産業化」（https://www.maff.go.jp/j/shokusan/sanki/6jika.html）。
14　農林水産省ウェブサイト「輸出・国際」（https://www.maff.go.jp/j/yusyutu_kokusai/index.html）。
15　農林水産省ウェブサイト「グローバル産地計画　帯広市川西農業協同組合（北海道帯広市）」（https://www.maff.go.jp/j/shokusan/export/gfp/attach/pdf/yusyutsu_keikaku_kohyo-63.pdf）。
16　内閣府ウェブサイト「デジタル田園都市国家構想」（https://www.chisou.go.jp/sousei/about/mirai/policy/policy1.html）。

＊本章掲載のウェブサイトは、すべて二〇二二年六月二〇日最終確認。

第4章

ロボットが空飛ぶ時代の教室は社会の現場に

――「学校は何のためにあるのか」と教育の再生モデル

羽田　智恵子

プロローグ――鉄腕アトムと天馬の未来

中二の天馬が向かうSF社会

令和四年の初夏。東京都文京区にある緑きらめく大学附属中学のキャンパスから二年生の諏訪天馬が同級生とにぎやかに出てきた。明治時代に開校され一三〇年以上の伝統ある中学校。普通の成績でついていけば高校に進学できるため文武両道、質実剛健で男女ともに挑戦する雰囲気が引き継がれ、授業のディベートも部活動も活発だ。

天馬は渋谷区に、公認会計士の父と公務員の母、小学四年の妹との四人暮らし。「恵比寿」から地下鉄に乗り「茗荷谷」まで毎日五〇分かけて通学しているのだが、小学校から通っている学校なので親友が多く、自由でノビノビした校風がとても気に入っている。

電車の中では友だちとたわいないゲームの話をしたり、時折寄り道をして自分が知らない世界を覗き見したいなあと思いながら部活の後はまっすぐ帰宅。部活は卓球部で、練習がなく早めに帰宅したある日、珍しく母親にこんな話を……。

「今日の総合学習ってさ、『人工知能とロボットは社会をどう変えるか』だったんだよ。これからＡＩやロボットがどんどん人の仕事に代わるとね、一五年とか二〇年後には今ある仕事の半分以上がなくなって新しい仕事が生まれるんだって。[1]パパの仕事はなくなったりしない？」

「へえ～、最先端のテーマよね。予想と現実には開きが出るでしょうし、パパやママの仕事には当分影響がなさそうだけど、人工知能は進化して人に近い『眼』まで持つんだって。だから車や電車の無人運転が現実になってきたし、防犯カメラに映った不審者を数千人の群衆から特定できるのよね。あと、「がんの早期発見」の画像診断や遠隔治療も進んでいるよね……」

「人間が負けそうだよね～。今ある仕事がなくなるってことは、僕たちが大人になる頃、半分以上は今この世の中にない仕事をするだろうってさ。だから、子どもの頃から新しいものを考える力をためておかないと、ＡＩやロボットの子分にさせられちゃうよね」

天馬は未来の社会がどうなるかに関心があるので、ＳＦ（空想科学）の映画や漫画を時折は宿題を放り出してママに内緒で観ており、話し出したら止まらない。大学を卒業したらＩＴ系の会社で仕事をして、やりたいことを決めてからアメリカのビジネススクールに留学し、そのあと起業して社長になりたいと、今はまだ漠然とだが……。だから学校で人工知能やロボットについての研究活動やプレゼンテーションがあるとワクワクして、つい声が大きくなったり、はしゃいでしまう。

鉄腕アトムが現実になる日

次の週は、帰宅後カバンを置いてから近くに住む祖父母の家へ。ばあばの奈津さんは手早くおやつとご飯を用意してくれ、

「今日はご機嫌だけど学校で何か面白いことあった？」

奈津さんは大学生の頃デモに参加したり、大きな役所で働いていたときには「この案件を承認してくれるまで動きません」と一番偉い人の前で座り込みをしたそうでいつも威勢がいい。自分や家族の日常で起きることより、子や孫に今より良い社会を残したいの熱意や正義感があるようで、テレビでも刑事ドラマや国会中継が好きでちょっと変わり者かもしれない。

学校で勉強してきたＡＩやロボットの話をすると、

「そういえば天馬は『鉄腕アトム』に興味があるって言ってたよね」

「うん、漫画の中で天馬博士がアトムの産みの親だから僕はときどきアトムって呼ばれてる」

「知ってたわよ、格好いいじゃない」

「じいじや奈津さんが子どもの頃に始まった漫画なのに、アトムの誕生日は二〇〇三年四月七日って僕より五つお兄さんだけだよ。どういうことかって調べたらすごく面白いことがわかった」

「どういうことなの？」

「手塚治虫は日本で初めて『ロボット』の面白さを子どもに伝えた人だけど、一九五二年に鉄腕アトムを世の中に送り出して五一年後（二〇〇三年、七五歳）を考えていて、その頃にはロボットが空を飛んでいると空想していたみたいだよ。でも二〇〇三年は工場の産業ロボットが中心だし、二〇年あとの今でも人間の方が勝っていそうだけど、ロボットが普通に空を飛ぶのはＡＩが人間の知能を抜くらしい、二〇四五年位かもね。

でも、二〇三〇年には『空飛ぶクルマ』を実用化すると、ホンダが発表したから（本田技研工業：二〇二一年一〇月一日）、鉄腕アトムの実現は、もっと早まるような気がする」

奈津さんが言う。

「これから日本の人口はどんどん減っていくのよね。だから、ＡＩやロボットが進化すると働く人が足りない会社は助かるし、会社の仕組みや仕事が大きく変わるんだろうね。社会が良くなることも一杯あるでしょ。でも、ＡＩ兵器のように、人に危険を与える脅威も生まれるのだから、人はＡＩの上を行くというか、うまく使いこなして共存できる未来を考え、知恵を磨かなくちゃね。ＡＩやロボットの進出で、どういう能力が必要になるかに合せて、学校で何をどう学ぶかを変えることになるんじゃない？」と。このへんは奈津さんが一五年以上続けている研究テーマらしい。

「どういうこと？」

「今までは全員が教室に集まって先生から同じ内容の話を聞くことが授業だったけど、知識を得るためなら、自宅にいてオンラインでもやれるでしょ。教室に集まるのなら『知識を持ち寄って、それを活用するために』生徒中心の対話とか議論が優先よね。あとは学校の枠に縛られず、社会の現場を見て歩いて興味のあるテーマを追い、仕事を選ぶ準備をするとか。会社が人をオフィスに拘束しないところが増えているのと同じかな」

「やったあ！　ドラえもんみたいに『どこでもドア』で自由に勉強できたら面白いなあ〜！」

1　一〇年二〇年後の日本をデータで読むと

今、地方の中小都市を訪れると、多くは駅前から活気なく、かっての商店街もシャッターが下りて人影少なく閑散としている。子どもや若者の姿はもちろん、バスやタクシーも走っていない。人々はどうやって生計を立て、暮らしているのだろうか、街の財政はこの先どうなるのだろう……と気がかりになる……。

二〇二五年の人口予測は一億二三五四万人で（国立社会保障・人口問題研究所）、今後八〇年位で半減以下の五九七一万人に向かうとすれば国の異常事態だが、「少子高齢化」を毎日耳にしながらも、国会や地方議会の表舞台や国政選挙でも具体的な議論がない印象は、「調和」を優先させ、難問に真正面から向うことを避けがちな日本人気質だろうか。

もともと人口密度が高いので、一〇〇年後に見込まれる「五〇〇〇万人国家」もいいじゃないかと思いがちだが、問題は、大雑把なスローガン以外に近未来の設計図がないまま急降下し、高齢者の割合が世界初挑戦とされるほどに高いこと。人口減少とともに、産業が衰え、働き手（生産年齢人口）に対する高齢人口の割合が年々増加して、購買力の縮小と経済の落ち込みが進み、社会福祉予算が青天井になりそうなのだ。例えば、二〇四〇年には、一五歳以上の人口九九〇〇万人に対して、高齢者が四〇〇〇万人の四〇%。働き手一・五人が一人の高齢者を支えることに（国立社会保障・人口問題研究所）。生産年齢人口は一五歳以上を対象として高校生や大学生が含まれているので、実際には一人が一人を支える「肩ぐるま」と同じ。従来はあり得なかった事態が迫っている。

働き手の減少という点では、二〇二二年に二二歳の新卒は一一七万七六六九人いるが、一〇年後は一〇七万三六人、二〇年後（二〇四一年）は八六万五二三九人となり、大学卒の就労が二五％減る。

日本の実質ＧＤＰ（経済規模）から先の推移を見ても成長は望めない状況で、一九八〇～九〇年前半のバブル以降、横ばい状態が続いている。一九八〇年から見れば二倍（約五五〇兆円）とは言え、アメリカは四倍の二〇〇〇兆円となっている。

『二〇五〇年の世界』について、ＰｗＣ英国の予測によると中国を筆頭に、インド、アメリカ、インドネシアが上位を占め、主要経済大国七カ国のうち、六カ国は新興国が占める。

ＰｗＣ英国調査レポート「二〇五〇年の世界」には以下のような記述がある。

「二〇五〇年までにインドネシアとメキシコの経済規模が、日本、ドイツ、英国、フランスを上回る見込みです。その一方で、トルコはイタリアを抜く可能性があります。成長率で見ると、ベトナム、インド、バングラデシュは二〇五〇年にかけて、図表４―１で示されているような年平均約五％で成長し、最も高成長を遂げる国となる可能性があります。また、図表４―１では、人口増加率と国民一人当たりのＧＤＰの成長率も示されています」

日本の人口減少は三〇年後に大きくひびき、世界の勢力図は様変わりしていきそうだ。

図表 4-1　2016-2050 年の年平均実質 GDP 成長率の予測

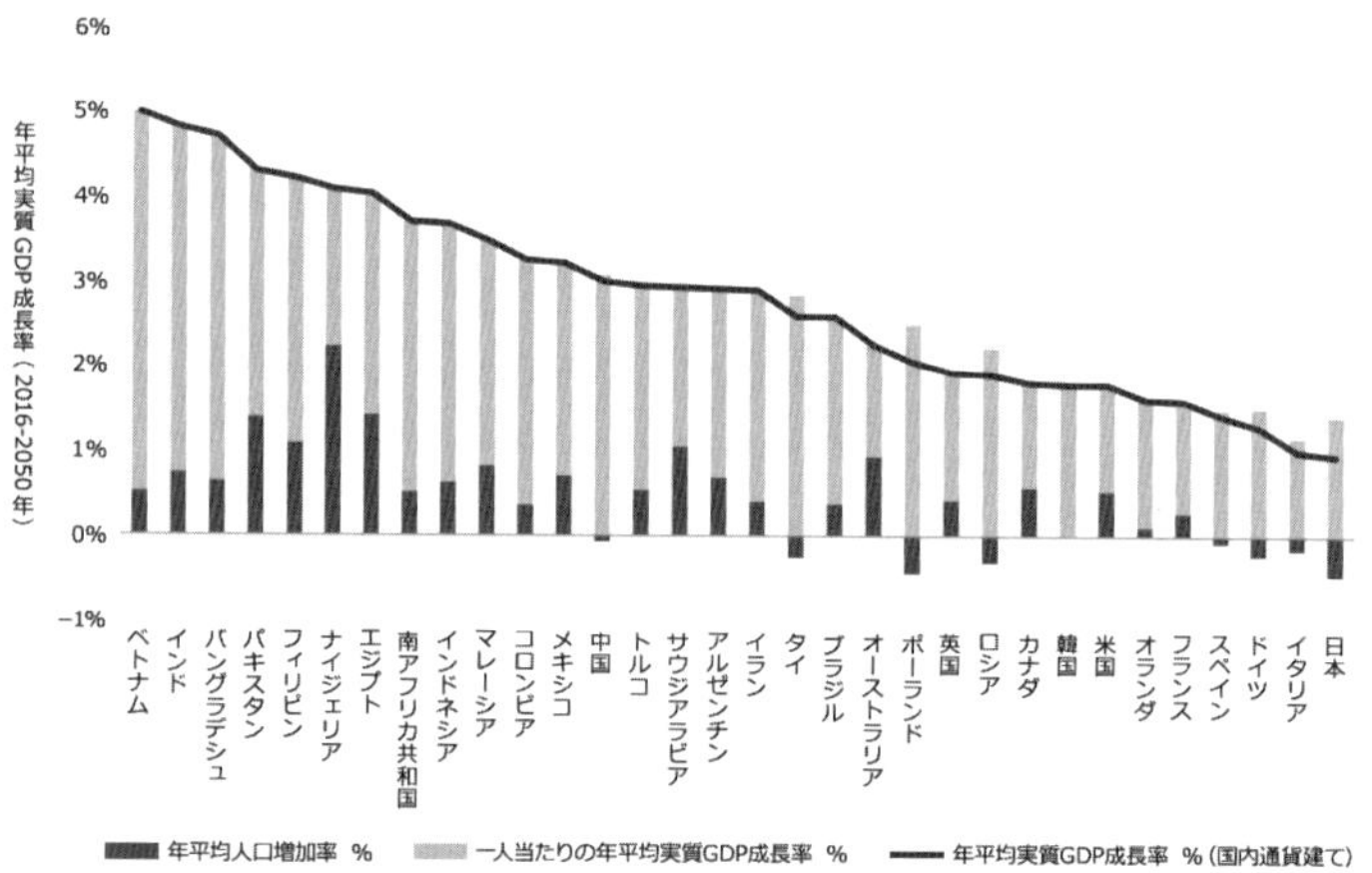

出所：PwC 英国調査レポート『2050 年の世界』（https://www.pwc.com/jp/ja/press-room/world-in-2050）。

人口減でより自分経営を求められる：一〇年二〇年先のあなたは何屋さん？

人口急減は購買力の縮減を招き、国の税収を減らした上で税金に頼る人を増やし、社会インフラの維持や補修は固定費として続くため国力の弱体化を避けられない。社会福祉予算にも陰りが出る中、年金や医療費の継続がより困難になるのは必然だろう。

さらにＡＩ／ロボットはドンドン人の能力に近づいてくることを思うと、今までのように、生涯給料や年金で保障される期待は持ち得ない。だから、いつでも転職や起業、複業ができるよう、一人ひとりが屋台を引く覚悟で自律（自分経営）を求められることになる。あなたや私はこれから何屋さんで生きていけばいいのだろうか。

図表 4-2　人口減で変わる日本

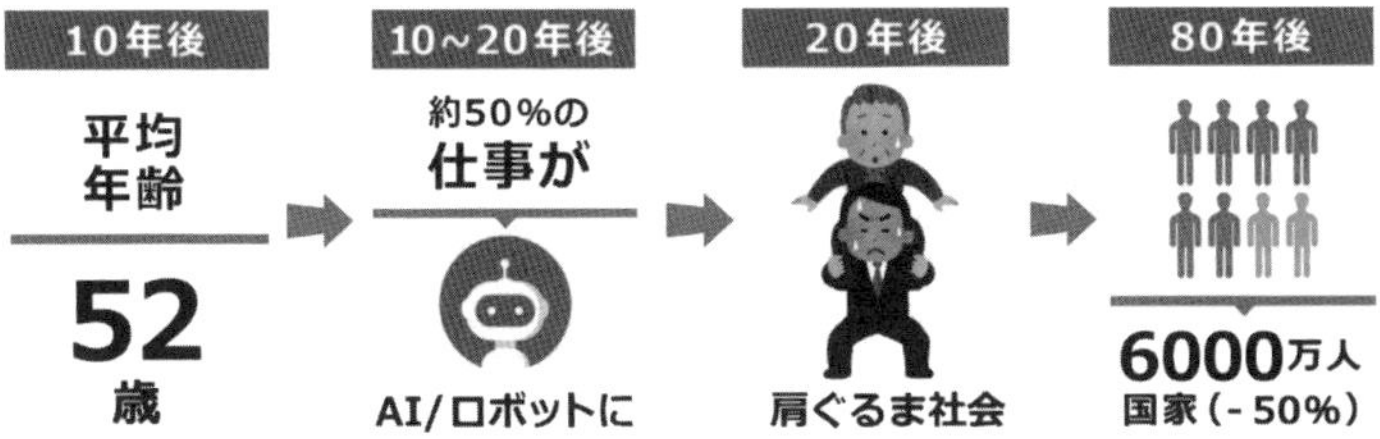

出所：筆者作成。

一〇年先、二〇年先の大変化について、様々な要因から日本の全体像を確認してみよう。

①二〇三〇年のミディアム（平均）年齢は五二歳

五二歳といっても個人差があろうが、発想の弾力性や体力、根気が衰えがちで、チャレンジ⇒社会変革へのイノベーションが困難となり、国際プレゼンスの低下は否めない。

②労働人口の約四九％はＡＩ／ロボットに代替（脱労働社会）

一〇～二〇年後、繰り返しが多いルーティンワークはＡＩ／ロボットが担当するだろうが、予測によれば産業構造が様変わりし、人にしかできない仕事で自分経営を求められる。

③自治体の半数が消滅可能性都市

二〇三〇年～二〇四〇年までに、急速な人口減少で地方の町は半減に近づき、自治体の半数である八九六が「消滅可能性都市」になる[2]。

④ＧＤＰ（一年間の国内総生産）の低下

イギリスの経済紙『エコノミスト』は近未来予想として、日本の国力が順次低下する点で将来をかなり悲観的に予測している。二〇一〇年のGDPは世界経済の五・八%　二〇三〇年は三・四%　二〇五〇年は一・九%を見込んでいる。

日本経済団体連合会の「グローバルJAPAN」[3]によると、二〇五〇年、日本人一人当たりのGDPは世界一八位となり、アメリカや中国の六分の一、インドの三分の一、韓国よりも下になることが予想される。

⑤生活インフラの維持が困難に

人口減と産業衰退、税収不足の行く末は財政破綻した北海道の夕張市に縮図を見てとれる。郵便局、スーパーマーケット、食料品店、医療施設、福祉施設、小中学校も存亡の危機に瀕し、ローカル線や路線バスも経営難から間引きや廃線。やがて警察官や消防士も減らすことになるかもしれない。

筑紫哲也のラスト・メッセージ：「我が国の将来は深刻」

【筑紫哲也】：ジャーナリスト（一九三五―二〇〇八年）大分県生まれ　早稲田大学卒。朝日新聞社入社。東京本社政治部を経てワシントン特派員。「朝日ジャーナル」編集長、編集委員。八九年退社。TBSテレビ系「筑紫哲也 NEWS23」のメインキャスター。早稲田大学大学院教授（二〇〇三―二〇〇六年）。

日本の将来について、二〇〇八年一一月に逝去したジャーナリストの筑紫哲也さんは次のような言葉を残している。闘病中、早稲田大学と立命館大学の大学院生を対象とした講義を続けた終盤に、振り絞る思いで若者に語ったものである。「巨星」と呼ばれ、深い洞察で日本を見つめてきた人の発言には今なお変わらない重さがある。

・「我が国の将来」は残念ながらかなり「深刻」です。

・このままだと、この国は相当にひどいことになりそうなのです。そういうことにしたのは主として大人の責任であり、あなたのせいではありません。しかし、その「負の債務」を被らなくてはならないのは次の世代、つまりあなたたちだし、やがてあなたがこの国、社会を担う主役になるのはあっという間です。[4]

・主題はあなたです。

あなたは何を考えなくてはならないか。

あなたは何をやらねばならないか。

あなたは何をやってはならないのか。[5]

・こういう世の中を次の世代に引き渡せねばならない者の、最低限の「世代責任」として伝えたいことを伝える。[6]

・この国というのは一言で言えばガンにかかっている。[7]

・差し迫ったこの国の危機とは何なのか――（中略）。一つは国家が破産しかかっているということ。二番目には、日本人が減り始めたということ。三番目が教育問題です。これがメチャクチャです。（中略）教育の現場というのは荒廃しています。[8]

教育を通じての未来投資を考える[9]

生徒を教室に集め、同じ価値で人を大量生産する時代は終わり、AI・ロボットにない能力を身につけないと、人は役割を得て生きていけなくなるかもしれない。世代責任を果たすために、私たちはどんな未来投資ができるのか……。

①学校は何のためにあるのか（小学校～大学まで）

社会人になる準備のため存在することに異論はないだろうが、今の学校が社会の変化と将来につながっているかは疑問である。二〇一九年度・日本財団が実施した「一八歳の意識（国際）調査」によると、「社会的責任を持ち自分で社会や国を変えられるか」という質問について、日本はダントツの最下位にあるが、若者の社会的意識が低いのは親や教師を含む大人の意識を反映しているものだろう。

②私学や一部の公立校は五年、一〇年、様々に挑戦し様変わりしつつある

参加型で対話しプレゼンテーションをし、地域との連携や外部人材との交流が徐々に進んでき

たし、文部科学省の幹部も「教室と社会がつながれば学習意欲は向上する」と発言している。しかし現実には、多くの学校は本来の目的と手段を混同させる旧態依然とした体質が残っていそうだ。生徒を目的が曖昧なルール下に置き、評価のためのテスト重視で、実社会では何が必要かとは無関係に、手とり足とりの指導が続いていることが多い。社会常識を身につけ、受験に備える理由はあろうが、「みんなで仲良くしよう」などのスローガンは、自律につながっているとは限らない。

③人材育成の柱にはどんな手法があるのだろうか

・知の伝授 ⇓ (今までの中心) 知識の習得 ⇓ AIには到底叶わない

・知の活用 ⇓ (未踏の分野) 社会的連携 ⇓ 学校内で賄うことは難しい

具体的にどうすればいいのか。

特に知の活用について、未来の社会人を育てるために、子どもの頃から様々な分野で活躍する一流のプロフェッショナル一〇〇～二〇〇人に直接会える機会を教師や大人がたくさん作る。世の中には凄い人がいる、こんな面白い仕事がある、こんなに格好良い人の指導を受けたいなど、意欲を喚起することが知の活用の第一歩ではないか。

④生徒や若者が未来への夢を描ける環境を作ることが教育課題としての公共政策

「学校が社会の変化と将来につながりにくい現状」は後述するように、近年いくつものデータで立証されている。現状を補うためには、教員任せでなく社会で活躍する各界のプロフェッショナルに直接会う機会を増やして生徒や若者が未来への夢を描ける環境を作れるよう、コミュニティの力で支えることが「教育課題としての公共政策」ではないか。

従来の教育の延長だと、行政の力だけでは発想力でも限界が生じており、民間やシビック団体を巻き込んでいくしか、解決の手立てが見えてこない。新しいニーズへの対応や既存サービスの補完は、政府による公共政策というより、民間やシビック部門と連携する「公共経営」をどう進めるかが課題となるだろう。

2　今の学校は社会の変化と将来につながっているか

一八歳の日本人は社会や国への関心が主要国で最下位

日本財団は二〇一九年（九～一〇月）に世界九カ国（インド・インドネシア・韓国・ベトナム・中国・イギリス・アメリカ・ドイツ・日本）の一八歳・各男女一〇〇〇名（合計九〇〇〇名）を対象に『社会や国に対する意識調査』[10]を行った。質問項目として、「自分は責任がある社会の一員だと思う」「自分で国や社会を変えられると思う」、「自分の国に解決したい社会課題がある」など、社会や国への関心は、いずれも他国に差をつけて圧倒的に最下位であった。

図表4-3　18歳の社会や国に対する意識

	自分を大人だと思う	自分は責任がある社会の一員だと思う	将来の夢を持っている	自分で国や社会を変えられると思う	自分の国に解決したい社会課題がある	社会課題について、家族や友人など周りの人と積極的に議論している
日本	29.1%	44.8%	60.1%	18.3%	46.4%	27.2%
インド	84.1%	92.0%	95.8%	83.4%	89.1%	83.8%
インドネシア	79.4%	88.0%	97.0%	68.2%	74.6%	79.1%
韓国	49.1%	74.6%	82.2%	39.6%	71.6%	55.0%
ベトナム	65.3%	84.8%	92.4%	47.6%	75.5%	75.3%
中国	89.9%	96.5%	96.0%	65.6%	73.4%	87.7%
イギリス	82.2%	89.8%	91.1%	50.7%	78.0%	74.5%
アメリカ	78.1%	88.6%	93.7%	65.7%	79.4%	68.4%
ドイツ	82.6%	83.4%	92.4%	45.9%	66.2%	73.1%

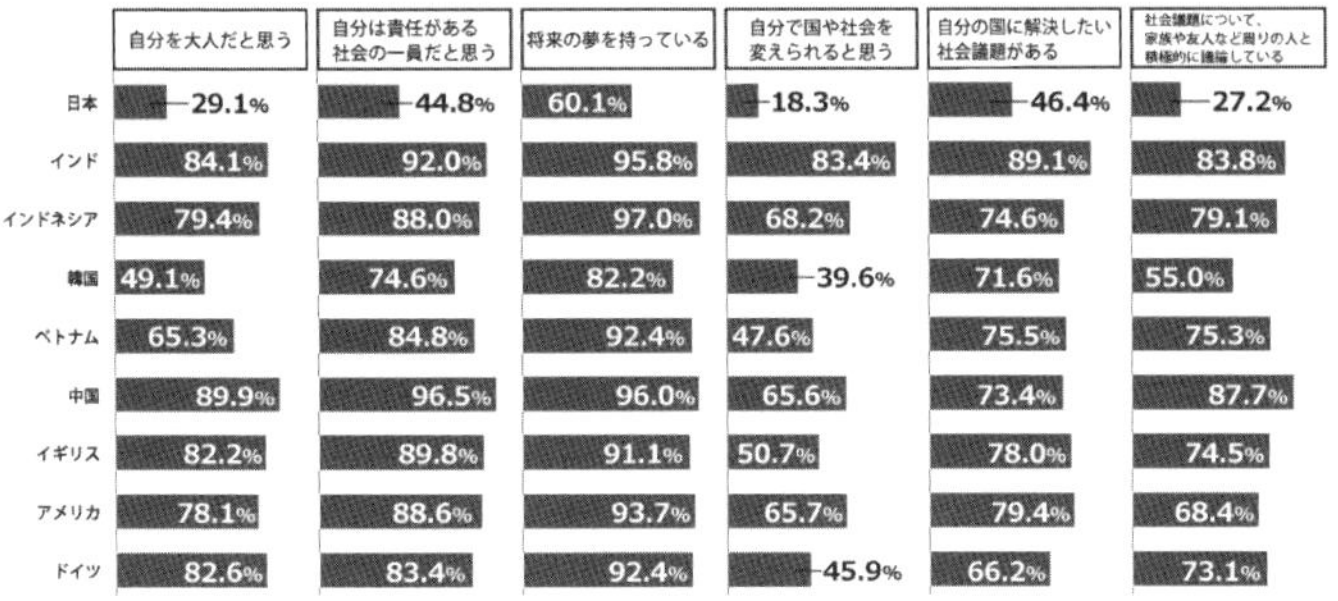

出所：日本財団「社会や国に対する意識調査」（https://www.nippon-foundation.or.jp/app/uploads/2019/11/）。

大学生のキャリア意識は年々低くなってきた ——大学生のキャリア意識調査（大学生白書2018）[11]

二〇一八年九月二五日、日本記者クラブで溝上慎一京都大学教授（現在：桐蔭学園理事長）から、大学生のキャリア意識について調査概要の説明を受けた。二〇〇七年から一〇年間、延べ八〇〇〇名に及ぶ調査の結果である。

「将来の見通しに向って何をなすべきかを考え、実行している学生が減っている。このことは、新しい社会や時代に立ち向かう学生の自律性や社会意識が弱いまま、落ちてきていることを示す。そのため、授業への姿勢も安易に流れている。

結論として、今の大学教育では学生を変えられない（大学教育改革から二〇年。社会の変化に対応できる教育ができていない）。一〇年調べて、大学生は四年間成長しないに等しいは、大変驚きの事実であった」

図表 4-4　大学生のキャリア意識

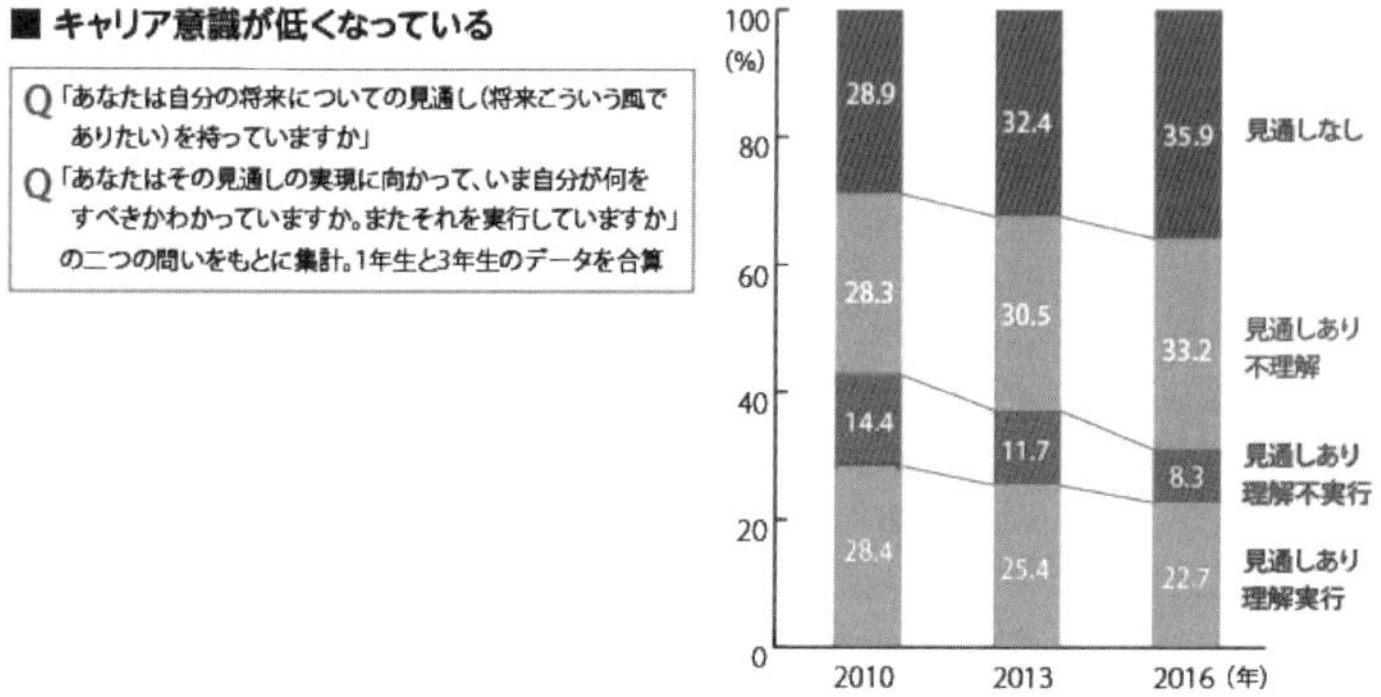

出所：溝上慎一「異見公論59」読売新聞教育ネットワーク、2018年12月11日（https://kyoiku.yomiuri.co.jp/rensai/contents/591-1.php）。

と結んだ。

加えて、次のような発言があった。

①大学生の教室外学習・自主学習は短くなっている（週に四～五時間程度。短大を含むアメリカ平均の四○％、ハーバード大学などアイビーリーグの二○％のみ）。

②一八歳までに議論する、発表することを体験せず、苦手なままの生徒は知らない人ばかりが集まる大学に入ると、いきなり議論や発表はできない。

③特に大学の教員が問題で、学生を伸ばす具体的指導ができていないし、大学自体に変えようとする雰囲気がない（大学の偏差値とは無関係な実態として把握）。

また溝上教授と河合塾との「高大接続の本質（学校と社会をつなぐ）」調査[12]によれば、集団の中で他者とぶつかり、異なる意見を聞き、伝える力は、社会につながっていく資質・能力であるが、半数は高校二年で高止まりし、大学以降は成長しないとの結果を得た。このことは、中学や高校の在学中から先代の仕事や社会を見据えながら、生徒の資質や能力を育て、大学以降にバトンを引き渡していく「トランジションリレー」(つなぎ目の接続)の必要性を語っている。

3　麹町中学校と広尾学園小石川の先進モデル

学校の「当たり前」をやめた名門・麹町中学校の改革
――すべて上位目標から問う「学校は何のためにあるのか」

【千代田区立麹町中学校】所在地:千代田区平河町二―五―一/設立:一九四七年四月一日/生徒数:五七八人(二〇二一年四月現在)/皇居に近く学区内に国会議事堂、最高裁判所、首相官邸、衆議院・参議院の議員会館がある。六〇年代まで『番町―麹町―日比谷―東大』がエリートコースの代名詞で著名なOB多数。新校舎建築後の二〇一四年から五年間、工藤勇一校長(千代田区立麹町中学校)が就任して自律性を重視の教育改革。太陽光発電・防災拠点でもある。学校運営協議会をもつコミュニティスクール[13]。

二〇一四年四月~五年間、改革の陣頭指揮をとってきた工藤勇一校長(現在は横浜創英中学高校校長（二〇二〇年四月～））を訪問して直接インタビューし、詳細を尋ねた。

学校は社会の中でよりよく生きていけるよう「自律する力」を身につける場所であり、学校で学んだ子どもたちが将来「よりよい社会を作る」よう導くのが上位目標。したがって、登校は一つの手段だから何が何でも学校への無理強いは不要だ。不登校が増えているのは学校の目的に子どもが疑問を抱いている一面もあるだろう。

大事なことは「学校は社会の一部」であり、生徒は多様な大人と学び、多様な技能を持つ人が子どもの教育に関わることと考えている……と。

①自律する力を身につけるため「当り前」を見直す

工藤勇一（前）校長からの説明を中心に、改革の具体例をまとめてみた。

「自律」とは自分で考え、判断し、決定し、行動すること。生徒に手をかければかけるほど自律できなくなり、自分がうまくいかないことを誰かのせいにする。それを解消するため、平成三〇年度から次のように方針を変更した。

（1）宿題を出さない（宿題は言われたことだけをやる傾向になり、自律を妨げる）

（2）中間・期末テストの全廃（⇩単元テストと希望者への再テスト・実力テストに振り替え）。自分で計画し学習する。

（3）固定担任制の廃止（チーム医療型の全員担任制で、問題解決する）

図表 4-5　教科以外のカリキュラム

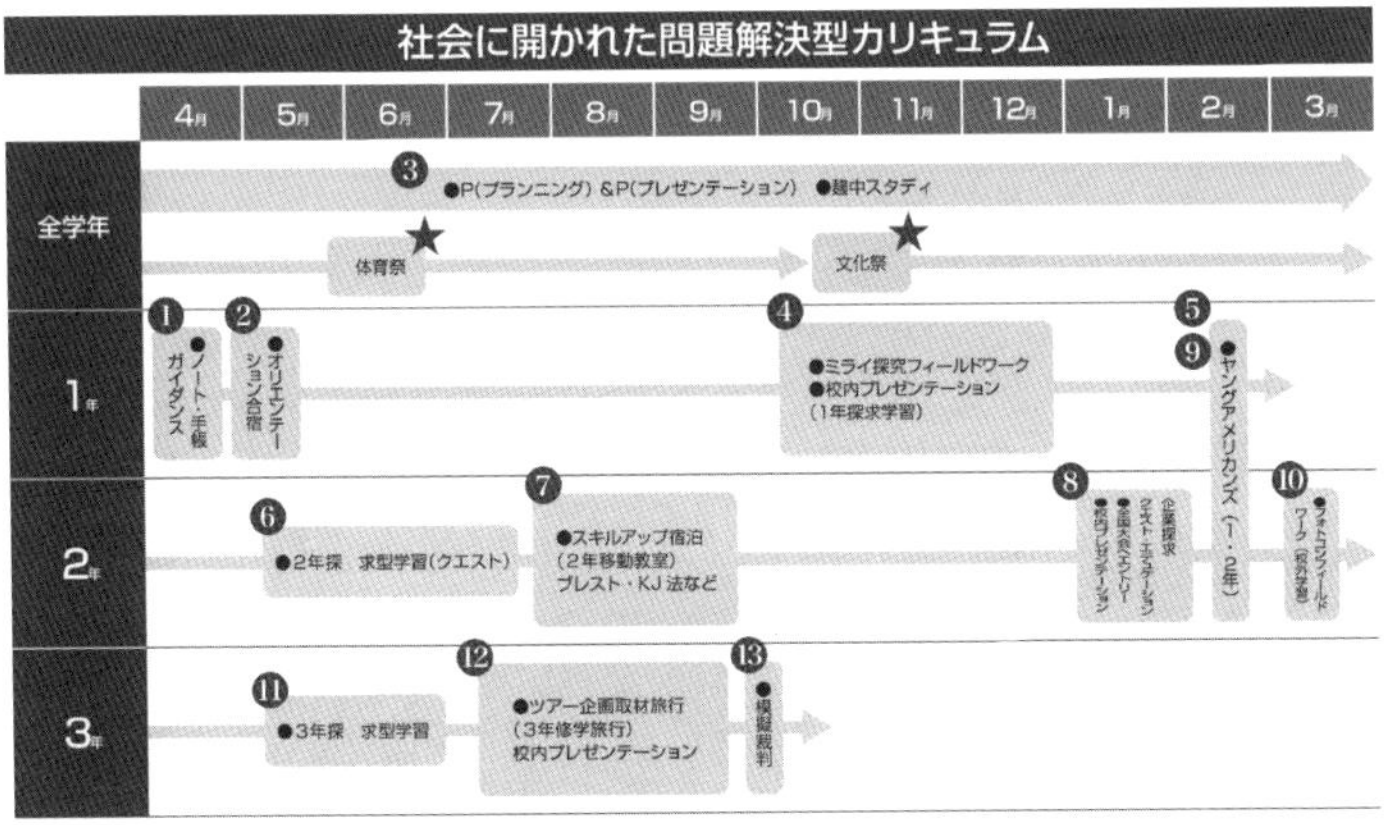

（4）服装頭髪指導をしない（これら学校のルールは保護者に委譲し生徒の意見も聞く）

これらの改革について、ほとんどの人は、公立中学でそんなことができるのかと驚くが、もともと法律や教育委員会規則に縛りがなく学校の裁量に任されている。学校が長年、いかに慣例や固定観念による慣習を当たり前と思い違いをして動いているかがわかる……。

「今の学校は社会を反映しているか？」を問うなら、かなり乖離しているのではないか。

そこで、麹町中学校では、学校を卒業後、社会の中でよりよく生きていけるよう、実社会に何が必要かを考え、社会とシームレスな問題解決型のカリキュラムを重視している。

②教科以外のカリキュラム[14]

「総合的な学習の時間」を活用するなどして充実

させる教科以外のカリキュラムとは。
具体的には企業・大学と連携して協働する（産学界から来てもらう）。
・旅行会社とのタイアップで企画型の取材旅行：生徒は参加者でなく企画者となり、旅行後、会社にパンフレットの制作やプレゼンテーションをするなどして、誰かを楽しませる「他者意識」を持って企画し、他者意識で旅行できるよう発想を転換する。
・企業探求（キャリア教育）：クエスト（探求型）エデュケーション（生徒が実在する企業の社員になる想定で）。企業への模擬インターンシップをし、一年間二五コマ以上、街頭でのアンケートや、企画提案、プレゼンテーションなどを実行。依頼先としては、NTTドコモ、クレディセゾン、大和ハウス、テレビ東京、パナソニック、富士通などである。
・模擬裁判（法教育としての裁判員裁判）。
・ヤングアメリカンズ（アメリカの非営利活動団体）とミュージカルの公演に取り組む：歌・ダンスの自己表現など三日間の教育ワークショップを開催している。
・麹中アフタースクール（学校施設の有効活動として）：麹中塾（大学生による補充学習）の他、演劇サークル、プログラミングサークル、アナウンススクールなどがあり、講師には専門家を依頼。
・経済産業省の有識者会議は「未来の教室」をテーマにしたが、学校の役割を小さくする、生徒は多様な大人と学ぶ、多様な技能を持つ人が子どもの教育に関わることを重視しており、麹町中で実践している。

・その他、同窓会が麹町中人材バンクを作り、卒業生を活用：生徒とＰＴＡが報道局と購買局を運営。（監査法人によるサポート）。部活動はＰＴＡと教員が協力して運営するなど。

広尾学園小石川中学・高校のネットワーク教育
――才能開花のため、学校の教室だけに終わらせない

【広尾学園小石川中学校・高等学校】所在地：文京区本駒込二―二九―一／沿革：一九〇九年（明治四二年）一ツ橋の村田簿記学校／生徒数：（定員）中学・高校とも一学年一二〇名（本科コースとインターナショナルコース）／二〇二一年四月、村田学園女子高等学校を共学にして、広尾学園小石川中学校・高等学校に改称。東京都港区の広尾学園と教育連携し、国際教育やキャリア教育に力を入れるなどノウハウを継承。二〇二一年、中学の初回入試出願者数は、三八〇一名と都内ナンバー・ワンになり注目を浴びた。[15]

広尾学園小石川の話に入る前に、近年注目が高まっている広尾学園とはどんな学校か。一九一八年に板垣絹子（退助夫人）が開校した順心女子学園が前身。二〇〇七年に共学化して校名を変更、帰国子女を受入れるインターナショナルコースを設置して「広尾学園中学校・高等学校」と

なった。

二〇〇九年、大学の合格実績だけでは学校の魅力を維持できないとして、誰（どこ）もやっていないことで選ばれる学校をめざした。大学合格実績が順調に向上し、各分野のプロを招いてキャリア教育を導入したことなどから人気が集中したと思われ、先見の明を感じ取る。

高度なＩＴ社会を意識して、ＩＣＴの機器は全員に Macbook を持たせるほか、国際教育に力を入れ、高校からは他に例を見ない医進・サイエンスコースを設けている。

また、学校の教室だけでは終わらせないとして、才能ある生徒を才能ある指導者に託す環境作りに力を入れながら、内なる力に加えて外の力を巻き込んでいる。昨今、都心の居住者は世界に目を向け、我が子は国際舞台で活躍してほしいと願う保護者が多いこともあり、インターナショナルコースを設けた。本科コースの生徒との交流を日常化することは、生徒にとって多様な文化を学ぶ場となり、理念を実行するマーケティングリサーチの優秀さを感じる。

地域連携と探求型授業（学校を外とつなぐ）

教育方針は両校ともに「自律と共生」として、変化と進化が激しい時代を生き抜けるように自ら課題を発見して、問題を解決する道筋をリードする。

広尾学園小石川中学校・高等学校は、教育連携校広尾学園の教育スタイルを受け継いでいるが、その広尾の教頭から小石川の開校に合せて異動した松尾廣茂校長（広尾学園小石川中学・高校）を訪問して上記の話をはじめ躍進の秘訣をインタビューした。

生徒の定員は本科四〇名、インターナショナルコース八〇名（帰国子女四〇名）であるが、海外の異文化の下で育った四〇名が全体の三分の一を占める影響力は大きいだろう。また、クラスや学年の制限にとらわれず、夏期講習などで中学生が高校生と同じ授業を受けられる無学年制の授業を設けている、放課後、広尾に移動して研究活動に参加できる、外国人と日本人のダブル担任制など、既存の常識を超えてモデルチェンジやグローバルに対応している。

説明を受けて広尾学園とともに他校と違う特異性を感じたのは、ネットワーク型の運営で生徒の活動領域を広げていること。文京区の中でも旧三菱村、「大和郷」といわれる文化的に恵まれた環境を活かして周囲にある知的・教育施設と連携し、探求型授業を進めている。主な連携先は二カ所ある。

・和敬塾（公益財団法人：包括的連携協定を結んでいる）

一九五五年、前川製作所の創業者・前川喜作が戦後の日本を立て直すため若者の教育を重視し、共同生活を通じた人間形成を図るために創立した男子学生寮。大学、出身地、国籍を問わずに入寮できる。旧細川侯爵邸七〇〇〇坪に、グラウンド、テニスコート、武道場、音楽練習場などの設備をもち、日本の武術や伝統文化を学ぶことができる。

・東洋文庫（公益財団法人）

一九二四年、三菱第三代当主・岩崎久彌が開館した東洋学の専門図書館・研究所で一〇〇万冊の蔵書を持つ。生徒はここを自由に行き来して本に接し、読書や調査ができる。

生徒は放課後、和敬塾の学生をチューターとして学習指導を受けるほか、整備された施設を部活動の場として利用できることは、フィールドを広くし外部を招くなど大きな強みとなっている。

二つの学校の共通点

麹町中学校と広尾学園小石川、二つの学校には共通点がある。教育の舞台を学校の範疇にとどめず、外の力を広く活用することだ。地方を含めて学校の多くは公立中学・高校と考えた場合、「外の力」はコミュニティに存在する。多様な技能や専門性を持つ人材が生徒の指導や教育に関われば、自ずと学校が変化し、教師の役割も時代に即した専門に特化されるだろう。両校には、自分で行動する市民を育てる欧米の市民教育や、自発性を尊重することで学力世界一とされるフィンランドと同じ哲学を感じるし、企業経営に共通するマネジメントの導入は、筆者を含めて長年の課題としてきた先端モデルになる。[16]

図表 4-6　キャリア教育・高大連携プログラム

	講座名	内　容
1	特別講演会	各界の第一線で活躍している方々による特別講演会。幅広い分野から招聘する講演者の体験を率直にお話しいただき、その体験を通じて見えてくるこれからの時代や世界のあり方にも触れていただく未来志向の講演会です。
2	研究室訪問ツアー（コロナ禍期間を除く）	中学1年の段階から希望者を対象として大学の研究室を訪問します。 研究室訪問でそれぞれの大学教授や大学生から本物の研究の世界を学びます。
3	ロボットプログラミング講座	大学生たちのサポートで、グループで共同しての4足歩行ロボットの組み立てから始まり、PCを使ってのプログラミング、ロボットの歩行レースやプレゼンテーションを体験します。 プログラミングやプレゼンテーションの力を身につけながら、協調性や発想力を養成します。
4	つくばサイエンスツアー	日本の宇宙開発を担うJAXAやロボットスーツHAL®を開発するサイバーダインで研究開発の最前線に触れるとともに、生物の進化や地球環境、鉱物について学ぶ地質標本館などを訪問します。
5	宇宙天文合宿	JAXAや国立天文台の研究者の皆さんの協力を得ながら天文学、宇宙について探究するとともに、季節の代表的な星座を実際の夜空で見つける合宿プログラムです。
6	司法裁判講座	霞ヶ関にある東京地方裁判所を訪問して裁判について学ぶとともに、実際に行われる裁判を傍聴します。また、弁護士の方々による講演会を通じて弁護士の使命や憲法について学びます。
7	Tech Camp	大学や先端企業を会場としてアプリ開発、ゲーム開発やアニメーション、サイトデザインを学びます。大学生メンターのサポートで、プログラミングを学びながら、同時に創造する力を養います。
8	広学スーパーアカデミア	年間を通じたキャリア教育プログラムの総決算となるプログラム。 社会の第一線で活躍されている方々や研究の最前線で活躍されている研究者の方々が20名以上集結し、生徒は興味ある分野を選択して講義を受けます。

出所：「広尾学園小石川高等学校 GUIDE BOOK」2022年、17頁。

4　途中塾が編み出した現場型リーダー教育

社会再生に挑むトップリーダー育成をめざした

日本の行く先が見えず先細りの時代に向いながらも「出る杭を打つ」国民性には根強いものがあり、二一年度ノーベル物理学賞の真鍋淑郎さん（アメリカ国籍）が語ったように、「日本は（創造より）調和を求める社会」だとしたら、リーダーが育ちにくいのは必然と言えるだろう。

そこで、いかなる事態になろうとも「非連続のジャンプ」ができる若手を双方向の手作りで育成できればと、（結果）三〇名のために五年、一〇年をかけ多重なネットワークを用意して、一人に二〇～三〇人の各界を代表するプロフェッショナルによる個人指導をお願いした。

※「非連続のジャンプ」とは、能力は連続しているのだから、雇用形態が変わっても生き残る力・乗換える力が益々必要だとした（就職や当選など一つの夢をゴールとしない）。

途中塾とは（沿革）17

二〇〇六年に早稲田大学公共経営研究科（院）の修了生一二名が、著名なニュースキャスターで早稲田大学教授の筑紫哲也さんを塾長に勉強会を開始した。会の理念は「未来志向の若者に斬

写真 4-1　調査統括の責任者を囲んで福島原発事故の国会事故調報告を車座で学ぶ。途中塾の原風景（2013 年 10 月 18 日）

新な発想の機会を提供し、引力のある「場」を創出する」というものであった。

二〇〇八年一一月、塾長の他界で一旦閉鎖されるも、二〇一二年秋～慶應義塾大学や東京大学・早稲田大学など大学の境界を越えて現役やOBが寺子屋風に学びを再開した。二〇一四年に一般社団法人に。

二〇一五年以降、各界を代表する一二名による発起人講座をはじめ、フィールドスタディ・ワークショップ・座学&訪問学習に加えて、歴史作家による吉田松陰のリーダーシップ講座、外務省高官との勉強会、防衛省・自衛隊の基地見学など一二〇回以上（延べ参加者は約一〇〇〇人）を開催。現在は公開講座の開催や学生に向けた「キャリアの学校」を進行中である。

途中塾のコンセプトは人を個別に手作りする

途中塾のコンセプトは、具体的には、以下の通りである。

・社会変革や社会貢献に挑む意欲ある人を個別プロデュースする。
・教室を社会の現場に広げ、既存の学校教育にないプログラムで学ぶ。
・指導者は各界のプロフェッショナルで、塾生自身が人脈を手繰り寄せる。
・右か左かの固定観念を持たず徹底したニュートラルを軸に自分の頭で考える。
・多岐にわたる講座で幅広い体験をするために、塾生主役で企画し、進行する。
・学びはアクティブラーニング（主体的　対話型）で、一斉授業は少ない。

ニュートラルで現場志向のプログラム

プログラムはフィールドワークを中心に現場志向であったが、筑紫塾長が説いていたように、「知という支えがなくて情念や意思だけが突出した場合、大変危険な社会や時代を作る。もっと知を高めよ」を念頭に置いていた。自分たちの「知の体系」を作りながら、現場感覚で多事争論を続けたと言える。[18]

現場志向の代表的なプログラムとしては、①岩手県スタディツアー（被災後の陸前高田・大船

写真 4-2
震災後の陸前高田・復旧見学ツアー
（2015 年 8 月 7 日）

写真 4-3
劇団指導による表現力ゲーム
（2016 年 6 月 11 日）

写真 4-4
横須賀の海上自衛隊基地で現場研修
（2013 年 6 月 8 日）

渡・遠野の現地視察と三市長の訪問）、②陸上自衛隊・富士総合火力演習、③防衛省（市ヶ谷基地）に制服組のトップ統合幕僚長訪問、④山谷地域で貧困とホームレス生活を生体験、⑤劇団ひまわりでパフォーマンスの実践練習、⑥外務省審議官・局長級と外交を質疑応答、⑦朝日新聞・ＴＢＳ・テレビ朝日でメディアリテラシーの体験学習、⑧高度専門の学者を訪ねて東京大学・法政大学・慶應義塾大学での出張セミナーなどがある。

卒塾生のプロフィール

卒塾生は下記のような職業に就いている。右や左の固定観念を持たず、ニュートラルを貫いたため、政治の世界に進んでも、活動の姿勢や発言に偏りはないように思われるし、難関の国家試験に挑む場合でも「正解」だけを追求せず、幅広い領域にわたる知見や考え方の深さから、論文試験や面接でも、高い加点を得てトップレベルで合格した例が多く見受けられる。具体的には、衆議院議員、地方議員、ＮＰＯ代表（一八歳選挙権実現の立役者）、テレビ局ニュースキャスター、新聞記者、放送局員、米国政治研究家、シンクタンク立案者、国際ＩＴ企業社員、総合商社幹部、公立学校教員、大企業の総合職、海外の次世代モビリティ開発、検察官、外交官、政治家志望（衆参出馬）、大学職員などを輩出している。

5　大変化の時代、教室外の経験こそが力の源泉

日本の学校教育について若者はどう考えているか
——若者のシチズンシップ発揮につながる学校教育のあり方（若者の学びニーズ調査報告書）

当事者である若者は、今の学校教育についてどう考えているのだろうか。

二〇一六年一〇月、早稲田大学公共政策研究所が全国の一八〜二九歳の男女六〇〇名を対象にインターネットで、主権者教育の視点から学びニーズを調査し公表した。五年を経ているが、データを大きく変える外部要因は少ないと判断し、上記調査の結果を活用したい[19]。

若者の学びニーズを探索するにあたり、学びを「知」「考」「伝」の三つに分類し、それぞれのニーズを定量的に把握する方法をとった。

①学びの三タイプ

「知」：知る学び。知識やルールなどを教えてもらう、勉強型の学び。

「考」：考える学び。アイディアや解決策などを鍛える。思考訓練型の学び。

「伝」：伝える学び。対話やプレゼンテーション等コミュニケーション能力向上型の学び。

調査の結果、「知」「考」「伝」の三タイプとも、過半数の若者が重要であると回答したが、三

図表4-7　日本の学校教育についての意見（n＝600）

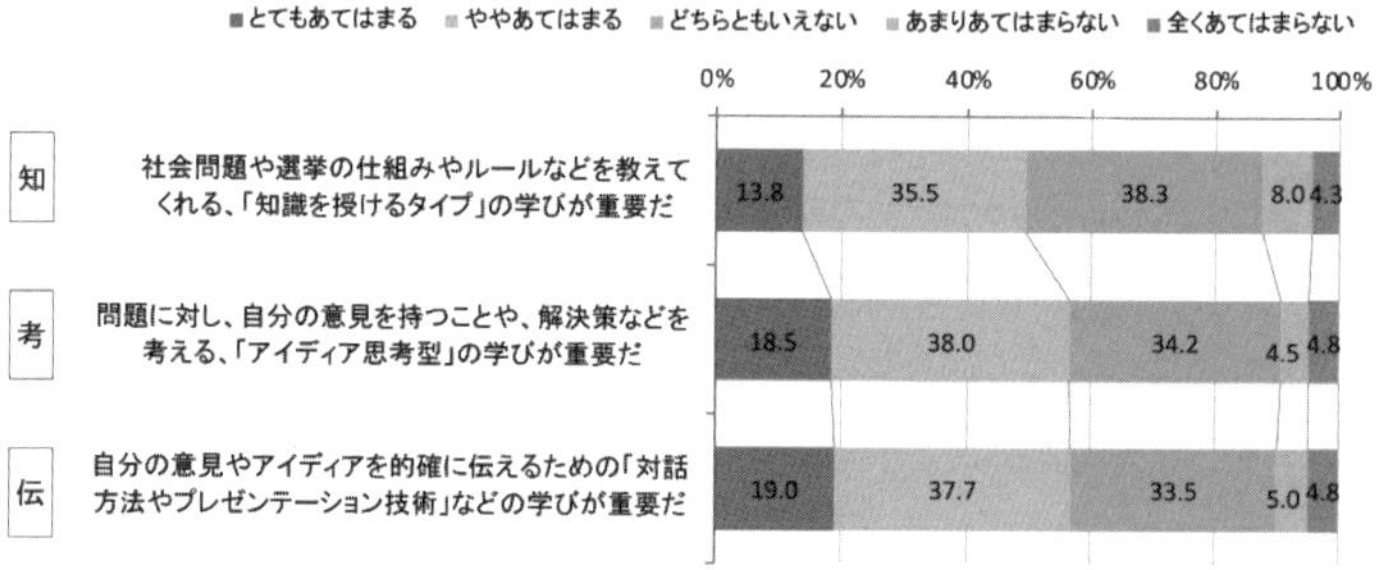

タイプのうち、最もスコアが高かったのは「伝」の学びで五六・七%。僅差の五六・五%で「考」が続き、「知」タイプの学びは四九・三%と最も低かった。「伝」の学びについては、社会人四九・八%より学生の方が六三・三%で一三・五ポイント高い（図表4―7）[20]。

学校の授業は知識の一方通行と思うかについて聞いてみた[21]。全体の五一・一%が一方通行だと考えており、特に学生は五四・三%が「とてもあてはまる」「ややあてはまる」と回答した。社会人は四七・二%で、七・一ポイントの差がある。

学校全体が対話型を導入しつつあるとは言え、二五〜二九歳の四分の一が「とてもあてはまる」と考えているのは、授業と社会の現場のギャップが大きいからだろう。

「考」「伝」の授業を実現するために

学習指導要領の改訂で、学校の授業は「知」の一方通行から「考」「伝」を目標にするだろうが、今回の調査結果（知識の一

図表 4-8　学校の授業は、先生から生徒に知識を一方通行で教えるものが大半だと思う

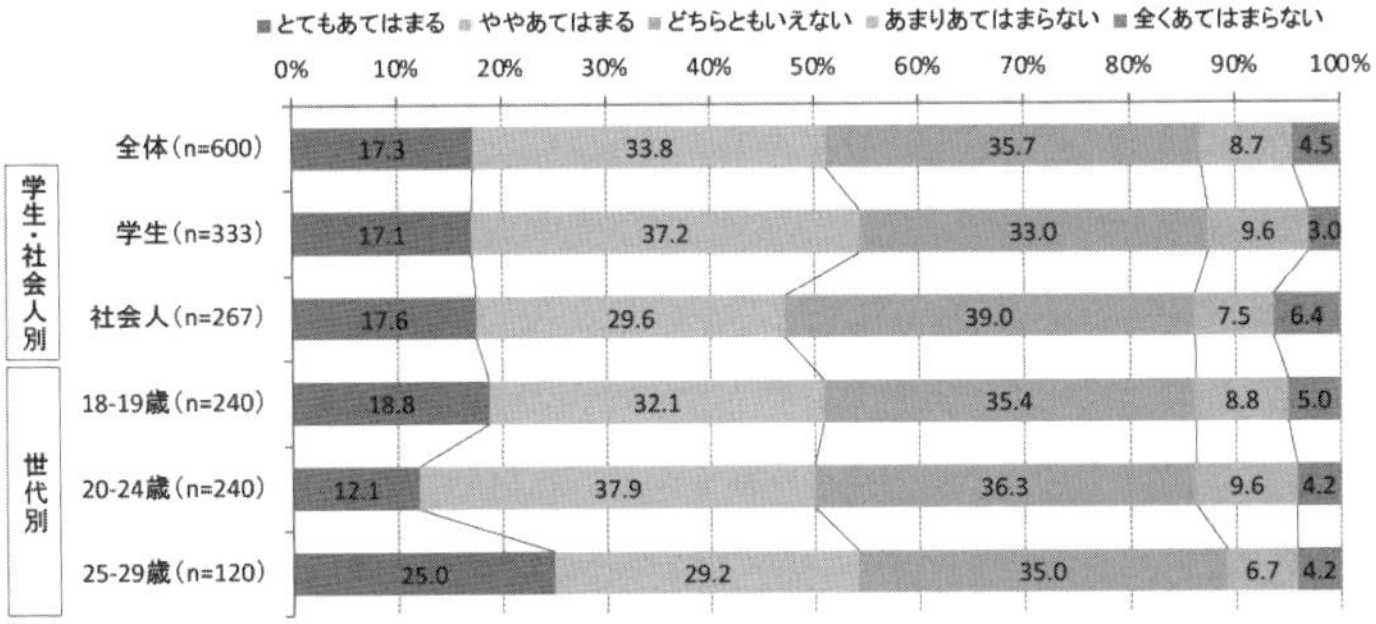

方通行が大半）が導く課題として、

①「知」の授業の時間を削り「考」「伝」に充分な時間を割くことができるか？

②「知」の一方通行に慣れている教師に「考」「伝」の授業が可能か？

の二点がある。

①の解決には「考」「伝」が年に数回の特別ではなく、日々のレギュラーな授業へ時間配分を増やす。②の解決には「考」「伝」による指導ができ、生徒の「考」「伝」を正しく評価できる人材をレギュラーな授業に投入する、が不可欠だ。

日本の教員の多くは「考」「伝」が必然のビジネス経験やノウハウが少ないため、研修では追いつかない。教師の職業的流動性を高める新たな仕組みが必要になるだろう。

途中塾で学んだOBたちの学校教育評価

途中塾は一本釣りに近い形態で募集して、高校生から三〇代の社会人までが多様に混ざり合い、一流のプロフェッショナルから個人指導を受けた特殊な学び舎だった。

均一性重視で一方通行が多い学校教育に対して、真逆をいくような個別プログラムで学んだのだが、彼ら卒塾生は大学を含む学校教育に何を感じてきたのか。下記はインタビューの場で集約した意見である。

【社会はずっと変化し続ける。幼少時からの経験が源泉】

・これからは「毎日同じ授業を聞いて機械的にノートをとり、テストに回答する力」は役立たない。様々な経験を積んだ人は就活でも良い成績を残すことを実感した。

・大企業は既存のビジネスモデルにないものを作ろうと投資を始めているが、金はあっても、時代を読み込める知識や人材は少ない。

・二〇年後に合わせて考えるのではなく、常に新しいものに関心を持って自分の情報をアピールする力が必要であり、小学生の頃から世代を超えて話を聞き、経験することに慣れる、柔軟に考える力が重要ではないか。

【試験と標準化が勉強の面白さを阻害する】

・学校教育の中心軸は「試験に出す」「どうやって成績評価するか」になっている。

・「標準化」は行動原理なのか、価値観か。なんでも試験の対象にしないことが大事ではないか。標準化の時代は終わった。「試験に出すことは迎合しろということ」だろう。

・数学（教科）は先生が一〇〇〇人いても、評価軸が同じだが、途中塾は試験がなく講師によりプレゼンの評価基準が違っていたから面白かった。

【教育の「標準化」が社会と最大の齟齬】

・今の教育は標準化されている……そこが学校と社会の一番の齟齬。

・二〇二〇年、文部科学省が「情報活用能力の育成」をテーマに、「表現」や「知識の活かし方」を標準化しようとしたが、標準化が教育の多様性を阻害している。

・社会人に「標準化」はない。企業によりあるかもしれないが、少なくてもメーカーにはないし、競合企業には存在しない。商品は標準化しても競争原理に標準化はない。

・「教育」という言葉はやめた方がいい。「ともに育つ」が教育ではないか（英語「education」の語義は「人に内在する可能性を引き出す」とされる）。

・企業のマーケティングも五年ほど前から、「生活者と一緒に価値を創造する」概念になっている。メーカーやサービス事業者が便利なものを作って生活者（消費者）に提供するのではなく、生活者と一緒に便利なものを考えて、メーカーやサービス事業者が売る。

【今の学校には広く社会を知る人材が足りない】

・教師の社会しか知らない人ばかりの中で子どもを育てるのは限界がある。「プログラムで何を提供するか」よりも、様々な職業の人がいて広く社会を知っている集団の中で育つことが望まれる。

・子どもが興味を持つ「場づくり」が必要で、その中で自然にコミュニケーションが生まれるのではないか。

・今の学校の延長で方向転換は可能か？　難しいと思う。学校には人材が足りないからだ。

【年に一回、授業に外部講師を招いても】

・年に一回のイベントとして、一方通行の話を儀式的にやることでは効果が薄い。

・人の話は本来、面白いものだが、自分はこうなりたいのイメージがないと間が抜ける。

・外部の講師が来て六〇分話を聞いても時間が足りず実感が湧かない。

・社会や仕事に興味を持つためには日常的に触れあっていかないと一時間の話で何とかしろ、は問題だろう。

二〇二一年一〇月、「二〇三〇年には空飛ぶクルマが実用化される」とホンダが発表したが、めまぐるしく変わる社会環境や技術に大人の意識が追いつけない現状を感じている。

教育に絞ると、明治以来学校は大勢を教室に集めて、教える人と教わる人に分かれて人を大量生産してきた。読み書き算盤から始まる効率性が戦後の経済成長を支えて大きな役割を果たしたのだが、そのニーズは終わりつつある。現在はむしろ、江戸時代の寺子屋や旧制高等学校みたいな開放型の個別指導が望まれているのではないだろうか。

「知の活用」ができる若者をどう育てるかは、ともすれば、学校社会を真摯に生きてきた教師の得意分野から外れる追加領域となり、過剰な負担を強いることになる。これから先は教師がプロデューサーの役割を担い、地域や企業・団体に所属するたくさんの専門集団といかに力を合わせられるかにかかってくる。発想を変えて、教員免許にこだわることなく、「教師の職業的流動性」をどう高められるかだろう。

学校という名の未来劇場をコミュニティが支え、在住の役者をフル活用しながら人材育成を図ることが、人口減が加速する地域における最重要な公共政策ではないかと考える[22]（本章に引用したURLは、すべて二〇二二年三月七日現在閲覧可能）。

エピローグ――天馬の二〇年後、SF映画が現実に

アトムもタケコプターも空を飛ぶ

諏訪天馬（一五歳）は、二〇年後の二〇四二年、三五歳になった。国立大学附属中学に続く高

校を卒業して、私大の理工系学部に進学し、外資系のＩＴ企業に就職。働いて資金を作り、三〇歳でボストンのビジネススクールに留学。経営を学んで、今は東京の大手コンサルタント会社におり、起業を見据えている。

あれから二〇年、二〇四五年のシンギュラリティ（人工知能が人の知能を超える「技術的特異点」の仮説）が迫って、世の中は様変わりしてきた。子どもの頃観たＳＦ映画が現実になってきたのだ。自動運転の車は普通に街を走り、空を見上げると荷物を運ぶドローンが行き交う。

車が空を飛んでいることには驚かないし、鉄腕アトムも本当に飛んでいるよ〜！　希望の場所に行ける「どこでもドア」だって、自分の分身――アバターを使えば仮想空間（metaverse）上でどんな離れた場所にも行けるのだから、これも実現したようなものだし、そうそう、一人乗りの「タケコプター」だって、電動式で飛んでいる。

ＩＴは様々な進化をもたらしたけど、人口減の影響は予想より大きい。人口は一億人ちょっとまで減り、六五歳以上の高齢者はおよそ四〇〇〇万人で四割を占めている。地方の自治体は半数近くが消滅状態で、山間部に住む人々は買い物や病院をどうしているかって？　それが、何とかなっているんだよね。人出不足の慢性化を補うためにコンビニやスーパーは多くが無人店舗となったけど、オンラインで日用品が手に入り、診療は遠隔で受けられ、薬はドローンで届けてもらえる。

そうだ、高齢者が増えて労働人口が減ったから、国は財政難で消費税は二〇％になった。昔のような日本型雇用・・新卒の一括採用とか、年功序列とか、終身雇用は終わり、ほとんどは仕事の業績見合いで稼ぐ「ジョブ型雇用」。年金や健康保険も政府にはあまり頼れない状態で、あらかじめ自力で補えるかどうかにかかっており、退職金は昔に較べると，四分の一か三分の一以下の一〇〇〇万円もないので、多くは七〇歳まで働いている。

世の中すべて学校だあ～！

大きく変わったのは学校。一八歳人口は二〇二〇年の一二〇万人から二六％減り、八八万人位で、大学進学は約五〇万人だけど、二〇二一年にあった大学七八八校の半数は定員割れで撤退や統合が相次ぎ、トップ一〇の大学以外はガリ勉しなくても意欲や実績があれば入学できる。

競争がなくなると学歴の価値は薄れるから、子どもの頃から受験だ、塾だという縛りが解消されてきた。オンライン教育が日常化しているので、無理して学校に行く必然性もない。その点では学校が自由になり、昔のように首を傾げるような校則はほとんど存在していない。

誰しもＡＩやロボットにない専門性を身につけようと、高校や大学を卒業して後、働きながら大学や大学院に行く人が増えて、社会人学生が多くなり、入学試験で学科の一点二点を競う意味はなくなっている。入学時、子どもの頃から何をしてきたか、社会をどう変えようと考えているかなど、実績や行動や志が尊重される。だから中学や高校から積み上げてきた経験と意欲の評価により多様な学生が集まってくる。

「身近な地域の公共政策」として組織を見ても変化が大きい。長年続いた文部科学省を頂点とする中央集権型教育が地方分権に移ってきて、各自治体が必要な「human resources」確保のため「教育の自由」が高まり、教科書や教材、授業の方法も教師の選択に任されている。

また、学校が専門特化され、経験豊富な生徒や学生が多くなると、教師も変わらざるを得ない。小・中・高・大学の教師は各ジャンルの専門家や、社会でキャリアを積んできた人が増え、対話や現場で学び合うスタイルが主流。「世の中すべて学校だあ〜!」と感じる。

子どもと納税者が減る社会はいたるところで予算が削られ、合併や吸収が進むのだが、自分たちで新しい仕組みを作る意識が高まり、社会への責任が強くなったように思う。学生や若者が声を上げてデモをする光景が欧米並みに増えてきて、一九六〇年代、七〇年代の学生運動はお伽噺だったが、参加すれば関心が沸いて面白いし、ようやく「民主主義」を理解できた。

仕事がＡＩやロボットにどんどん代替される分、人は新しい仕事を生み出さねばならず、戦後一〇〇年に近い今、名実ともに日本が再生されつつあることに希望を見出している。

注

1 野村総研とオックスフォード大学（オズボーン教授）の共同研究で、現在の日本にある仕事の四九％がＡＩに代替可能と予測されている。

2 二〇一四年五月八日、日本創生会議が消滅可能性都市八九六の自治体リストを発表。

3 日本経済団体連合会「グローバルＪＡＰＡＮ――二〇五〇年シミュレーションと総合戦略」二〇一二年四月一六日。

4、5、6 『若き友人たちへ――筑紫哲也ラスト・メッセージ』集英社、二〇〇九年。

7 筑紫哲也のラストメッセージの一つ、佐高信『不敵のジャーナリスト――筑紫哲也の流儀と思想』集英社、二〇一四年。

8 筑紫哲也『若き友人たちへ――筑紫哲也ラスト・メッセージ』集英社、二〇〇九年。

9 この記述部分については、早稲田大学公共政策研究所の連続公開講座（第一〇回）で、筆者が担当した『指揮者に学ぶリーダーシップと次世代への授業モデル』のレポートに基づいている（www.waseda.jp/prj-ipp（最終閲覧日二〇二二年三月七日））。

10 日本財団『一八歳意識調査』第二〇回「社会や国に対する意識調査」二〇一九年一一月三〇日。

11 溝上慎一京都大学教授（当時）を中心に京都大学と電通育英会が共同で行った一〇年間、八〇〇〇名の調査。

12 溝上慎一と河合塾との『高大接続の本質』（学校と社会をつなぐ）調査　二〇一八年。

13 https://www.fureai-cloud.jp/kojimachi-j/（最終閲覧日二〇二二年三月七日）。

14　千代田区立麹町中学校『進取の気性』三〜四頁。
15　https://hiroo-koishikawa.ed.jp（最終閲覧日二〇二二年三月七日）。
16　羽田智恵子：早稲田大学大学院・公共経営研究科の修士論文「公立学校のリバイバルプラン——民間企業のマネジメントに学ぶ教育改革」二〇〇六年。
17　一般社団法人途中塾ホームページ（http://tochu-juku.com）の「沿革」と「途中塾　講座の記録」（二〇一九年）に記載・説明。
18　掲載写真三点は途中塾のホームページと「講座の記録」で公開済みのもの。
19　早稲田大学公共政策研究所（www.waseda.jp/prj-ipp）調査報告「若者のシチズンシップ発揮につながる学校教育のあり方」二〇一六年一一月一四日（企画・進行：羽田智恵子〔早稲田大学公共政策研究所招聘研究員〕、設計・報告：工藤英資〔東急エージェンシーコミュニケーションデザイン局長〕）。
20　調査報告「若者のシチズンシップ発揮につながる学校教育のあり方」七頁。
21　調査報告「若者のシチズンシップ発揮につながる学校教育のあり方」二四頁。
22　一九頁下段の「二〇二一年一〇月、」以下の趣旨は、早稲田大学公共政策研究所の連続公開講座（第一〇回）で、筆者が担当した「指揮者に学ぶリーダーシップと次世代への授業モデル」のレポートに基づいている（www.waseda.jp/prj-ipp〔最終閲覧日二〇二二年三月七日〕）。

第5章 株式市場から見た地域金融と産業政策
――身近な地域から公共政策を考える

大原　透

1　株式市場の予測する未来

なぜ株式市場か

本章では株式市場から見た地域金融と産業政策について論じる。なぜ、「株式市場から見た」という標題がつくかについて疑問を抱かれる方もいらっしゃると思うので、筆者のバックグラウンドを簡単に説明したい。

筆者は、一九七〇年代後半に社会人となり損害保険会社に入社したが、たまたまお金を運用する部門に配属となり、その後四〇年以上一貫して投資部門で、いわゆるファンドマネージャーと言われる運用業務を続けてきた。その中で二五年間以上、日本の大手運用会社や米国の大手運用会社で日本株式運用の責任者を務めてきたというキャリアがある。この間は、日本の国民年金[1]や、中東産油国の国家ファンドなどの資金を数千億円単位で運用してきた。

長らく株式市場を通じて日本経済、世界経済を見てきたわけだが、その間感じたことは株式市場というのは非常に先見性があるということである。未来を映す鏡といってもいい。その株式市場を通じて見ると日本経済や地方の産業、地域金融の現状・未来の姿が透けて見えてくると考えているのである。

コロナ後に株式市場が予測したこと

最初に、株式市場が果たして先見性を持っているのかについて、具体的事例をいくつか見ていきたい。

まずは近年の事例として、コロナウィルスの世界的流行を受けた株価の動きを挙げることができる。二〇二〇年年初に始まったコロナ禍を受けて、世界的に移動や対面での接触が制限された。世界経済の動きに急ブレーキがかかり、景気悪化懸念から、世界的に株価は下落した。例えば米国の代表的な株価指数であるニューヨーク・ダウは、コロナ禍が伝えられた後二〇二〇年二月か

図表 5-1　世界の株価指数の推移

（2019 年 1 月 4 日 = 100 として指数化、2019 年 1 月 4 日～ 2021 年 11 月 30 日（日次））

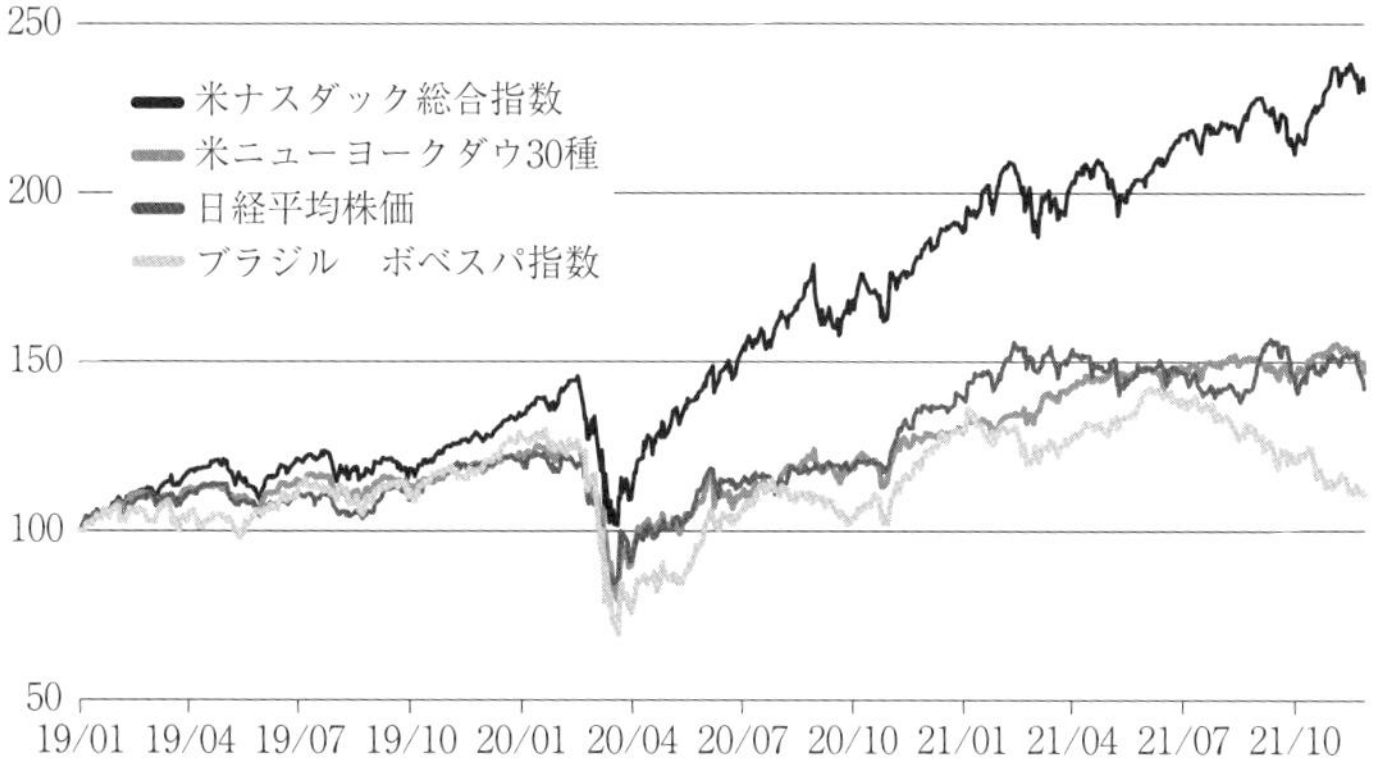

出所：ブルームバーグ。

ら三月のわずか一カ月あまりの間に三七％下落するという大暴落となった。

だが圧巻はここからだ。世界の経済活動が停滞し、失業者が急増する中、この三月下旬を境として、米国株式市場をはじめ世界的に株価が上昇し始めたのである。世界の株式市場でＺｏｏｍなど非接触のテレワーク関連の株やアマゾンなどｅコマース関連の株、そしてこうした動きを支える半導体関連株などが一斉に買われたのだ（図表５―１）。

この二〇二〇年三月時点での米国のコロナ感染者数は三万人にすぎなかった。その後米国のコロナ感染者数は三〇〇〇万人を超えていくのだが、株式市場はいち早く、コロナ禍を受けて世界がどのように変化していくかを見抜いたと言える。

図表5-2　日米欧自動車株の時価総額の推移

（2012年1月末～2021年11月末（月次））

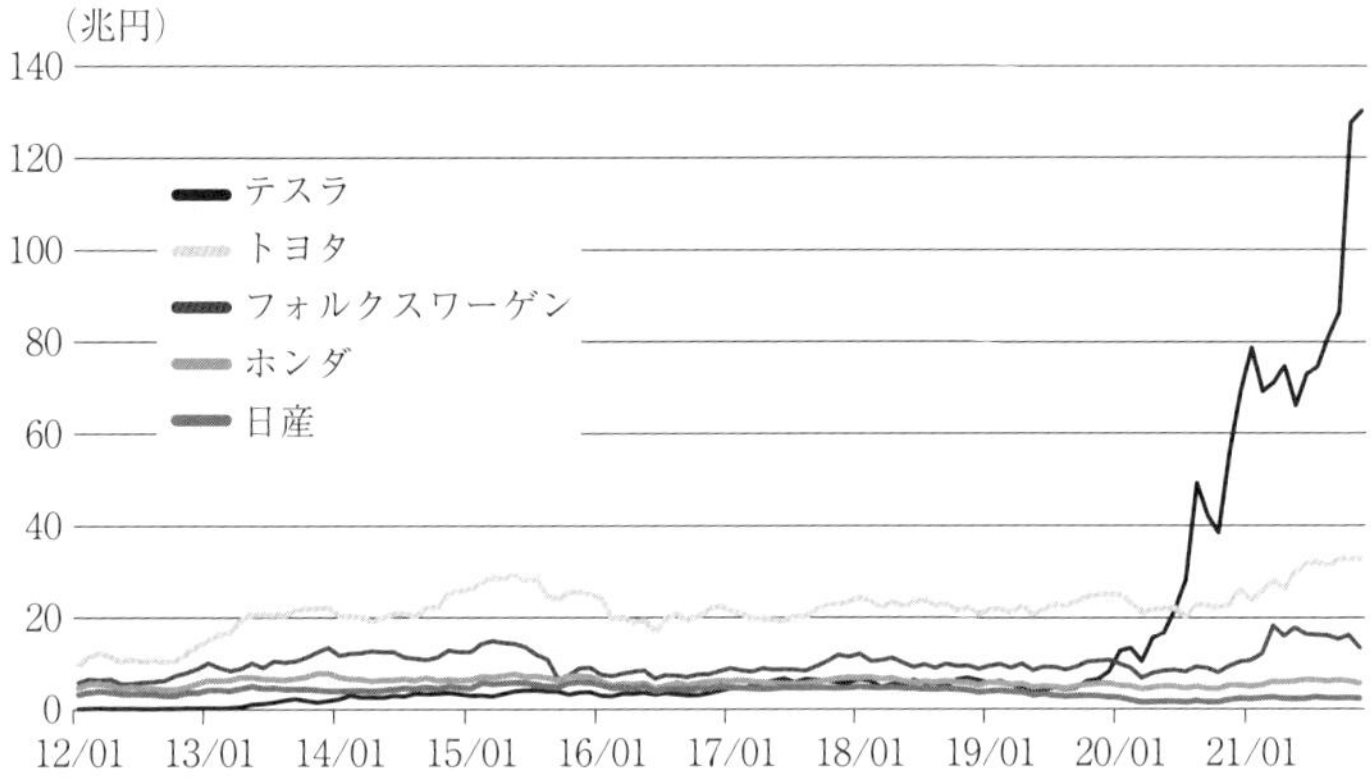

出所：ブルームバーグ。

もう一つ株価が将来を予測していると見られる好例は、二〇二〇年に見られた米国の電気自動車会社テスラ[2]の株価の動きだ。これは図表5―2に見られるようにトヨタ、本田、日産、フォルクスワーゲンといった主要自働車メーカーの三社の時価総額合計よりもテスラ一社の時価総額が大きくなった。ちなみに二〇二一年の自動車販売台数はトヨタが約一〇〇〇万台、日産が四〇〇万台、本田が四〇〇万台で三社の合計が約一八〇〇万台であったのに対し、テスラはわずか一〇〇万台程度にすぎない。

テスラの株価の上昇は、電気自動車の未来を評価したものと言える。その一方、既存の金型メーカーなどの下請けを抱えるトヨタは、日本人の雇用を切ることはできず苦しむということを見越していると考えられる。

株式市場の予測能力　集団知[3]

もう一つ株式市場の先見性にまつわる有名な話があるので紹介しよう。一九八六年のスペースシャトル・チャレンジャー号が、打ち上げ直後に爆発したことをご記憶の方も多いであろう。このときの株式市場の反応は極めて示唆に富むものであった。チャレンジャー号は打ち上げから七四秒後に爆発したのだが、その模様はテレビで実況中継されており、数分後にはスペースシャトルのエンジン製作に関わる四社の株が急落し始めた。しかし、三〇分もたたないうちに株価の値下がり方に差が生じてきたのである。四社の中でMorton Thiokol（モートン・サイオコール）社だけが売り込まれ他の三社の株価は持ち直したのである。[4]

それから六カ月後、米政府の事故原因調査委員会はサイオコール社製のオイルシールからのガス漏れが爆発事故の原因であったとの結論を発表した。インサイダー取引が疑われたが、怪しい取引は一切なかったことも証明された。何と株式市場は事故原因となる会社を瞬時に割り出したのである。誰も真相を知っているものはいないが、一人ひとりの頭の中にあった情報のかけらを集めた結果、株式市場は真相にたどり着いた、と解釈されている。[5]

図表5-3　日本株の時価総額の世界シェアの推移
（1990年〜2020年（年次））

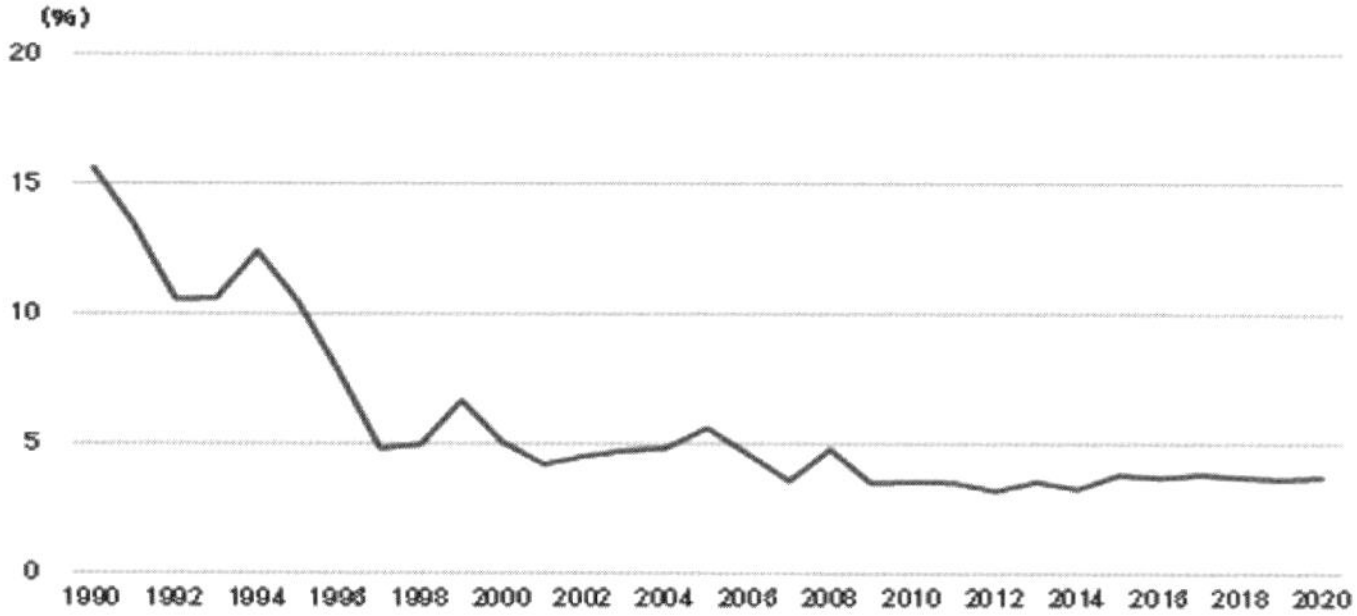

出所：世界銀行。

2　株式市場から見た日本の現状

株式市場から見た日本の位置づけ

それでは、株式市場を通じて見える日本はどうなっているのか、いくつかのデータからチェックしてみよう。最初は世界の株式市場から見た日本株式の時価総額シェアである。

図表5―3は、世界の株式市場に占める日本の株式市場のシェアだ。この図表は一九九〇年からのものだが、一九九〇年に一五%を占めていた日本のシェアはその後、五%に満たないほど低下の一途をたどっている。

また図表5―4は、世界の株式市場の時価総額上位二〇銘柄ランキングの一九八九年末（平成元年）と二〇二二年（令和四年）一月末の比較だ。一九八九年の上位には現在は名前の消えた銀行が並ぶ。銀行以外でも東京電

図表 5-4　世界の企業　時価総額ランキング

単位：億ドル

世界時価総額ランキング〈1989 年 12 月〉				世界時価総額ランキング〈2022 年 1 月〉			
	企業名	時価総額	本社		企業名	時価総額	本社
1	日本電信電話	1,639	日本	1	アップル	28,500	米国
2	日本興業銀行	716	日本	2	マイクロソフト	23,300	米国
3	住友銀行	696	日本	3	サウジアラムコ	19,900	サウジ
4	富士銀行	671	日本	4	アルファベット	18,000	米国
5	第一勧業銀行	661	日本	5	アマゾン	15,200	米国
6	IBM	647	米国	6	テスラ	9,407	米国
7	三菱銀行	593	日本	7	メタ(フェースブック)	8,714	米国
8	エクソン	549	米国	8	バークシャー	6,990	米国
9	東京電力	545	日本	9	TSMC	6,360	台湾
10	ロイヤル・ダッチ・シエル	544	米国	10	エヌビディア	6,102	米国
11	トヨタ自動車	542	日本	11	テンセント	6,007	中国
12	GE	494	米国	12	VISA	4,899	米国
13	三和銀行	493	日本	13	ジョンソン& ジョンソン	4,536	米国
14	野村證券	444	日本	14	ユナイテッドヘルス	4,451	米国
15	新日本製鉄	415	日本	15	JP モルガン	4,375	米国
16	AT&T	381	米国	16	LVMH	4,111	仏
17	日立製作所	358	日本	17	サムスン電子	4,066	韓国
18	松下電器	357	日本	18	ウォルマート	3,878	米国
19	フィリップ - モリス	321	米国	19	P & G	3,846	米国
20	東芝	309	日本	20	ホーム・デポ	3,832	米国

出所：経済産業省、ブルームバーグ。

力、東芝といった、今では往年の面影のない企業の名前が見える。この三〇年間がまさに日本の「失われた三〇年」であったことを象徴している。ちなみに二〇二二年一月末では、トヨタは三〇位である。

この日本の凋落の要因はなぜか。この三〇年の結果を見てからの話であり、その点は割り引くとしても、筆者は株式市場における実体験を通じて、以下の四点が日本の凋落の要因だと感じてきた。

その四つとは、キーワードを上げるとすれば①プラザ合意、②日本銀行のバブル潰し、③企業のガバナンス、④人口動態（少子高齢化）、である。

日本の凋落①　プラザ合意

まず一つ目はプラザ合意だ。一九八五年九月に先進五カ国の蔵相・中央銀行総裁会議がニューヨークで開かれた。いわゆるＧ５であるが、この会合で為替レート安定化策の合意がなされた。この合意は、会場となったプラザホテルの名を冠し「プラザ合意」と呼ばれている。実質的には当時抜群の輸出競争力を持ち〝ジャパン・アズ・ナンバーワン〟として興隆を極めた日本の輸出競争力を削ぐため、日本に円高を要求した会議と言えよう。東西冷戦の中で防衛をアメリカに頼っている日本はこの要求を受け入れるしかなかった。

当時の日本は現在の中国のように米国の覇権を脅かすライバル、仮想敵国だったのである。その後も米国は日米構造協議、日米半導体協定と日本に対する圧力を高めていった。[6]

日本の凋落②　日銀の金融政策の失敗――土地神話の崩壊

そして二番目は日本銀行の金融政策の失敗である。八〇年代のバブル発生は過度な金利引き下げ、低金利状態の放置によってもたらされたとも考えられる。八〇年代の日本銀行は、七〇年代の狂乱物価への反省から消費者物価には気を配ったものの、資産価格の上昇については関心が低かった。その結果、不動産価格の上昇を放置し「東京の不動産価格総計で米国全体が買える」というほどの極みまで、日本の不動産価格は押し上った。

「庶民は住む家も買えない」との批判が沸き起こり、平成の初めから、大蔵省の不動産に対する融資総量規制とあいまって、当時の日銀総裁は「平成の鬼平」との称賛を浴びながら「バブル潰し」に奔走した。不動産価格の上昇が悪だと認定した日銀の政策は、どうにも歯止めがきかなかった。不動産価格の価格下落はとどまることを知らず、不動産融資にお金をつぎ込んだ銀行は次から次と破綻に追いやられたのである。

日本は国土が狭く、江戸時代の大名の力を何万石と表現するように、土地を価値の基軸としてきた。いわば日本は土地本位制で経済が運営されてきたのだが、日銀の政策により、それが崩壊したのである。一国の本位を崩壊させた影響は極めて大きい。庶民に不動産をと、良かれと思ってしたことは、高値で多額の借金をしてマイホームを買った庶民をその後二〇年、三〇年と苦しめることとなった。

不動産価格の上昇を止めるだけならまだしも、価格の下落を意図した金融政策を強力に進めたのは、失策だったと言わざるを得ないだろう。世界の中央銀行は日銀の失敗を深く研究し、不動産価格のコントロールには細心の注意を払うようになった。

余談だが、中国は日本の失敗の研究から二つの教訓を得たと言われる。一つ目は米国が要求しても通貨高にしてはならない、二つ目は不動産バブルを崩壊させてはならない、ということだ。中国は米国の要求に屈せず元高を食い止めているし、中国の不動産価格はバブルだと言われながらも暴落することなく推移している。

日本の凋落③　企業統治とモノづくりニッポン

三つ目の問題点は日本企業のあり方である。最近日本企業の企業統治、すなわちコーポレートガバナンスが話題になっているが、これは日本企業の経営者に対する監視・監督が甘かったので、低収益に甘んじてきたという文脈の中で語られている。

日本企業の経営者は新入社員として入社し、社内政治を泳ぎ切って出世するケースが多く、リスクをとって収益力を高めるようなチャレンジ精神に乏しいのではないかとも指摘されている。

もちろん前述のように日米構造協議、日米金融協議、日米半導体協定といくつもの分野で米国からのプレッシャーにさらされ、強烈な円高に見舞われたことには同情の余地がある。しかしそのことを割り引いても、半導体や携帯音響機器（ウォークマン）、液晶、携帯電話、など次から次へと産業トップの座を滑り落ちていったことはあまりに不甲斐ない。筆者は日本企業の衰退の一因として「モノづくり日本への執着」ということがあるのではないかと考えている。「モノづくりニッポン」、「大田区の町工場の匠の技術」というフレーズは耳に心地よく響く。しかし世界がソフト化する中で、実物のモノづくりに執着することは悪いことではないとしても、執着度が強すぎたのではないか。

世界の流れを見ると、価値の創造はソフトや、ブランド、ビジネスモデルといった無形固定資産の中にある。アップルはモノを売っているが、製品はすべて委託生産だ。物自体ではなく、アップルが提供する音楽や位置情報、健康管理データなど様々なアプリの中にアップルの価値がある。アマゾン、グーグル、フェイスブックもモノづくりで収益を上げているわけではない。世界の投資は無形固定資産に向っているのである（図表5―5）。

日本企業がモノ作りに執着している間に米国では次々とネット系新興企業が誕生している。図表5―6のように、米国の企業は明らかに若い企業が多いのに対し日本の企業は高齢化している

図表 5-5　米国・日本の有形・無形資産投資（GDP 比）

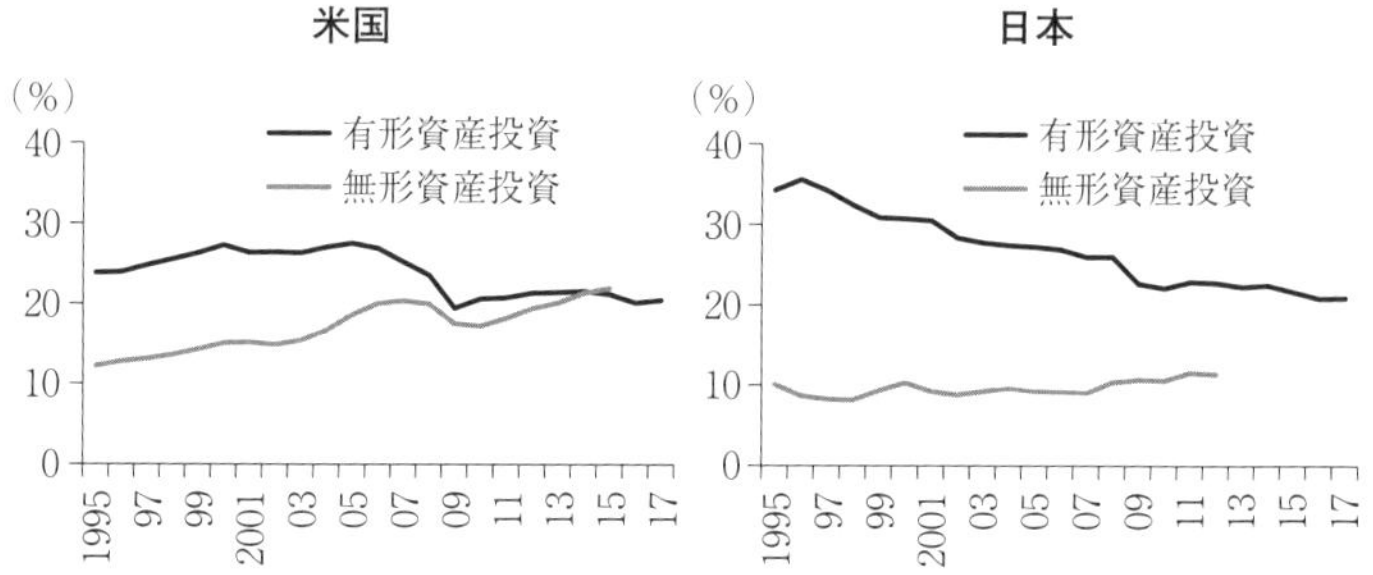

出所：『通商白書（2020 年）』経済産業省。

図表 5-6　企業年齢の国際比較

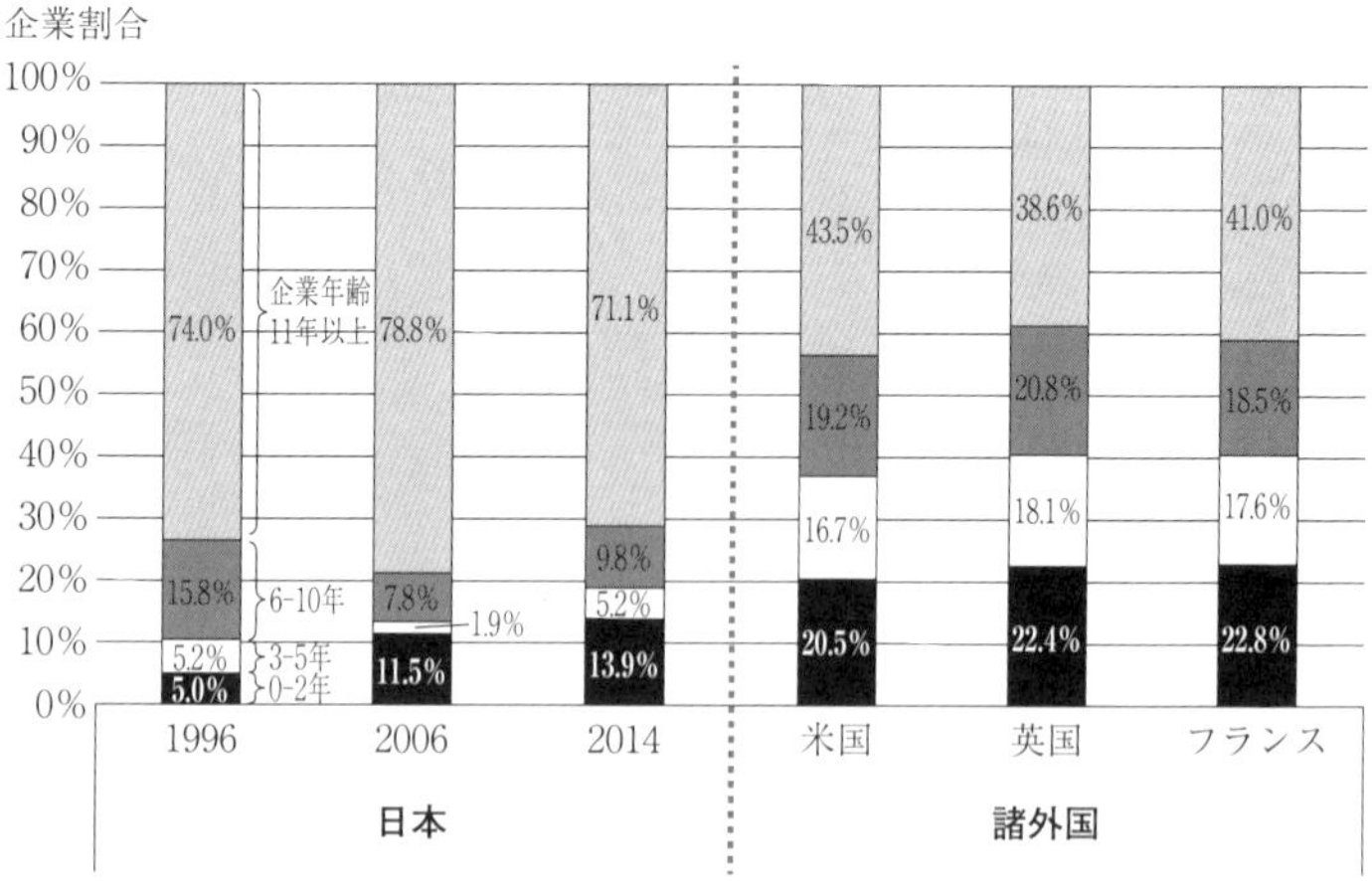

出所：「コロナ禍の経済への影響に関する基礎データ」内閣官房成長戦略会議事務局、経済産業省経済産業政策局、令和３年２月。

といえる。そして四番目の要因が少子高齢化である。これについて節を改めて見ていくことにする。

3　人口減少

少子高齢化と地方創生

少子高齢化は日本の大問題となっており、多くの識者が論じているところである。団塊の世代ジュニアの出生率が高ければ少子化を食い止められた可能性もあった。しかしこの団塊の世代ジュニアが社会に出るときに「就職氷河期」をぶつけ、大量の非正規雇用やニートを生んでしまったのは、団塊ジュニアより上の世代の責任と言わざるを得ない。もはや人口の減少は取り返しのつかない確定した未来である。

地方創生は二〇一四年に『地方消滅――東京一極集中が招く人口急減』（増田寛也氏編、中央公論新社、二〇一四年）に代表される、「地方消滅都市」という刺激的な報告が発表されたところからにわかに盛り上がり、地方創生の議論が深まっていった。

「地方創生」が第二次安倍政権で協力に進められたところから、政治的な意図を指摘する声も少なくはない。すなわち第一次安倍政権の退陣のきっかけは参議院選挙における一人区での敗北である。参議院選挙の一人区は人口減少地域と重なるといって良いだろう。

この地域での危機感を煽りつつ、地方創生交付金を交付し得票を稼ぎ、政権を安定化させるという狙いだとの見方である。こうした見方はあながち的外れでもなく、地方創生政策が地方での票の掘り起こしにつながることは確かだと思われる。

しかしだからといって、地方創生を否定することができないほどに事態は深刻化の度合いを増している。

地方創生――KPIと事例

二〇一四年から始まったと言われる地方創生に関しては、いわゆるKPI（重要業績評価指標）が設けられ二〇一八年には政府自らによる振り返りがされている（内閣府「まち・ひと・しごと創生総合戦略のKPI検証に関する報告書」二〇一八年一二月）。

地方創生の基本目標とされた四点のうち①地方の仕事作り、③若い世代の結婚・出産子育て、④時代に合った地域作り、といった点には政府自ら合格点を与えている。だが四つの目標のうち二番目の②「地方への人の流れ」については効果が充分発現するには至っていないという報告を行っている。自己評価なので甘めの点数がつけられていることは想像に難くないが、それでも「地方への人の流れ」についてはうまくいっていないことを認めざるを得なかった。

東京vs.地方

要は東京一極集中が止まらないということである。二〇二〇年に巻き起こったコロナ禍を受けて、テレワークが一気に進展し、通勤時間が無駄であるとの認識も広がったため「東京一極集中に歯止めがかかった」、「東京の人口流出が始まった」という報道も目にする。しかしこれは大衆受けする見出しを報道機関が掲げているだけと言えるだろう。東京の人口の流入が止まったとしても微々たるものだし、流出した人口も埼玉や神奈川といった首都圏に移動しているにすぎない、首都圏の人口は増え続けている。

東京一極集中に対しては是正を図ろうとする考えが主流である一方、是正は無理との見方や東京一極集中を積極的に評価する意見も存在する。それは「幻想の地方創生」（『Wedge』二〇二〇年二月号）や『東京一極集中が日本を救う』（市川宏雄著、ディスカバー・トゥエンティワン、二〇一五年）に見ることができる。

この論理は「世界は都市間競争に入っている。ニューヨーク、ロンドン、ドバイ、上海、シンガポール、といった都市に東京が勝てなければ日本が魅力的な国でいられるわけがない」という考え方である、東京圏の人口は約三六〇〇万人で都市圏では世界一の規模だ。[7] この規模が魅力的な東京を生み出し、その東京が日本を支えている。東京が発展し続けることが大切で、東京に人口が集中し続けることには何の問題もない、とするものだ。

　これは「強いものが強くなる」ことを是認する市場原理を重視する新自由主義的な考え方と言える。筆者の出身である運用業界は、いわばお金でお金を生み出すことを生業としており、新自由主義的な思考を持つ人間が多い。筆者も基本的には東京は強くなければならないという思考を持っているのだが、しかしそうも言い切れないところが東京の問題点なのである。

　それは東京の出生率の問題である。東京に若者が来ると出生率が下がってしまうのである[8]。いくら東京に人が集まり栄えたとしても、継続性は担保されない。東京に人は集まるが出生率は低下する。行きつく先は老いた東京である。東京に人を集めて栄えたところで、それは一時の幻想にすぎない。もちろん東京に人を集めて出生率も増加させるという手立ても机上では考え得るが、東京の生活コストの高さ、教育のコストを考えれば、そもそも生涯未婚比率の高い東京で出生率を上げるというのは現実的でない。

　婚姻比率が高く出生率も高いのは、家が広い、両親が近くに住んでいるなどの条件の整った地方であることは言うまでもない。加えて直下型地震などを想起すれば、東京への集中化を放置することは得策とは言えないことも明らかだろう。

4　地域金融

地域金融機関の企業業績

地方の活性化を果たすための条件はいくつもあろうが、その条件の一つとしてお金の流れがスムーズでなければならないことに異論は少なかろう。

地方のお金の流れがスムーズであるということは、地方の金融機関が強くなければならない。その地方の金融機関の現状はどうなっているのであろうか。

地域金融機関はそれぞれ、地方の発展という使命を果たそうと頑張っていることは間違いないだろう。しかし、実際は空回りしていることは否めない事実と言える。

地域金融機関が地域の活性化という使命を果たそうとするならば、当然のことながら強い収益力を有していなければならない。しかしながら地域金融機関の収益力は非常に低い。低金利が続き、預金金利と貸出金利のスプレッドである利ざやが薄いといった同情すべき余地はあるが、利益水準は右肩下がりに低下している。一方赤字金融機関の数は右肩上がりに上昇している。

図表5-7　銀行株相対グラフの推移

（2012年＝100として）

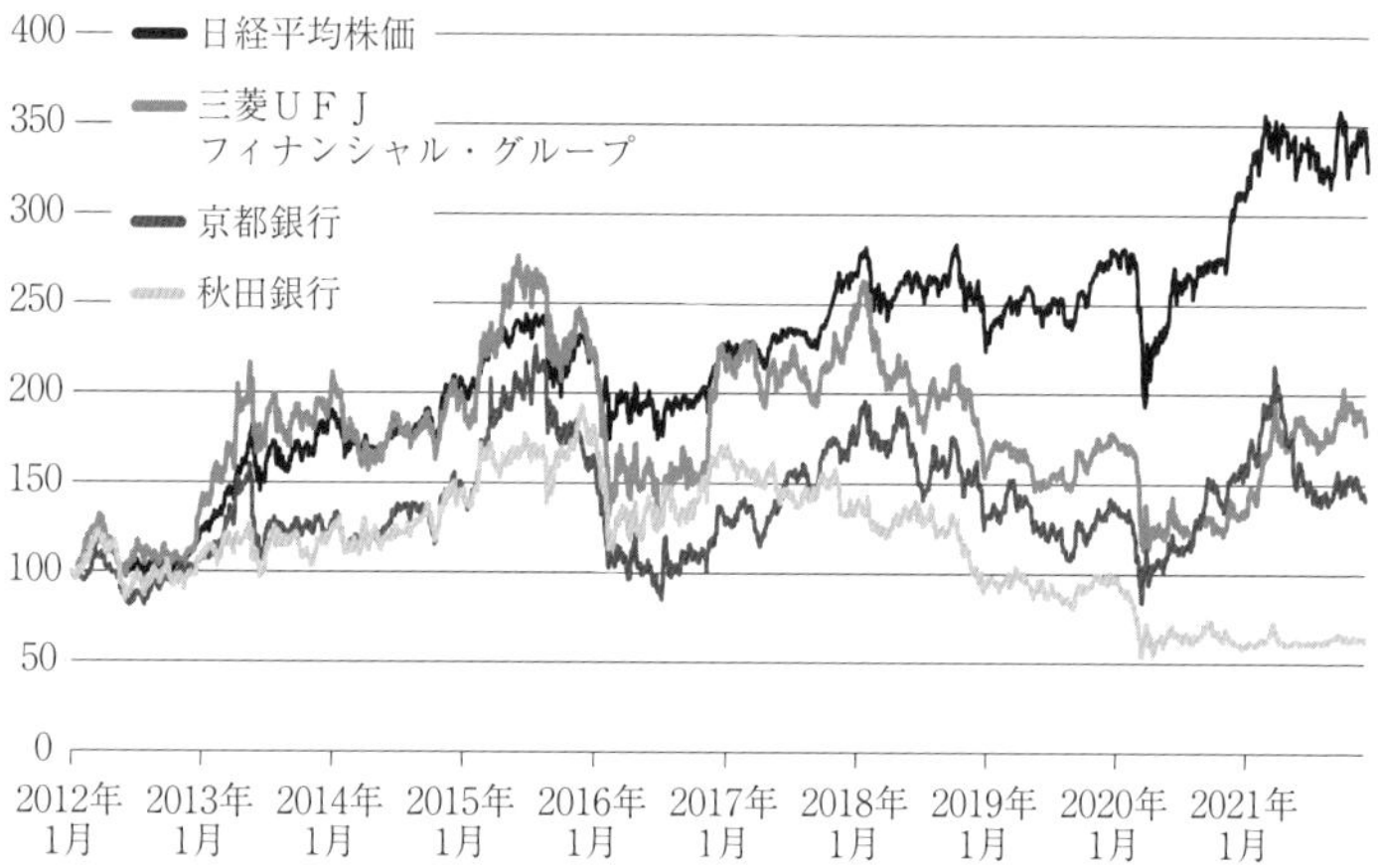

出所：ブルームバーグ。

株式市場における金融機関の株価の動き

地域金融機関の現状や将来の見通しを探る手法としては、第1節で確認した株式市場の先見性に頼ることにしよう。日本の株式市場における銀行セクターに対する評価である。

図表5—7は二〇〇〇年以降の主要な銀行と日経平均株価の推移を比較したものである。株価の動きなので日々の変動は激しいが、このグラフは二〇一二年以来一〇年間の推移なので、長期的なトレンドははっきり出ていると言える。

そもそも銀行セクターは、前述した利ざやの縮小や日本経済が成熟化（高齢化）する中での資金ニーズが減退し、収益環境が厳しい状態が継続している。加えて近年ではデジタル社会の進展により、異業種からの金融への侵食も始まっている。

したがって、銀行セクターの中では最有力と見られる三菱ＵＦＪ銀行でも、日経平均株価には大幅に割負けているのだが、地方銀行の株価の低迷ぶりは一段と顕著だ。株価の動きは非常に正直と言える。人口減少の著しい地域の地方銀行ほど株価が低迷している。

その中で異彩を放っているのは京都銀行の株価である。京都という地域が多くの内外の観光客を呼び込む地域であることに加えて、京都銀行の保有する株式が京都銀行の株価の価値を支えている。地方が栄えるためには産業が栄えなくてはならないという典型例と言えるが、京都には京セラ、村田製作所、日本電産、堀場製作所、島津製作所、ローム、オムロン、任天堂、といった日本を代表する企業が存在しており、これら企業の株式保有と取引関係が、京都銀行の株価を強く支えている。

地方金融機関に対する株式市場の評価

京都銀行のような例外は別として、地方銀行の収益状況は極めて厳しい。

地方の人口減少と地方経済の停滞で資金ニーズは乏しく、資金需要は停滞し、貸出しの大幅減が続いている。収益機会を求めて県外へ進出をするのだが、逆に県外の銀行も近県への参入を進め、少ないパイを奪い合う過当競争は激化し、利ざやも縮小するという悪循環が続いている。政

図表 5-8　地域銀行の PBR の推移

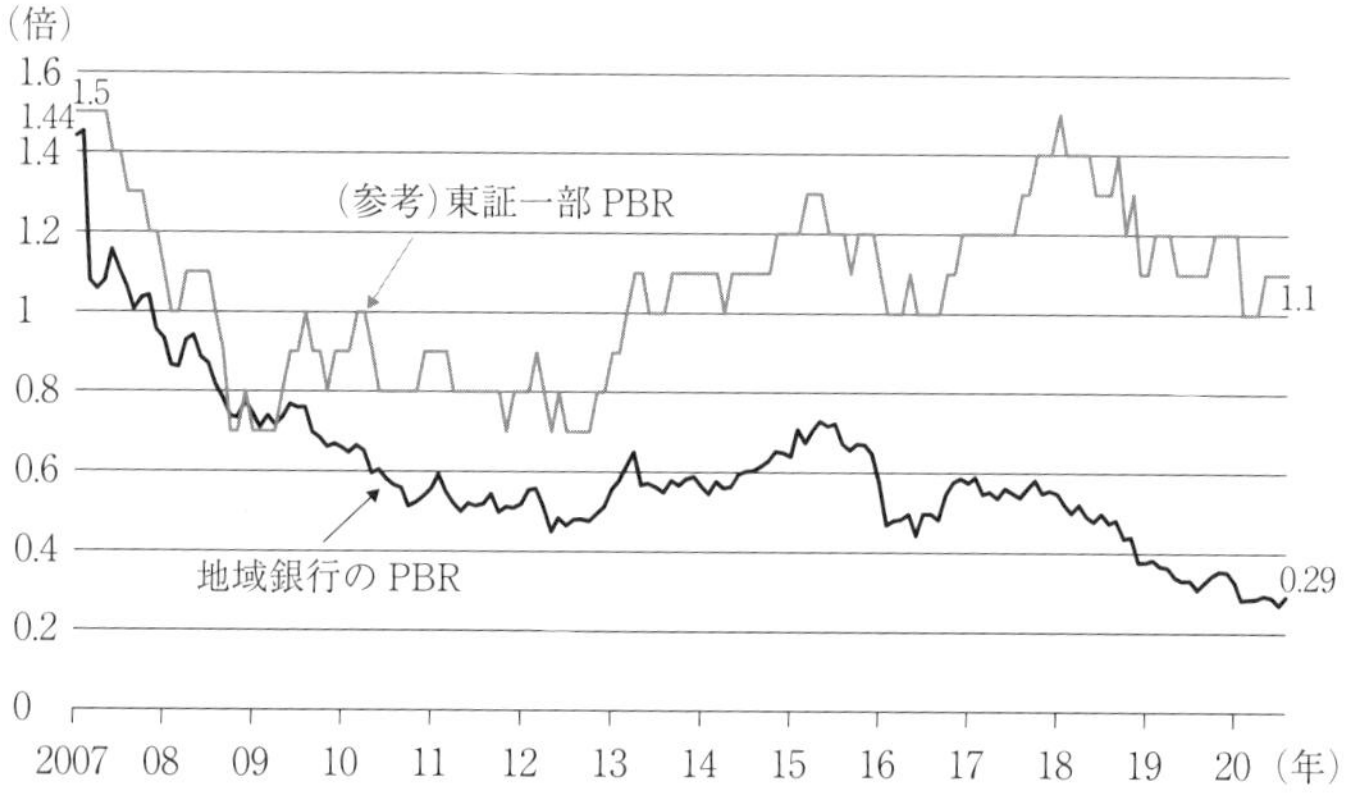

出所：金融庁。

治サイドからも「金融機関は多すぎる」[9]と言われている状況である。

株式市場における地方金融機関の評価をもう少し確認してみよう。株式市場の評価基準として、PBR（＝株価純資産倍率）というものがある。計算式としては「株価÷一株当たり純資産」である。その意味するところは、株式時価総額がその会社の純資産価値を上回っているのか下回っているのかである。株価純資産倍率が一倍以上なら、株式の時価総額がその会社の純資産（現預金や土地、社屋、工場などの総計）を上回っていて、会社がその資産を使って将来的に利益を生み出すと株式市場が評価していることを意味する。逆に株式の時価総額がその会社の純資産以下なら、その会社は、現在の価値を将来的に毀損していくと株式市場が評価していることを意味する。

それでは実際に株式市場が地方銀行をどう評価しているのかを株価純資産倍率の推移で表したものが図表5―8である。

地域銀行の株価純資産倍率は〇・二九倍、実際の価値の三分の一の評価しか株式市場は与えていないのである。これは一〇〇円の現在価値のあるものが二九円で売られていることを意味する。第1節で見た株式市場に「先見性＝未来」を予測する能力があるとすれば、地域銀行はこの先将来にわたって資産を毀損していく経営しかできないと見られているのである。

一方で、異業種からの金融への参入は、株式市場で非常に高く評価されている。要は新陳代謝と言うことである。いわゆるフィンテック企業と呼ばれる新興企業であるマネーフォワード、GMOペイメントなどの株価は、銀行株の低迷を尻目に上昇している。銀行は新興企業に負けると思われているのだ。

地域金融機関に求められていること

こうした環境下で地域金融機関に求められていることは、地域の産業の育成ではないだろうか。人口減少が地域経済の衰退の要因と捉えられるが、地域産業の停滞が地域の人口減少の要因とも言える。満足いく就業機会が地域に存在しなければ、若者は地域を離れ都会へと向うことになる。地域金融機関は地域産業の活性化に責任を負っていると言えよう。しかしながら、その責任を十分に果たしてこなかったのではないか。金融庁は地域金融機関の抱える問題解決の鍵は、「事業性評価」だとの指摘をしている[10]。

事業性評価とは、その事業の収益性、将来性、持続可能性をしっかりと評価するということだ。もちろん経営者の資質などの評価も含まれる。こうした事業性の評価をする能力は一朝一夕で身につけることはできない。経営者の人間性の評価などについては、評価者の個人的資質に頼ることもあるだろう。しかしながら、根本的にはそれぞれの金融機関が、融資・支援を行う企業やその産業の分析能力を組織として蓄積し、世代を超えて継承し磨き上げていくことが必要だ。その上で地域において地域に必要な将来性のある産業・企業を見出し、支援して育て、成長させて雇用を生み出し、地域の発展とともに自らも収益を上げていくというのが金融機関の目指すべき姿と言えよう。しかしながら、現場の実情はそのようになっていない。

金融機関は、事業性の評価という将来のリスクを取ることをせず、不動産担保を確保し、経営者の個人保証、経営者の親戚の連帯保証などをとり、貸し倒れリスクを回避しようとする。それでは、企業の将来性、産業の将来性を評価する事業性評価の能力はつかない。不動産担保を取り、根抵当をつけ貸し込むだけでは金融機関としての審査能力はつかず、地域の産業も育たないのである。挙句の果てに不動産価格の暴落で不良債権の山を作り、最後は公的資金に頼る。極端な表現かもしれないが、これが日本で起こった現実だ。

もちろん、「下町ロケット」や「半沢直樹[11]」風に、事業性評価をして、熱く企業を支えていく事例もあることは確かだろう、しかし、それは日常の姿ではなく、「美談」になってしまうのが現実だ。

具体的事例とその評価

地域活性化に向けた金融機関の取り組みの好事例として金融庁のホームページでも取り上げられているのが、栃木県の足利銀行による鬼怒川温泉の再生の話だ。鬼怒川温泉は言うまでもなく栃木県の名温泉地だが、一九八〇年代のバブル期に大量の団体客を受け入れるために、大規模投資を行い大幅にホテル・客室を増やした。その後一九九〇年以降のバブル崩壊で、一気に鬼怒川への観光需要は減少、団体客用の大宴会場などは無用の長物と成り果てた。観光客はピーク時の半分以下に減り、鬼怒川温泉は衰退の一途となった。

こうした状況が続いた後、景気も回復し始めた二〇〇〇年代前半に、足利銀行は産業再生機構、民間ファンドと共同で鬼怒川温泉街のホテル・旅館の抜本的再生支援を実施した。競争力を喪失した旅館への債権放棄・経営者の個人補償の解消を受け入れ、廃業支援等を行い地域の再生を果たしたという事例だ[12]。

当然ながら地元は地域丸ごとの再生を望んだが、バブル期の需要が戻ってくるはずもなく、潰すべきものは潰し、残すべきものは残して、見事に地域を再生した事例とされている。

しかしながら、バブル期に鬼怒川の温泉街に大規模に資金を貸し込んだのは、他ならぬ足利銀行である。その貸付金が不良債権化し債務超過に陥り、二〇〇三年に特別危機管理銀行（破綻を意味する）に指定され、国有化となった。その後金融庁が二〇〇六年に足利ホールディングス（野村ホールディングスを中心とするスポンサー連合）に株式を売却し、行名を維持して公的管理から脱したのである。

鬼怒川温泉の再生はこの足利銀行の破綻整理の過程で生じた出来事であり、これを地域再生の好事例として金融庁が取り上げていること自体、いかに好事例が少ないかを示しているように思える。足利銀行は破綻したがゆえに、過去のしがらみや情実を清算することができ、冷徹に温泉街の増えすぎた旅館・ホテルを切り捨て、適正規模まで縮小しただけのことである。

旅館・ホテルを減らすには厳しい選別が行われたわけだが、債務額の多い大旅館は優遇措置を得て、優良旅館として生まれ変わり延命（too big to fail = 大きすぎてつぶせない）する一方、自前で何とかやってきた旅館が結局廃業をせざるを得なくなったという話も聞こえる。こうした資本の論理による冷厳なドラマが、地域産業の再生の裏にあることも現実であろう。

地方金融機関に欠けていることは産業、企業、経営者に対する目利き力、事業の評価能力である。不動産担保主義がその目利き力の醸成を妨げている。雨の日には傘を貸さないと揶揄されるのも、事業を評価する能力、自信がないからだ。どのような企業にも苦しい時期はある。そのときに手を差し伸べてこそ、地域の発展に貢献する金融機関である。

5　地域産業のあり方

地域の産業　企業城下町

地方創生の成功例は数多く伝えられるが、本当に成功したのか、最初の出だしが成功しただけなのかはまだ評価は下せない。一つの地域が勝って（人口が増加して）も、周辺地域から人口を吸収しただけでは、ただのゼロサムゲームにすぎない。やはり、地域に強い産業がないと本当に地域が活性化したとは言えないだろう。強い産業があり雇用が生まれ、お金が回り始め若者が集まってくるというのが理想と言える。

日本の地域にも大企業は存在し、いわゆる企業城下町を形成している例は数多く存在する。典型的例としてはトヨタの豊田市、日立の日立市、コマツの小松市、ブリヂストンの延岡市などである。西武の所沢市やオリエンタルランド（ディズニーランド）の浦安市も企業城下町と呼べるかもしれない。

企業城下町は企業の発展とともに栄えるが、その企業が弱体化したり、撤退すれば企業城下町は一気に衰退する。典型的事例は石炭産業（北海道炭鉱汽船など）が衰退した夕張市、新日鉄釜石の高炉が閉鎖された釜石市、富士通の工場が閉鎖された須坂市、などが挙げられる。バブル期に作られたシーガイアが破綻した日南市も衰退城下町の一つに挙げられるかもしれない。

このように地方の大企業の企業城下町には、大きな発展の可能性もあるが、基本的には企業城下町は高度成長期の産物であったとも言える。そうした中で地域の産業を担うのは、地域の中小企業ということになる。

地域の産業　中小企業

その日本の中小企業の外観を見ていこう。まず中小企業の規模感である。企業数という観点で見ると日本の企業数の九九％が中小企業であり、従業員数でいうと七〇％が中小企業となっている。付加価値（利益）については変動が激しいが、日本企業の利益の約五〇％を中小企業が生み出しているといった水準である。大企業の三分の二以上の人員を抱え、同じくらいの利益しか出せないのだから、従業員一人当たりの生産性は大企業の半分以下ということになる（図表5―9）。

一般的に言えば中小企業は利益水準が低いため、給与水準は大企業に見劣りし、人数が少ないため有給休暇も取りにくい。研究開発に回す資金も少なく、従業員の研修・教育費も大企業ほど多くは割けない。こうした生産性の低い中小企業が極めて数多く存在することが、日本の成長を

図表 5-9　労働生産性

企業規模別従業員一人当たり付加価値額（労働生産性）の推移

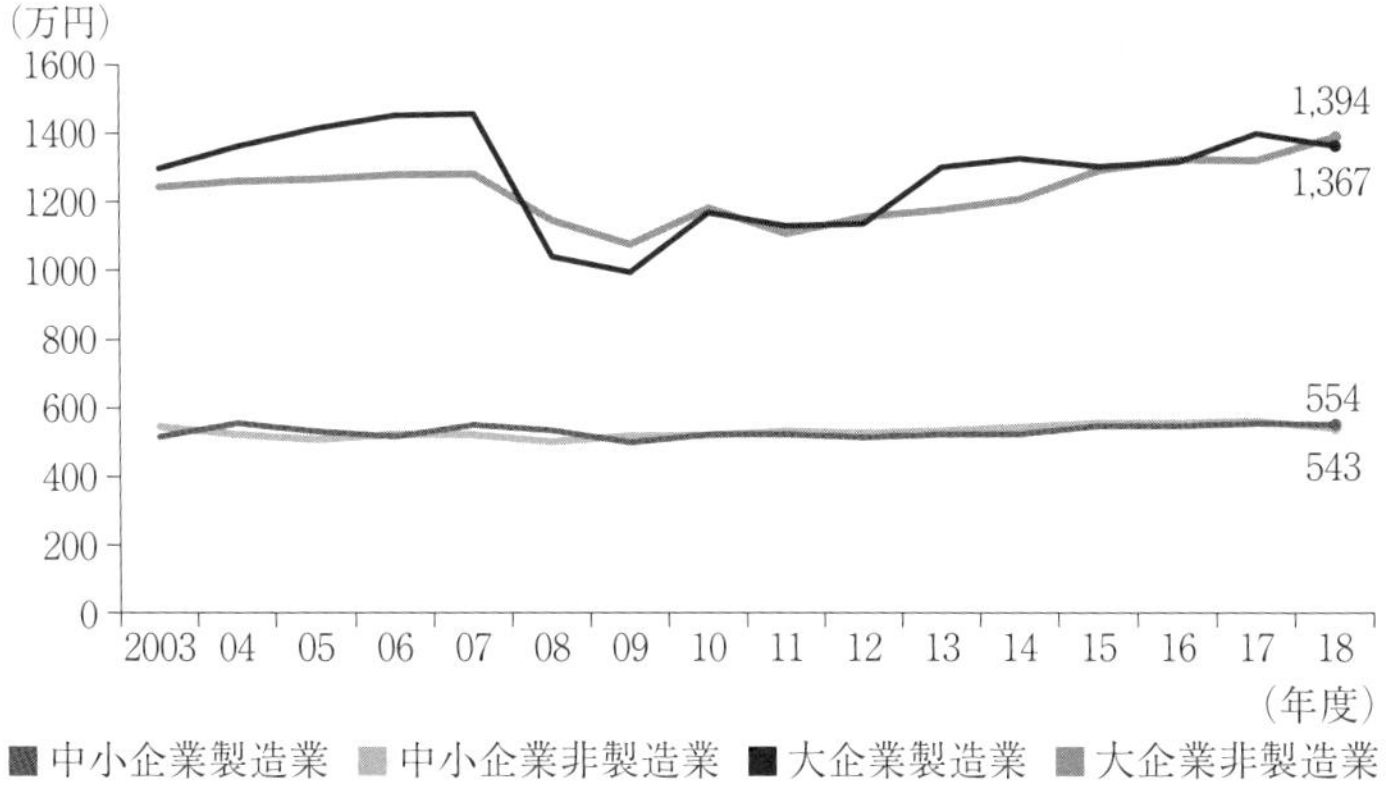

出所：『小規模企業白書（2020 年度版）』中小企業庁。

妨げているという議論が最近巻き起こっている。二〇二〇年一〇月、安倍政権を引き継いだ菅政権では成長戦略会議が開催されることになった。この成長戦略会議にメンバーに選ばれたデビット・アトキンソン氏が、中小企業改革の提言を行っている。

アトキンソン氏は、一九九〇年代後半から二〇〇〇年代にかけてゴールドマンサックスの金融アナリストとして活躍した人物で、当時二〇行近かったいわゆる都市銀行が数行まで減ることを予測した人物として有名だ。筆者も投資家として、二〇数年前には何度もディスカッションを重ねてきた。アトキンソン氏の分析に対しては金融界を中心に強い反発があったが、結果は氏の分析通りに日本の大手銀行はメガバンク三行プラス数行というように劇的に淘汰されていった。

日本や日本の文化を愛するアトキンソン氏はアナリスト退職後も日本に留まり、現在は国宝を含む神社仏閣の修復工事を手掛ける小西美術工藝社の社長を務めている。

そのアトキンソン氏の分析によれば、日本は非効率な小さな企業の比率が圧倒的に多く、中小企業基本法により、その小さな企業が国から手厚い保護を受けており、そのおかげで潰れない一方、その保護を受け続けるために、成長への意欲も持たず、非効率な中小企業が数多く生きながらえて日本の成長を妨げている、とのことだ。

これに対して、「日本の中小企業は人口当たりでみれば世界的に多いとは言えない」、「中小企業は日本の宝だ」、「モノづくり日本を支えているのは中小企業だ」といった反論が数多くなされている。ただ、成長戦略会議では「合併等により中小企業の規模を拡大し、生産性を引き上げていくことは重要」（令和二年一二月一日成長戦略実行計画）と、ある意味アトキンソン氏の提言を受け入れている。

また、中小企業が加盟する日本商工会議所（以下、「日商」と言う）など中小企業側からは猛反発がある。しかしながら、日商の動きを見ると中小企業政策にビジネスモデルの転換やＫＰＩに生産性向上を入れるなど、アトキンソン氏の批判に応える形の改善策を打ち出している。[13] アトキンソン氏の指摘があながち的外れとは言えないということであろう（日本商工会議所「２０２２年中小企業・地域活性化施策に関する意見・要望」二〇二一年七月）。

中小企業の経常利益は一社当たり一二〇〇万円程度となっている。[14] これでは、本章で思い描いている「地域の産業を作る」という観点からは規模が不足なのである。地域に産業があり、安定した雇用先があってこそ若者も地域にとどまり、東京に行かず安心して子育てができるのというものである。

中小企業への支援策

中小企業庁のホームページに「中小企業・小規模事業者や中堅企業は、経営力向上のための人材育成や財務管理、設備投資などの取組を記載した「経営力向上計画」を、事業所管大臣に申請していただき、認定されることにより中小企業経営強化税制（即時償却等）や各種金融支援が受けられます」と記載されているように、中小企業は税制では法人税の軽減税率適用、交際費の損金算入特例、欠損金繰り越し控除限度額無制限、中小企業経営強化税制（即時償却等）など、また資金繰り支援では、中小企業経営力強化資金融資事業、信用保証制度（セーフティネット保証）、特別利子補給制度、ものづくり補助金等、数々の優遇措置が受けられる。そのほかにも土木工事では、指名競争入札制度があり、その他にもＩＴ導入補助金、ＩＴ活用促進資金、地域産業デジタル化支援事業、地域雇用開発助成金等々の支援策がある。[15]

これらはそれなりに意義のあるものだが、批判を恐れずに言えば基本的に保護されている産業や手厚い補助金を受けている企業は、強い競争力を持たない傾向にある。これは極めて単純な話で、甘やかされお小遣いをたくさんもらう子供は、たくましく育たないという類いの話だ。

ドイツの中小企業

中小企業のあり方については、よくドイツの中小企業と比較されることがある。ドイツの中小企業数は、人口一〇〇〇万人当たりでは日本よりも多く、収益性も高いと言われている。これにはいくつかの要因があると思われるが、一つは為替レートである。高い国際競争力を誇った日本は米国からの要求に屈し、極めて不利な円高の煮え湯を飲まされることになった。しかしドイツは日本と同じく強い国際競争力を持っているにも関わらず、マルクはＥＵの統合により、スペイン・ペソや、イタリア・リラなどの弱い通貨を含めたユーロに衣替えし、米国のマルク高圧力を乗り越えたのである。

また、ドイツの銀行には収益の出ない中小企業を延命させるカルチャーはないと言われる。したがって弱い中小企業は淘汰され、強い中小企業だけが残る。

加えて、ドイツの中小企業においては、地域の中小企業とのつながりが非常に強く、日本のような系列がないことを挙げられる。日本では自動車メーカーの例に見るように一次下請け、二次下請け、三次下請けというように系列が縦に並ぶ。系列上位からの厳しい価格要求により中小企業の収益は上がらず、地域に執着することなく、系列上位に言われればどこにでも工場を作る。これに対してドイツでは系列がなく、利益確保にどん欲で、地域との連携が密接なため、地域に根づいていくという具合である。

中小企業が強いか弱いかは、数が多すぎるといった問題ではなく、それぞれの国のビジネス・カルチャーにその原因があるということだ。[16]

おわりに

人口増加モデルの終焉

基本的に日本の経済成長モデルは人口が増加し、その人口が都市部（東京）に向かい、需要が増え、それに応えるべく投資をして成長していくという、人口増加モデルだった。経済学そのものが、GDPが成長していく、すなわち人口が増加していくことを前提に構築された学問だったと言うこともできる。また、グローバルな側面から見れば、日本の高度成長は、良い製品を作り、安い価格（安い円）で輸出する輸出主導型モデルであった。しかし、人口が急減し、大幅な円高となり、この成長モデルは崩壊してしまったのである。そうであるならば、その現実を受け入れていかなければならない。

GDPで世界第二位だった日本は中国に抜かれ、二〇三〇年は中国一位、米国二位。日本はインドに抜かれ、二〇五〇年にはインドネシアに抜かれると言われる。

GDPは「人口×生産性」なので、中国、インド、インドネシアといった人口の多い国に少子化の日本が抜かれるのは当たり前の話で、驚くほどの話ではない。

そもそも　江戸時代には日本の人口は三〇〇〇万人程度だった。その時代は開墾も進んでおらず、現在の地方自治体の中で存在しなかったものも少なくはないだろう。そういった意味では「地方消滅」というフレーズは衝撃的なものではあるが、「もとに戻るだけ」という自然の現象と見ることができ、悲観することはないのではないか。

そのトレンドに抗い、急減していく人口を奪い合っても勝者は一人もいないという事態になりかねない。現実を直視して、ダウンサイジングを受け入れていくことが大切だろう。

以前、外国の友人と新幹線で広島まで行く機会があったが、彼は沿線沿いすべてに家があるのにびっくりしていた。彼らの感覚では都市があって、森があって、都市があるという感覚なのであろう。日本においても、森や林ができて星空がきれいになるのも悪くない。実際に地方にはナビゲーションでは道があるが、草が生い茂り先に進めない道路が少なからず存在する。

人口が減るのは避けられないのだから、県や細かく区分された市町村単位で何もかも揃えるフルセット思考を捨て、地域単位で連携して行政のデジタル化を進め、ＡＩ等の技術も駆使した行政サービスを提供する「スマート自治体」への転換を図って行くことが必要だ。いつまでも、規模の拡大、地域人口の増加という見果てぬ夢を追うのではなく、粛々とダウンサイジングズすべきだろう。

地方金融機関の改革

前述のように各金融機関が十分な利益を上げられず苦しんでいる現状を見れば、少子高齢化の中では地方金融機関の数が多すぎるのは間違いない。統合、再編といった動きが進んではいるが、統合・再編が進展してもさほど収益は上がらず地方金融機関の株価も少しも上昇してこない。

デジタル化の進展で、距離の概念が薄れ地域の垣根が低くなるのは避けられない。地域金融機関を標榜するならば、より地域に密着し、事業評価能力、コンサルタント力（経営・事業継承・相続・資産運用など）をつけていかなければならない。場合によっては、より大胆な改革に取り組んでいかなければならない。

海外における極端な事例ではあるが、例えば二〇〇年の歴史を持ち、総資産も三〇兆円あるノルウェーの銀行のＤＮＢは、二〇一六年までの一一年間で五五〇あった支店を約九割削減した。チャネル別顧客取引の七九％がスマホ、一九％がＰＣとなり、残りも電話やチャットボットであり、窓口業務は全体の〇・一％未満である。[17] 旧来の銀行のビジネスモデルが完全に揺らいでいることは間違いなく、ドラスチックな転換を図らなければ生き延びていくことが難しいだろう。

地方の産業

地域に人を呼び寄せるには、やはりお金の流れがなければならない。ただ補助金といった流れは役には立たないだろう。

若者が地域を離れるから地域が衰退するわけではない。地域に魅力的な働き先がないから若者が地域を離れるのである。地方に強い企業がなくてはならない。行政や地方金融機関は地方の産業、地方の企業を育てる力をつけることが必要だ。地方の企業には中小企業が多いが、手厚い中小企業保護政策のために潰れることなく、成長することもない企業が数多く存在する。日本は諸外国に比べて企業の開業率も廃業率も突出して低い（図表5―10）。

こうした企業の新陳代謝を進め、「時代にマッチした産業を築いていかなければならない。新陳代謝というと「ゾンビ企業は退出しろ」といった辛辣な表現に聞こえるが、中小企業の経営者の三割は七〇歳以上となっており、今後後継者不足から数が減っていくのは避けようのない流れだ。

地方で輝く中小企業を、グローバルで活躍する企業に育て上げるというのは理想的だろう。地方発の企業の最近の例としては、ユニクロ（山口）、ニトリ（北海道）、ジャパネットタカタ（長崎）

図表 5-10　企業の新陳代謝

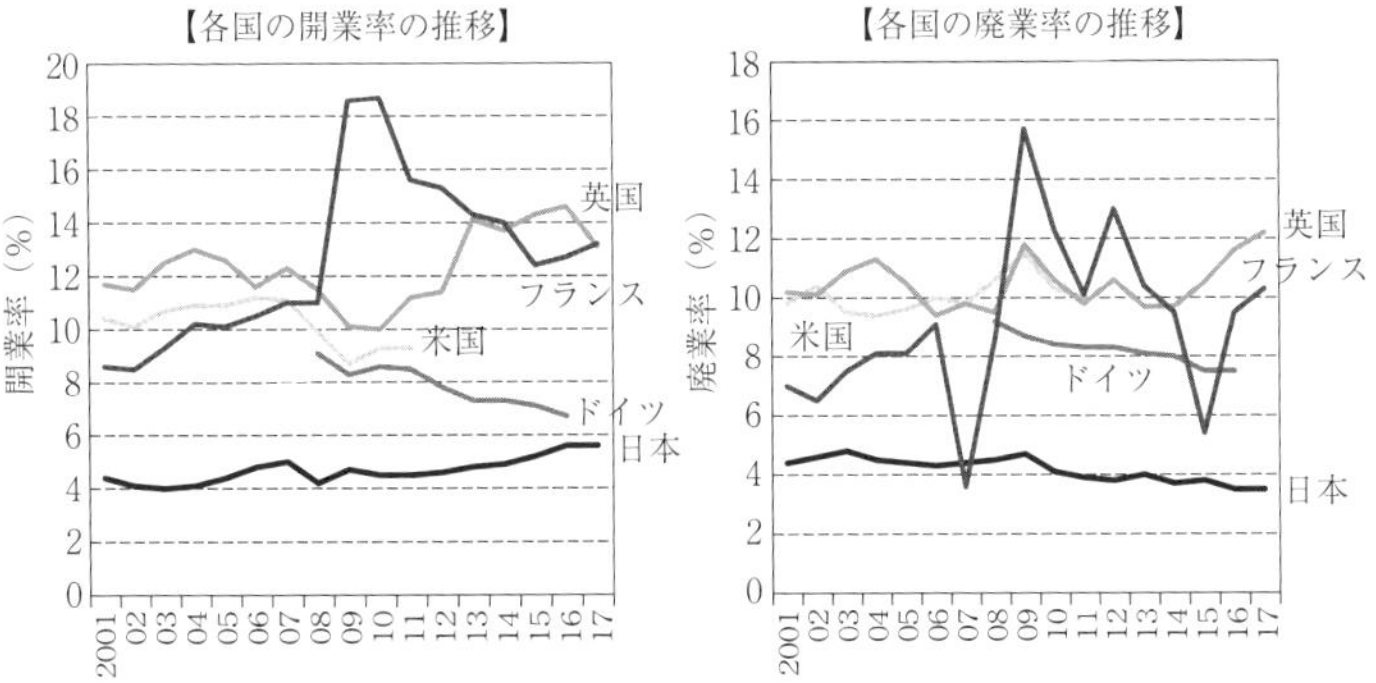

出所：「日本経済の状況・課題について（参考資料集）」環境省、2019 年。

などがあるが、そうした話がボンボン出てくるわけはない。地方の産業は小規模なサービス業が多く、それらの企業の集約化を進め、新陳代謝を促進し、効率を上げていくことが現実的であろう。地方は課題だらけである。だからこそ、買い物弱者のための自動運行バス、移動店舗・移動金融機関、遠隔医療など課題解決企業には、大きな可能性があるのである。

ESGとSDGs

また最近の動きに目を移せば、ESG、SDGsといった社会や人権、地球環境を配慮した取り組みが世界的に拡大している。SDGs（Sustainable Development Goals：持続可能な開発目標）は、二〇一五年の国連サミットにおいてすべての加盟国が合意した「誰一人取り残さない（leave no one behind）」持続可能な社会の実現を目指す世界共通の目標だ。この「誰一人取り残さない」「持続的な成長」に向けての取り組みは、地方創生には極めて親和性の高いものと言える。政府は地方創生ＳＤＧｓ官民連携プラットフォームを設置して、ＳＤＧｓを地方創生につなげようとしている。中身が総花的である点は否めないが、地方自治体や地域金融機関・事業会社、そして一般市民らがＳＤＧｓを一つの共通言語として、地方創生に向けた連携を深めていくことを期待するものである。

その中にあっては、気候変動を意識したカーボンニュートラルの流れは、風力や太陽光、水素など、再生エネルギーの新しい分野に投資を行うことを可能とする。コストの安いエネルギーと見なされてきた原子力や石炭火力発電は、地球環境を考えると極めてコストの高いものになっていることを人類が認識したわけだ。世界中の年金基金や投資信託といった機関投資家も、ＥＳＧ、ＳＤＧｓに関わるプロジェクトには積極的に投資を始めている。

太陽光発電、地熱発電、洋上風力などの再生エネルギー産業の立地は、当然のことながら地方が想定される。エネルギーの地産地消も歓迎されており、地方の産業育成という観点からは非常に有望だ。

例えば洋上風力発電は大量導入が可能で、カーボンニュートラルの実現に向けての切り札とも位置づけられているが、構成機器・部品点数が多く経済波及効果も大きいので、地域での産業育成という観点からは大いに有望だ。

このようにＳＤＧｓの追求が地方創生につながる産業として発展していくことは大いに期待したいところである。

注

1　国民年金は、年金福祉事業団の資金の運用。年金福祉事業団は二〇〇一年に新たに年金資金運用基金が設立されたのに伴い解散。現在は年金積立金管理運用独立行政法人（ＧＰＩＦ）。

2　テスラ（Tesla,Inc）は、アメリカの電気自動車及びクリーンエネルギー関連企業である。イーロン・マスク氏がＣＥＯ（共同創設者）。

3　本章の第一節第三項及び第二節第三項は大原透「日銀の金融政策とＥＴＦ購入」早稲田大学総合研究機構『プロジェクト研究』（第一四号）二〇一九年、一五～二四頁に基づいている。

4　Maloney, M. and Mulherin, J., "The complex I Ty of price discovery in an efficient market: the stock market reaction to the Challenger crash," *Journal of Corporate Finance*, Septembe 2003（https://www.semanticscholar.org/paper/The-complex-I-Ty-of-price-discovery-in-an-efficient-MaloneyMulherin/19bb6438f310a721fc8ad862709dae7fc59281f）（最終閲覧日二〇二一年一〇月七日）。

5　ばらばらな情報から正解を導き出した事例は、スロウィッキー（二〇〇九）を参照。

6　日米構造協議は、日米貿易不均衡の是正を目的として一九八九年から一九九〇年まで開催された。日米半導体協定は、一九八六年に日米韓で締結された日本製半導体のダンピング輸出防止協定である。一九八〇年代に世界を席巻していた日本の半導体業界はここから凋落が始まった。

7 Demographia World Urban Areas & Population Projections「世界の都市圏人口の順位」。

8 厚生労働省「令和二年（二〇二〇）人口動態統計月報年計（概数）の概況」四五頁。

9 二〇二〇年九月二日、菅氏は出馬を表明した二日の記者会見で、異次元の金融緩和の副作用への対応に関し「地方の銀行について、将来的には数が多すぎるのではないか」と述べた（新聞各紙報道）。

10 金融庁「地域金融機関に期待される役割」二〇一六年五月、一〜二頁。

11 『下町ロケット』『半沢直樹』は、池井戸潤による小説。いずれも資金繰りで苦しむ中小企業の活躍を題材とする。

12 岩城成幸「温泉街の事業再生と地域金融機関」『リファレンス』二〇〇六年六月号。

13 日本商工会議所「二〇二一年中小企業・地域活性化施策に関する意見・要望」二〇二一年七月。

14 中小企業庁「令和二年（二〇二〇年）中小企業実態基本調査速報」。

15 中小企業基盤整備機構「令和三年（二〇二一年）版　中小機構　総合ハンドブック」。

16 経済産業研究所、岩本晃一「ドイツ経済を支える強い中小企業ミッテルシュタンド」二〇一六年。

17 菊地正俊「日本の銀行株復活に何が必要か：海外事例の研究」『みずほ証券レポート』二〇二〇年九月三〇日。

第2部

公共政策を支えるシステムを考える

第6章

民主主義を支える政治インフラ

——米国保守派の草の根ネットワークの視点から

渡瀬　裕哉

1　公共経営・市民自治と政治インフラの関係性

政治インフラとは何か

政治インフラに関する議論は、日本国内ではほとんど目にすることはない。しかし、民主主義の本場である米国では、政治インフラという言葉は政治実務関係者が一般的に使用する言葉である。ただし、政治インフラの定義とは何か、ということになると、明確なコンセンサスは存在せず、あくまでも政治実務関係者による認識内に存在する緩やかな概念として扱うべきだろう。

日本での政治インフラに関する先行研究には久保文明編『アメリカ政治を支えるもの——政治的インフラストラクチャーの研究』（財団法人日本国際問題研究所、二〇一〇年）が存在している。その中で、久保は「政治的インフラストラクチャー」の定義として「直近の選挙や政治過程において影響力を発揮するだけでなく、中長期的かつより一般的な政治的影響力の増進を目的として、特定の政治勢力あるいは特定の政策専門家集団が構築し、あるいは利用する団体・組織・制度」と定義している。その上で、久保は「政治家や政党の活動を資金的、政策的、あるいは知的に下から支えるという意味で、政治の下部構造」とも述べており、シンクタンク、財団、政策研究所、メディア、メディア監視団体、雑誌、大学、政治家養成団体などが具体例として挙げられている。

本章が取り扱う「政治インフラ」の定義は、上述の久保の「政治的インフラストラクチャー」の定義を踏襲するものとし、それらの政治インフラが公共経営・市民自治との関係でどのような役割を果たしているかを検討する。特に共和党保守派が有する政治インフラとしての各団体・組織・制度による自律的なネットワーク型の協力関係を描写し、その団体・組織・制度の具体例を紹介する。

最後に米国型の政治インフラが未発達な状態にある日本において、政治インフラが発展するために必要条件の整備に向けた政策提言を行う。本章が読者諸氏の公共経営のあり方に関する考察の一助となれば幸いである。

公共経営と政治インフラの関係性

まず、本項では政治インフラと公共経営の関係性について整理したい。そこで、あらためて公共経営の定義を確認することから始めたい。

二〇〇四年に『早稲田パブリックマネジメント』（第一号）に記載された片岡寛光早稲田大学公共経営研究科委員長（当時）によるインタビュー「今なぜ公共経営か」において、公共経営は「社会的存在を共有する人々が、共通する社会ニーズを充足したり、その他の方法で公共的諸問題を解決するために、公共目的を設定し、実施して、問題の解決を図っていくための集合的営為である」と定義されている。その上で、公共経営は、行政にとって代わる概念ではなく、公共目的を達成するにあたり、民間部門やシビック部門を含めて考えて、従来の行政管理ないし官僚制的行政運営から公共経営に変わらなくてはならないとされている。

また、二〇二一年に『Doshisha University policy & management review』に掲載された縣公一郎「Public Management, Public Policy, and Public Policy Research」では、「公共経営分野において、三つのセクター（政府、市場、市民）には、共通の社会問題、問題解決に必要な協力、自己犠牲の準備という三つの共通の側面があり、三つのセクターのいずれかが単独で社会問題を解決できるのであれば公共経営の必要はなく、これら三つのセクターのうち少なくとも二つが共通の社会問題を共有し、それらを解決するために協力しなければならない場合、私たちは公的経営を必要とする」とされている。

上述の公共経営の概念や各セクターの関係性を踏まえると、民間部門（市場）やシビック部門（市民）が政府部門（行政）と協力し、公共目的を設定し、社会問題を解決する能力を持つことは極めて重要な課題である。

ただし、政府部門が有する高い目的設定能力や社会問題解決能力に対し、他二部門の能力が相対的に劣後する状況が存在してきたことは事実である。したがって、その能力差がもたらす必然的な結果として、政府部門が政策・計画立案機能を担い、他二部門はその執行に協力するのみという歪な協力関係に陥りがちであった。そのため、公共経営を実際に機能させていくためには、民間部門やシビック部門の能力を向上・支援するための仕組みが必要となる。

政治インフラは、民間部門やシビック部門が公共目的を設定し、共通の社会問題を解決するために極めて重要な役割を担っている。米国においては政治インフラが機能することで、民間部門やシビック部門が、政府部門に対して課題を設定し、その実施を促すことが一般的な事象となっている。

地域と政治インフラの関係性

本章で紹介する政治インフラは主に米国の連邦政府レベルのものであるが、それらの政治インフラは州政府以下の地域レベルの公共経営を支える土台にもなっている。

米国は国家の成り立ちを見ても州の独立性が極めて強い政治構造を有している。各州は立法、司法、行政のいずれも強い権限を持っており、連邦政府が各州の政治に介入する余地は厳しく制限されている。米国市民の国民性としても、企業や市民の自主独立の精神が富んでいることにも特徴がある。

本章で中心的に紹介する共和党保守派の政治理念は、公共目的の設定や社会問題の解決の担い手として民間部門やシビック部門の役割を重視し、政府部門の役割を限定することを求めるものである。そのため、共和党保守派が有する政治インフラも、その大まかな政治的志向として、連邦政府から州政府などへの分権、政府部門の民間部門やシビック部門への不介入を求める傾向がある。

公共経営の基本的な考えとして、政府部門、民間部門、シビック部門が協力することは当然のことである。ただし、政府部門は民間部門やシビック部門が有していない強力な徴税権と規制権限を持っているため、公共目的の設定や共通の社会問題解決という課題に対して、政府部門に対する民間部門や市民部門からの依存を生み出し、結果として中央集権的な官僚体制を強化することにつながりがちであることも事実である。連邦レベルの政治（上位）が集権化を目指し、地域レベル（下位）での政治から企業や市民から自律性を奪ってしまえば、地域における公共経営領域は次第に狭まっていくことになってしまう。

したがって、公共経営に関わる各セクターを有効に機能させるためには、上述のような共和党保守派のような政治的志向を持った政策的・政治的なオルタナティブとしての政策的な選択肢が示されることは重要なことである。

一見すると、本章で取り上げる連邦政府レベルの政治インフラは州政府レベル以下の地域運営とは関係がないように見えるが、公共経営を地域レベルで機能させるためには、地域への権限移譲や個人の自立を促す連邦政府レベルでの政治インフラを通じた取り組みが必要不可欠だと言えるだろう。

民主主義を機能させるサービスとしての政治インフラ

投票行為は民主主義の重要な要素として強調される。一方、市民が直接的な投票行為以外の形で政治過程に関わる重要性は軽視されがちである。現実には選挙で投票行為が行われる段階では、政党は候補者や政策という商品メニューを有権者に提示しており、有権者は提示された商品メニューの中から自らの望む方針に近い選択肢を選ぶことを強いられる。

そのため、民主主義を健全な形で機能させるには、行政、政党、政治家などに対して、企業や市民などが政治的なニーズをインプットすることを実践し影響を与える政治参加の仕組みが存在することが求められる。

ただし、多くの民間部門やシビック部門に属する人々は、政府部門に対して実際にどのようにアプローチするか、という方法に関する知識やノウハウを有していない。仮に民間部門やシビック部門に属する個人に対して、行政、政党、政治家に対して自由に問題提起をしても良いと伝えたところで、彼らから実現可能性を持った具体的な政策提案が行われることはほとんどないだろう。

その際、政治インフラは民間部門やシビック部門に属する人々に対して民主主義を機能させるためのサービスを提供する仕組みとして重要な役割を果たす。

例えば、自分の政治的志向に近しい政策シンクタンクに寄付をすれば、政策シンクタンクは専門性が伴った政策提言を寄付者に代わって生産する、というイメージだ。寄付者は専門的知識を有さないため、最終的なアウトプットとしての政策提言を詳細に設計した上で政策シンクタンクに発注することはできない。しかし、政策シンクタンクはその政治的理念に沿う形で、寄付者の意向をくみ取った政策提言を創り出すことができる。そして、政策シンクタンクは生産された政策提言内容について、寄付者を含めた市民にレクチャーすることで、社会問題を解決するための知識やノウハウを社会に還元することを行う。

このように、政治インフラが提供するサービスは民主主義を支える土台の一つとなっていることは広く社会に認知されるべきだろう。

2　政治インフラの全体像

政治インフラの全体像

本節は政治インフラの全体像について示すことを目的とする。

日本で米国の政治インフラが紹介される場合、政治インフラの一部を構成するオピニオン誌、集会組織、財団、シンクタンク、メディア・メディア監視機関、人材育成機関などが個別に言及されることが多く、その全体像を踏まえた上で、その自律性や相互依存関係まで考慮した動的な考察が不十分であると思う。

もちろん、個別の政治インフラのアクターを深く掘り下げて、その役割について紹介することは素晴らしいことである。ただし、そのアプローチでは特定のアクターの影響力を過大評価することにもつながる懸念があるとともに、それらの役割の理解についても複合的な視座に欠ける可能性がある。

そのため、筆者が米国の共和党保守派の活動に関して見聞した内容を踏まえ、政治インフラの全体像を示し、個々の自立した政治インフラが相互にどのように機能しているのかをまとめることにした。政治インフラの諸団体・組織・制度を一つのエコシステムとして捉えることで、各組織が相互作用を働かせながら発展する姿を描くことがその狙いである。

政治インフラは個々の植物や動物などが生態系（エコシステム）の一部として存在し、それらの活動の集合体としての自然体系が構成されて進化していく様に似ている。

民間部門やシビック部門に属する企業や個人は、この政治インフラを活用することを通じて、自らが望む政治ニーズを政治部門に効果的にインプットすることができる。政治インフラの活用の仕方には、資金提供、労力提供、スキル提供、知識提供など様々な形があり得るが、その投入されたリソースは政治インフラを運営するプロフェッショナルな専門家によって価値ある形に変換される。

政治インフラの全体像は政治・経済・社会環境の変化に応じ、常に新しい政治ニーズを取らえて、政治理念に基づく解を提供し続ける自律的かつ相互作用的の集合体として捉えることが適切だろう。

政治インフラのエコシステムの概要

では、ここで政治インフラの全体像を具体的に図示しよう。図表6―1は、政治インフラを担う各組織・団体・制度の機能を整理し、その相互作用関係について簡略化して表したものである。

図表 6-1　政治インフラの全体像

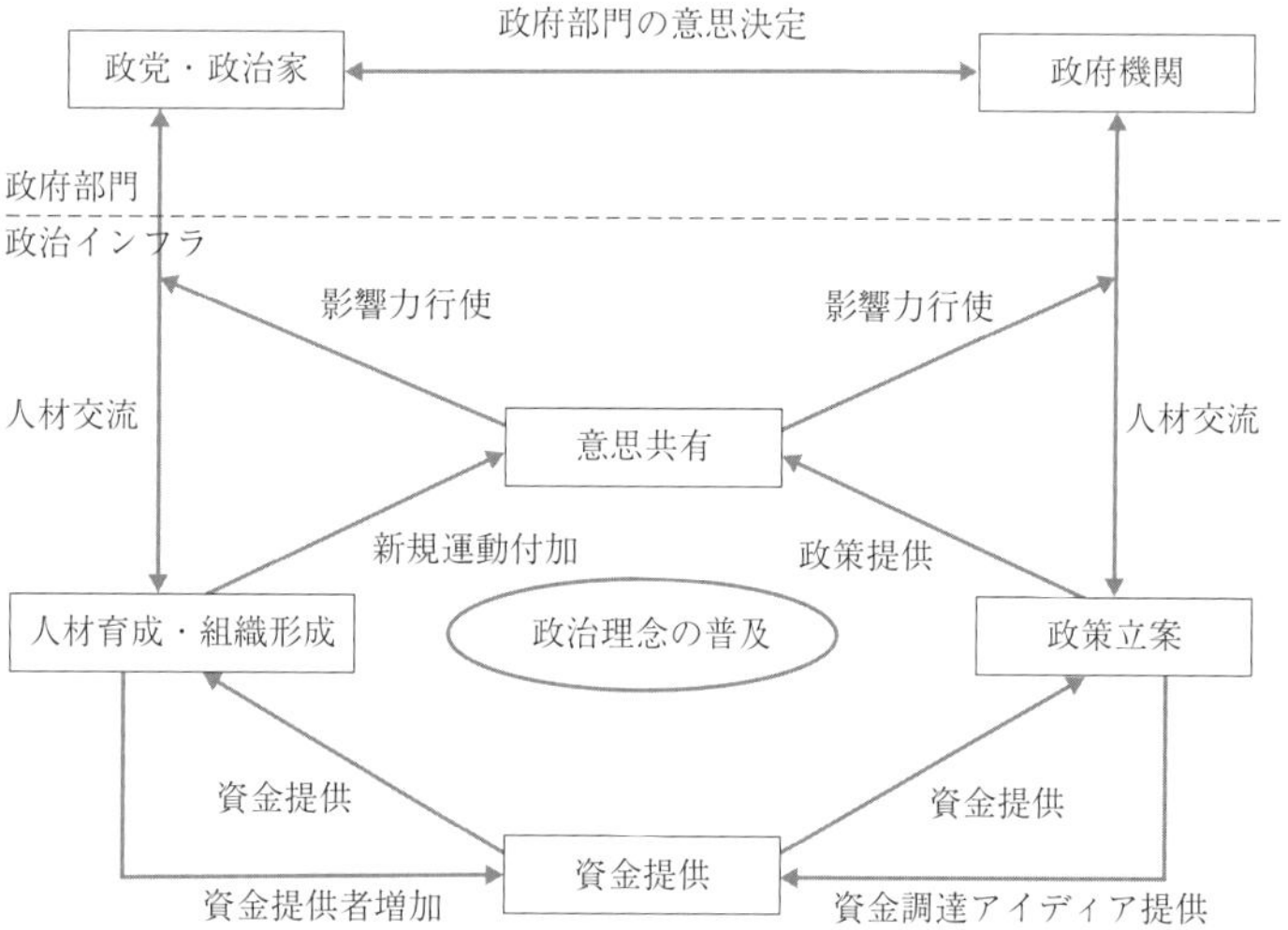

出所：著者作成。

もちろん、このような関係性以外にも複雑な相互作用関係が存在することは認識しているが、ここではその主たる要素について表すことに注力した。

政治インフラの中心に位置するものは「政治理念の普及」を行う存在である。これは多くの場合は権威あるオピニオン誌が担ってきている。それらのオピニオン誌（現在ではウェブ化されている）に政治理念を提示する原稿が掲載され、その内容が識者らによって吟味された上で、政治インフラの全体の大まかな了解事項となる。

次に「資金提供」について触れていきたい。政治理念の普及は富豪らが設立する財団などの政治インフラを形成・発展させる資金提供者を出現させた。これらの資金提供者は、政策立案を行うシンクタンクや政治活動の実務を担う人材・組織の育成に多大な貢献を行っている。最近ではインターネットの発達によって、富豪以外の小口献金者の存在感も増加しており、政治インフラの資金調達構造はさらに堅固なものとなっている。

「政策立案」を担う存在はシンクタンクである。もちろん大学組織なども政策立案に関わる組織であるが、直接的に実務に資する政策アイディアを提供する組織としてシンクタンクの存在感は強い。シンクタンクと政府機関の人材交流は活発であり、政権交代時の政府高官人事に対する人材バンクとしての機能を持っている。また、政治インフラ関係者全体の意思共有の場に対し、政策の提供を通じて政治的な課題設定を支援する。資金提供者にとっても新たな政策アイディアは資金提供のための大義名分を得るために重要である。

「人材育成・組織形成」は様々な形態を取って行われる。政治活動の知識・ノウハウを教育・訓練する組織、特定の政治的課題を普及する組織、政治家の政策立案能力を高める研修を行う組織、次世代の政党指導者を育成する組織など、政治活動の実務面を担う人材育成・組織形成がなされている。新たな政策課題を解決するために組成される組織などは政治インフラ関係者全体の意思共有の場で脚光を浴びることで、大きなムーブメントを引き起こす起爆剤となる。プロの活動家として育成された人材には政党幹部や政治家などになるキャリアも提供される。

最後に、政治インフラの最も特徴的な要素として「意思共有」の場の重要性を指摘したい。この意識共有の役割を担う場は、政治インフラ関係者が一堂に会す年次総会、日々の政治課題への対処方針をまとめる定例ミーティング、多くの人々に政治メッセージを伝達するメディア組織まで大小様々なケースが存在している。新たに問題提起される政策課題は、意思共有の場を通じて関係者に紹介されることで全体の中での優先順位が引き上げられる。その結果として、政府部門と政治インフラ間での人材交流の人選などにも間接的に影響を及ぼすことになる。

以上のように、各政治インフラは各自自律した存在ではあるものの、相互に影響し合いながら新しいアイディアや人材を取り入れて発展することに特徴がある。そのあり方はまさに有機的な仕組みを持ったエコシステムであると理解して良いだろう。

3　米国共和党保守派、政治インフラの事例

米国共和党保守派の政治インフラ

本節は、政治インフラの具体的事例として、共和党保守派における具体的な組織・団体・制度などを参照し、政治インフラに対する理解を深めることを目的とする。

久保文明編『アメリカ政治を支えるもの——政治的インフラストラクチャーの研究』でも指摘

されているように、政治インフラの決定的な重要性に最初に気がついたのは共和党保守派であった。この気づきが生まれた背景として、一九六四年に保守派の政治理念を代弁する形で大統領選に挑んだバリー・ゴールドウォーターがすでに構築されていた民主党側の政治インフラ（大学、労組、メディアなど）によって敗北させられた影響が大きかった。

大統領選挙後、共和党保守派は民主党側に対抗するために、政治理念のイデオロギーを中核に据えた政治インフラの構築に本格的に着手することになる。本章では第2節で図示した政治インフラのエコシステムに対応する形で具体的にどのような組織・団体・制度が存在するかについて紹介していくものとする。

政治理念の普及：「オピニオン誌」

政治理念の普及を担う主たる政治インフラは「オピニオン誌」である。米国で政治インフラが形成されるには、政治理念に基づくオピニオン誌の発刊が先行し、その周囲にそれを支える他の仕組みが整備されていく傾向がある。

共和党保守派にとって一九五五年に創刊された『ナショナル・レヴュー』が果たしてきた役割は極めて大きい。リー・エドワーズが『現代アメリカ保守主義運動小史』（育鵬社、二〇一一年）で指摘した通り、保守派にとってはF・Aハイエク『隷属への道』、リチャード・ウィーヴァー

『理念には結果がある』、ホイッタカー・チェンバース『目撃』、ラッセル・カーク『保守主義の精神』などが出版されたことで保守主義の規範集は揃っていたものの、それらは体系化が未完成な状態にあった。そのため、その学術的な脆弱性を補って、政治運動を活性化させるための定期刊行物が必要であり、その役割を果たした雑誌がウィリアム・F・バックレー・ジュニアが創刊した『ナショナル・レヴュー』であった。

『ナショナル・レヴュー』は伝統的な保守主義者、リバタリアン、反共主義者などを統合し、リベラル勢力に対して明確なカウンターとなる論壇を形成することに成功した。同誌は多くの保守的な知識層の読者を確保し、現在でも保守論壇の中心的な役割を果たし続けている。同誌に自らの見解が掲載されることは共和党保守派にとってはある種の権威となっている。

政治理念の普及の役割を果たす媒体としては、他にも徹底した自由主義的傾向を持つリバタリアンにも『リーズン』などの雑誌が存在しており、インターネットによる情報化が進んだ現代においても思想的に一定の影響力を保持し続けている。ただし、ネオコン系政治理念を普及してきた『ウィークリー・スタンダード』が廃刊に追い込まれたり、新時代の保守主義の思想を体現するオピニオン誌が新たに発刊されたりと、政治理念の普及に関する競争も極めて激しい。

資金提供：「財団」及び「小口寄付者」

政治インフラの機能を持続可能なものとするには潤沢な資金が必要となる。そして、そのための資金提供者には大口資金提供者から小口資金提供者まで様々なアクターが存在している。各種の草の根団体やシンクタンクなどの運営者の主な仕事は資金調達であり、それらの資金提供者たちから活動資金を得ることに頭を日々悩ませている。

大口の資金提供者の主役は保守的な政治理念に基づく財団である。財団創設者は成功した企業経営者などであり、その財団の運営者などが保守派の政治理念に感化されたことをきっかけとして巨額の資金提供を行うようになった。その資金提供の手法は戦略的フィランソロピーと呼ばれており、各種資金提供先の組織・団体に対して利用使途を限定しない資金提供という形で行われる。資金提供者が自分で考える特定のプロジェクトに資金使途を限定するよりも、政治理念を共有するアイディアと行動力を持つ資金提供先の組織・団体に中長期的に自由に活動させることのメリットを優先する。著名な財団としてコーク財団やブラッドリー財団などが知られている。

一方、小口の寄付者の役割も甘く見ることはできない。共和党保守派ではインターネットが発達する前から、ダイレクト・メールなどを通じて、政治理念を訴えて小口献金を得る手法が一般的に普及している。前述のリー・エドワーズによると、ダイレクト・メールによる資金調達が行われるようになった起源は、ゴールドウォーターが敗北した大統領選挙後に残された小口献金者リストを活用したことに遡るという。現代ではダイレクト・メールだけでなく、インターネットを通じた小口寄付も加わり、莫大な金額が政治インフラに流れ込むようになっている。

大口資金提供者と小口資金提供者に共通する要素としては、いずれも政治理念に基づいて寄付を行っているという点にある。各寄付者から資金を調達するための様々な技術・ノウハウが発達し続けていることから、今後も政治インフラに対する資金流入は拡大することが見込まれる。

政策立案：「シンクタンク」

二〇一七年に発刊された宮田智之『アメリカ政治とシンクタンク——政治運動としての政策研究機関』（東京大学出版会、二〇一七年）において、シンクタンクとは「専門知識やアイディアなどを動員して政策過程に影響を及ぼすことを最大の目的としている研究機関」と定義されている。宮田によると、アメリカのシンクタンクは「中立系シンクタンク」と「イデオロギー系シンクタンク」に区分されている。本章で考察対象とするのは後者のイデオロギー系シンクタンクのうち、保守系シンクタンクに属するものとする。

共和党保守派に属するシンクタンクの存在意義の一つは、政治的にリベラルな傾向が強い大学などの既存の政策研究機関から支援が得られない共和党保守派の政治家や活動家などの政策立案活動を支援することにある。

そのシンクタンクの代表はヘリテージ財団である。ヘリテージ財団は連邦議事堂のほぼ真横にオフィスを構えており、ホワイトハウスや連邦議会関係者と極めて親密な関係を構築している。直近のトランプ政権でも政権初期の政策の青写真を作成しており、その政権移行チームにも多数の人材を送り込む形で同政権の政策課題の選定に関与した実績を持つ。同財団はグラスルーツの活動支援にも力を入れており、それらを通じた小口献金の獲得に熱心であることでも知られている。

ヘリテージ財団の政策立案の方向性は自由市場の重視と文化的な保守主義である。共和党保守派の王道を志向しており、米国内の経済政策や安全保障政策などに強みを持ち、自由貿易政策に対してもコミットしている。筆者の知己であるアンソニー・キム上席研究員も全世界の国々の経済自由度を測定し、毎年ランキングとして経済自由度指標（Index of Economic Freedom）を公表する作業を行っている。

その他に国防総省に近いハドソン研究所、ネオコン系のAEI、リバタリアン系のケイトー研究所、規制改革で有名なCEIなどの著名な保守派・自由主義シンクタンクが良く知られている。ただし、研究員が数名しかいない小規模なシンクタンクも実はワシントンD・Cに無数に存在している。小規模なシンクタンクは独自のアイディアや視点を持って調査・分析活動を展開しており、特定の政策分野では知られたアクターとなっている。また、保守系シンクタンクには州レベルでも著名なものもあり、テキサス公共政策財団などは州政府の経済政策などに対して強い影響力を持っている。

人材育成・組織形成：「研修・訓練機関」

政治理念、資金、政策が揃ったとしても、それらが日の目を見るためには現実の政治闘争に勝利することが必要となる。そのためには、理念に共感した政治活動家らに実務に関する知識・ノウハウを提供する政治インフラが必要となる。

共和党保守派にとって最も重要な人材育成組織はリーダーシップ研究所である。同研究所は共和党系の運動家であったモートン・ブラックウェル氏が設立した組織であり、同研究所が提供するプログラムの卒業生は延べ二〇万人程度となっている。最も著名な卒業生としてマイク・ペンス元副大統領、ミッチー・マッコーネル上院院内総務、グローバー・ノーキスト全米税制改革協議会議長など、錚々たる面々が名を連ねている。

リーダーシップ研究所では、選挙に関する基礎的なノウハウを提供するキャンペーン・マネージャー・コースを目玉とし、多種多様な政治実務に関する研修プログラムが提供されている。いずれも共和党保守派の政治的な実務家を社会に輩出することを目的としており、卒業生にはキャリアカウンセリングや就職あっせんサイトの提供まで行われている。

筆者も過去にキャンペーン・マネージャー・コースを実際に受講した経験があるが、日本であれば政治家の秘書として数年間勤務すると体験的に学べる内容がマニュアル化された座学で提供されていたことに驚きを覚えた。

一方、政治家向けの研修機関も存在している。全米立法交流会議は、州法のモデル法を策定し、その成果を州議会議員に共有する活動を行っている。

モデル法のストックは数百本を超えると言われており、共和党の州議会議員を中心に全米の四分の一以上の州議会議員が同団体から法務サービスを受けている。州議会議員はモデル法案についてのレクチャーなども同団体のスタッフから受けることができるため、議会に当選したばかりの新人議員でも議員としての立法活動に従事できる環境が提供されている。

市民に対して政治活動に参加するための方法論を教え、新人議員などがすぐに立法活動に取り組める環境を整備する訓練・研修機関が存在することは、米国市民が民主主義に具体的に参加する際のハードルを大きく引き下げる要因となっている。

意思共有：「年次総会」、「定例ミーティング」、「メディア」

最後に日本ではほぼ存在が指摘されない政治インフラとして「年次総会」と「定例ミーティング」について紹介したい。これらのイベントは共和党保守派内で無数に存在する政策課題の優先順位を決定するものであり、政治インフラ全体の中で極めて重要な役割を果たしている。

共和党保守派の年次総会として知られるイベントは全米保守連合が主催するＣＰＡＣである。ＣＰＡＣの他にも全米各地で開催される保守派の類似のイベントは存在しているが、イベント登壇者や参加者規模に鑑み、保守系最大の年次総会はＣＰＡＣであると言って良いだろう。

同イベントはレーガン・トランプが現職大統領として登壇したことで知られており、連邦議員、保守系識者、メディア関係者などが保守派にとっての重要課題をパネリストとして討論すること に特徴がある。全米から一万人以上の草の根活動家がその模様を実際に見物するために集結し、共和党保守派としての政策的な優先課題に関する意識共有が図られることになる。

保守派の「定例ミーティング」として著名なものは、全米税制改革協議会が主催する「水曜会」である。水曜会は、毎週水曜日午前中にワシントンＤ・Ｃで行われる保守派の草の根団体の指導者らによる招待制・非公開の集会である。

全米税制改革協議会のグローバー・ノーキスト議長が司会を務め、会議出席者のうち事前に発言許可された者が一人三分程度のプレゼンテーションを行う。水曜会で発言することは保守派にとってはステータスとして考えられており、プレゼンテーションの内容が良ければ集会終了後に有力な参加者から協力の声がけを受けることになる。現在、類似の集会が各州レベルでも展開されており、それらは保守派にとっては貴重な意思共有の機会ともなっている。

また、当然ではあるが、「メディア」も意思共有にとっては重要な役割を果たしている。主要なものはＦＯＸニュースのようなテレビメディアからローカルレベルのラジオ番組まで様々である。それらでホストを務める人物の発信力は強く、保守派内での意思共有を担うキーパーソンとなっている。トランプ前大統領が保守系ラジオ・パーソナリティであったラッシュ・リンボーに大統領自由勲章を授与したことは記憶に新しい。

一方、メディア・リサーチ・センターのようなメディア監視団体が存在しており、ＣＮＮなどの大手メディアが設定するリベラルな政策課題に対し、その矛盾点や報道の偏りなどを随時指摘し、敵対するイデオロギーを持つメディアによる政策課題の設定にカウンターを打つことも盛んに行われている。

政治部門の「制度」との関係性

上述の通り、米国の共和党保守派の政治インフラの紹介を通じ、その具体的な事例に対する理解を深めてきた。

最後に、米国における政治インフラが機能するための前提として、米国の政治部門の「制度」が持つ特徴についても触れておきたい。それらの諸制度について考察することで、次節で予定している日本における政治インフラの発展に向けた政策提言の呼び水とする。

米国の政治部門の制度の主な特徴として、「三権分立」、「猟官制」、「予備選挙」の三つを挙げることができる。

米国は大統領、連邦議会、最高裁の三権分立が徹底しており、その構造は下位の州レベルの政治でもほぼ同様の構造を有している。大統領は予算教書で方針を示せるものの、実際には議会がまとめる予算に対して拒否権を持つにすぎない。また、連邦議員はその投票行動に関して政党による党議拘束を受けず、個々の議員の自由意志による裁量が大きいことでも知られている。

そのため、強力な権限と自由度を持つ個々の連邦議員に対する政治的アプローチが重視されており、政策を具体的に反映させていくための間口は極めて広い。議会での発言や投票行動をレーティングして評価することで、議会議員の活動評価を客観的に行うことができる点も政治インフラを通じた活動の有効性を確認するために重要である。

大統領交代に伴って政府高官人事をガラッと入れ替える「猟官制」も、米国における政治インフラの発展に大きな影響を与えている。アポイントメントを受ける本人が知識・経験・政策実現の機会を得るだけでなく、政治インフラを資金面・労力面などから支える人たちにとっても、政策シンクタンクや政治団体からの政府部門への人材輩出はわかりやすい成功と言える。

政府部門に送り込まれる人材は保守派内で一定の評価を受けていることが重要であり、そのために意思共有の場である程度のプレゼンスを発揮し、コネクションを構築しておくことも求められる。

最後に、政党内の公認候補者を選ぶ際の「予備選挙」の仕組みも重要である。共和党・民主党の党派が違えば政策の方向性は全く異なることは自明であるが、実は激烈な政策討論は政党内の候補者を選ぶ「予備選挙」においてこそ行われている。

当該選挙区を代表する政治家のイデオロギー的な濃淡の度合いは、予備選挙によって左右される。共和党側なら保守度、民主党側ならリベラル度がどこまでか、ということが問われる。

この予備選挙の仕組みが存在することで、政治インフラが候補者選択・政策選択に関与する機会が与えられている。共和党保守派の政治インフラ関係者は、予備選挙を通じて可能な限り保守度が強い候補者と政策が選ばれるように働きかけている。

4　我が国における政治インフラのあり方

政治インフラの未成熟性

本節では、上述の政治インフラに関して、日本の現状と可能性について評価する。

日本の政治インフラの現状を米国共和党保守派が有する政治インフラと比較した場合、イデオロギー性の強い政治インフラの発達は極めて未成熟な状態にあると言える。

イデオロギー性が強い政治インフラの発達は、政治や社会の分断を生み出す要因ともなり、米国においてはその行き過ぎが懸念されることもしばしばである。なぜなら、政治理念に基づく政治インフラの存在は、政治や社会における彼我の志向の差異を明確にすることを促進するからである。そして、高度に洗練し組織化された政治インフラのエコシステム同士が衝突するとき、各政治インフラの影響を受けた有権者の間で非妥協的な分断が形成されることになる。

ただし、筆者はそのような懸念を日本において持つことは時期尚早だと考える。

戦後の日本の政治インフラは自民党・社会党の二大政党政治の構図に合わせる形で、経済団体・業界団体と労働団体という形で形成されてきた。しかし、それらの組織化率が高かった冷戦時代とは異なり、現代社会では企業や個人にとって旧来型の政治インフラの価値は下がっており、その構成員数は減少の一途を辿っている。一方、主にNPO法人をはじめとしたシビック部門であったとしても、一部の事例を除いてヒト・モノ・カネ・情報が充実しているとは言い難く、政府部門に対して対等または優越する形で政策提言などができている組織・団体は限られる。

そのため、日本の現状は政治や社会の分断を懸念する以前の状態であり、むしろ多種多様な政治理念に基づく政治インフラの萌芽によって、政治と乖離している市民を包摂する仕組みを創ることが喫緊の課題となっているものと思う。

政治部門の制度と運用の閉鎖性

日本で政治インフラが未成熟である原因の一つは日本の政治部門の制度と運用が民間部門やシビック部門に対して極めて閉鎖的であることにある。

日本の官僚機構は公務員試験を経た新卒一括採用が主流である。そのため、人材の同質性が高く排他的な組織文化が形成されている。入省年次を踏まえた出世競争などの合理性を欠く組織運営がなされており、各ポストに着任するにあたり必要な専門知識の規定もされていない。また、専門性を有する人材が中途採用で官庁に入ったとしても任期付き任用であるケースが多く、任期切れ後のキャリアパスはほぼ何もないに等しい。さらに、シンクタンクと呼ばれる組織の大半も官庁からの業務委託を受ける下請け調査先にすぎない。そのため、官庁から独立した形で民間部門やシビック部門のために政策立案を行うシンクタンクは極めて少数である。これらの特徴は中央省庁において顕著であるが、地方においても多かれ少なかれ類似の状況が存在しているように思われる。

日本の政党についてもその閉鎖性が際立っている。政治家を選ぶ候補者選定に際して、党員による予備選挙が行われることはほとんどない。実際、小選挙区候補者選定は党本部と県連幹部だけで決めるケースも多い。候補者公募も形骸化しており、一般党員が小選挙区候補者の選定に関与できるケースは少ない。それどころか、政党の党首選挙ですら党員が参加する形でまともに行われない政党も存在し、党員が政党のガバナンスにまともに関与できないことが常態化している。

党員集めの実態としては、選挙区を割り当てられた候補者らが政党の政治理念を何ら説明することなく、日頃の人間関係の延長で名義貸しのような形で党員集めを行っているケースも散見される。

選挙時に有権者に示されるマニフェストの作成においても、既存の組織率が低下した業界団体などへのヒアリングや官庁からの情報収集を土台として、政党幹部間での調整によっておおよそ決定される。その決定プロセスは極めて不透明であり、党議拘束に縛られた個々の議員の政策的意向などについて、市民が情報を得ることすら困難である。

このような政治部門の制度と運用は、日本における公共経営の発展を阻害しており、民間部門やシビック部門が政府部門と協力して社会問題を解決する道を閉ざしている。そのため、具体的な方法論を提供するサービスである政治インフラが現状の日本において著しく未熟な状態にあったとしても何ら不思議ではない。

日本における米国型の政治インフラ発展のための政策提言

日本という政治・社会空間において、米国型の政治インフラを発展させて、民間部門やシビック部門との協力関係が効果的に構築するため、下記の三つの政策提言をまとめる。

第一に、公務員制度の改革が必要である。少なくとも幹部公務員ポストや高度な専門性が求められるポストについては内部昇進を前提とするのではなく、その職務に求められる知識・キャリアの要件を定義し、政府部門、民間部門、シビック部門から広く人材を集めることが望まれる。可能であれば、局長級以上の人材はすべて国会同意人事とすることも検討すべきである。

第二に、近代政党の確立が必要である。各政党は少なくとも党員による組織統治の仕組みが十分に機能し、予備選挙などを通じた候補者選定プロセスを持つことが望まれる。政党助成金の一部を政策立案のための利用使途に限定するなど、政党の政策立案能力を向上させるための改革も検討するべきである。

第三に、政治インフラの重要性が認知されることが必要である。高度な専門性や潤沢な予算・人材を有する政府部門に対し、公共経営を通じて民間部門やシビック部門の政治ニーズを効果的に反映させるため、政治インフラを活用する重要性が社会的に認識されることが望まれる。

この政策提言は、中央レベルだけでなく地方レベルでも同様の内容を行うことが可能である。そのため、地方レベルの取り組みとしても日本でも政治インフラの発展に向けた実践例が生まれてくることに期待する。

第7章 「デジタル・ガバナンス」を考える
――デジタル・デモクラシーの可能性

仁木　崇嗣

はじめに

公共経営とは、政府・市場・市民の三つのセクターが連携して、様々な手段を用いて社会の問題を解決し、当該国内外の社会の持続的発展に貢献する実践であり（片岡、二〇〇四）、この三つのセクターのいずれかが単独で社会問題を解決できるのであれば、公的な管理の必要はないが、この三つのセクターのうち少なくとも二つのセクターが共通の社会問題を共有し、協力して解決しなければならないのであれば、公的な管理が必要となる（縣、二〇一三）。

本稿では、広義の政府部門と市民部門をつなぐ関係性に注目し、とりわけデジタル社会が進展した現在において重要性を増す「デジタル・ガバナンス」をデジタル・ガバメントとデジタル・デモクラシーの要素に分解し、その上で、オーソリタリアニズム（権威主義）に対する警鐘を踏まえながら、デジタル・デモクラシーの可能性について具体事例を参照し検討を行う。

1　デジタル・ガバナンスの現在

前進するデジタル・ガバメント

第二〇四回国会にてデジタル庁設置法が可決され、二〇二一年九月にデジタル庁が設置された。遡ること二〇年前の二〇〇一年には e-Japan 戦略が策定され、同年に電子署名法が施行、翌年には行政手続オンライン化法が成立・公布され、二〇〇三年には e-Japan 戦略Ⅱが、二〇〇八年にはオンライン利用拡大行動計画が示された。二〇一三年には世界最先端ＩＴ国家創造宣言が発出され、同年にマイナンバー法が成立・公布、三年後の二〇一六年に官民データ活用推進基本法が施行された。その翌年に世界最先端ＩＴ国家創造宣言・官民データ活用推進基本計画とデジタル・ガバメント推進方針が策定されたことはあまり知られていない。これまで何度も計画が立てられては、著しい成果もなく停滞しているように見えるデジタル・ガバメントにようやく前進する兆しがあり、様々な批判に晒されつつも、二〇年かけて辿り着いた大きな転換期であるため、内外問わず期待が高まっている。

e-Governance からデジタル・ガバナンスへ

二〇一九年一一月一〇日に開催した早稲田大学公共政策研究所主催の「身近な地域から公共政策を考える」連続公開講座②では「e-Governance の本質を見極める〜ＩＴ活用先進国エストニアの事例から〜」と題し、ＩＴ活用先進国として呼び声が高いエストニア共和国の事例を元に、「e-Governance」について述べた。当時は、同国の表現に合わせて e-Governance という用語を用いたが、electronic と digital を比較した場合、前者は文字通り電気や磁気、光の研究や応用を取り扱う電気工学（electrical engineering）から派生した学問分野である電子工学（electronics）との関係性が強い印象を受ける。電子工学ではデジタル回路だけでなくアナログ回路も扱うため electronic の方が digital よりも対象の範囲が広いと言える（例えば、真空管式の演算増幅器を使った微分方程式解析装置のことを「アナログコンピュータ」を呼称することがある）。

しかし、現代の情報社会は、デジタル型の論理演算を行う集積回路の発展によりもたらされたものであり、「デジタルコンピュータ」の存在なしには語ることができないため、二つの用語の類似点を認めつつも本章では「e-Governance」ではなく「デジタル・ガバナンス」を用いるこ

図表7-1　e-Governanceの構成要素

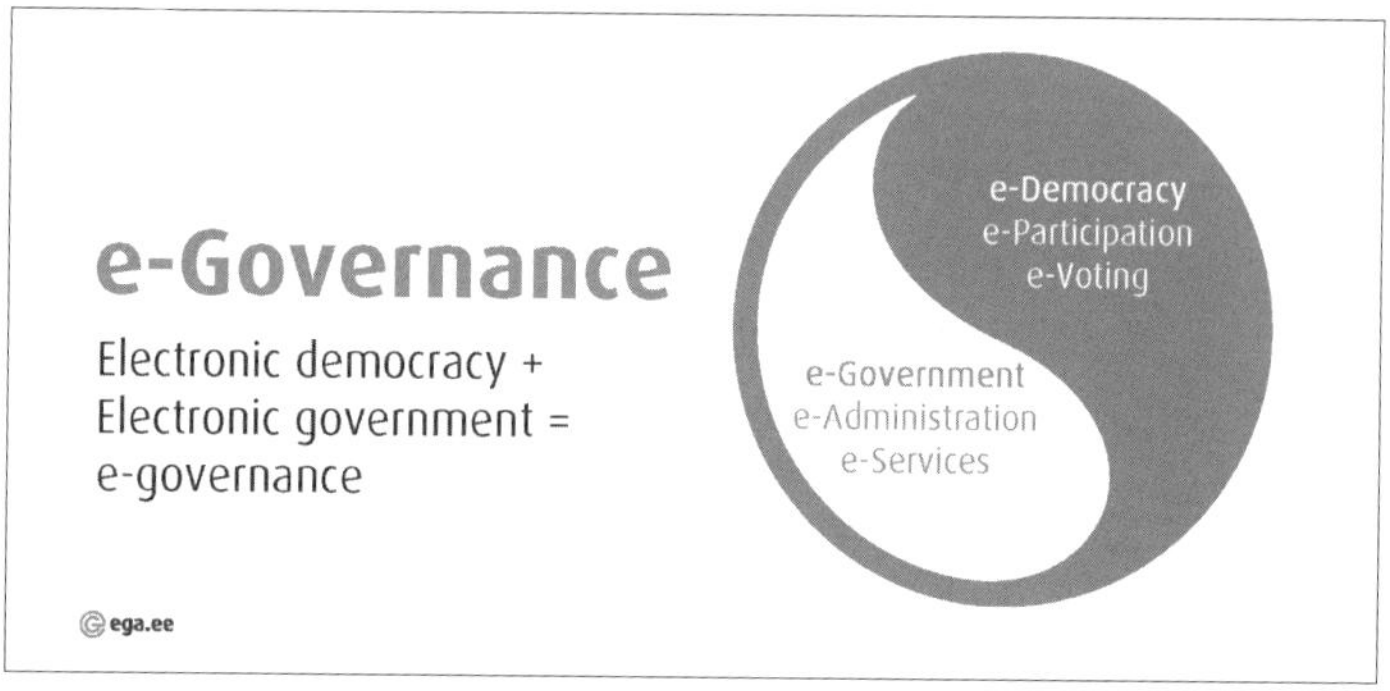

出所：e-Governance Academy.

ととする。なお、二〇〇二年にエストニア共和国に設立された公共部門と市民社会組織のデジタル変革の実現を支援している非営利財団であるe-Governance Academy（ＥＧＡ）は、図表７―１で示すように、e-Administrationやe-Servicesなどの行政サービスの電子化を対象とするe-Governmentと、e-Participationやe-Votingなどの民主主義や政治参画のプロセスの電子化を対象とするe-Democracyが対になることでe-Governanceが成立すると指摘している。

このように考えると「デジタル・ガバナンス」もe-Governanceと同様にデジタル・ガバメントとデジタル・デモクラシーが対になることで成立すると言えるのではないか。ここでは仮説として指摘しておきつつ、後ほどあらためて検討を加えることとしたい。

デジタル・ガバナンスとは何か

続いて、「デジタル・ガバナンス」について定義を確認しておきたい。そもそもガバナンスとはなんだろうか。馬田隆明は『未来を実装する――テクノロジーで社会を変革する4つの原則』（英治出版、二〇二一年）の中で、ローレンス・レッシング『CODE VERSION 2.0』（翔泳社、二〇〇七年）などを参照しながら「関係者や関係するモノの相互作用を通して、法律（制度）や社会規範、市場、アーキテクチャなどを形成・変化させることで、効率・公正・安定的に社会や経済を治めようとするプロセス全般のこと」と定義している。本章もこの考え方に基づきガバナンスを位置づけた上で、このプロセス全般のうち、デジタル技術が影響を及ぼし、あるいは機能を置き換えることができる範囲をデジタル・ガバナンスと定義する。次節では、この考え方を念頭に、政府と市民の関係性に作用するデジタル・デモクラシーについて検討を進めることとする。

2　デジタル・デモクラシーとは何か

デジタル・デモクラシーの担い手

前節で定義した「デジタル・ガバナンス」について、法律（制度）や社会規範、市場、アーキテクチャなどの形成・変化に対し行政面から作用するものがデジタル・ガバメントであり、市民が関わり作用するものがデジタル・デモクラシーであるとすれば、デジタル・ガバメントは主体が行政であることは明確だが、デジタル・デモクラシーは概念的には主体は市民であるが、実体的には生活者としての一般市民のみならず立法府やCSO（市民社会組織）、サイバースペース上のユーザーが主体と言うこともできるであろう。いわば行政以外のすべての人々が主体になり得るということである。したがって、本質的に参画予定者が膨大であり、意思統一には困難が伴う。世界を見渡してみても、デジタル・デモクラシーよりもデジタル・ガバメントが比較的先行しており、具体例が目立つことの理由の一つであろう。

デジタル・デモクラシーの具体事例

デジタル・デモクラシーは担い手が様々であり、ともすれば行政以外のすべての人々が参画予定者であると前項で述べた。そのため網羅することは困難であるが、機能を整理した上で代表的な事例を参照し、イメージの具体化を試みる。

民主主義は立法・行政・司法にそれぞれ影響を及ぼす。したがって、デジタル・デモクラシーも同様に作用する機能を持つと考えられる。どのような機能があるだろうか。かつてeデモクラシーと呼ばれた時代の先行研究では、「情報」、「討議」、「代理人の選出」、「政策の決定」の四段階に分類し、検討がなされた（米山、二〇一〇）。筆者は、この前段階に「ネットワーク（つながりの創出）」を加えた五分類を提案する。これは、SNSメディアの発達により人々の情報摂取

図表7-2　デジタル・デモクラシーの機能分類

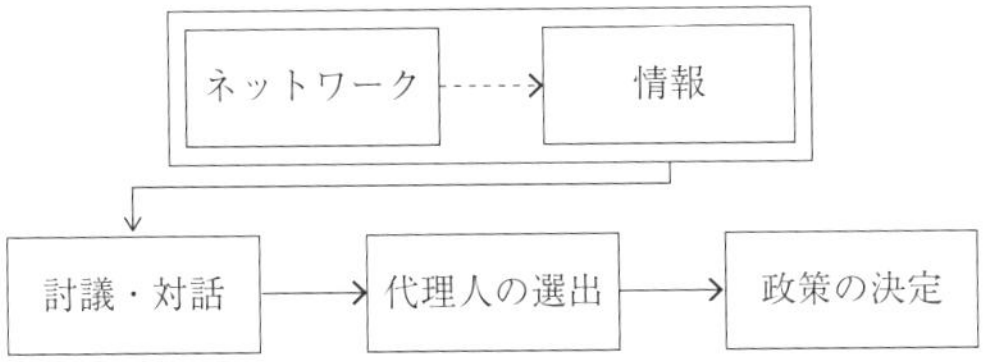

の形式がそれまでのマス的な一方方向のものではなく、人々のつながりが大きな影響を及ぼすようになったためである。加えて、ネットワークの存在により「討議」の性質が変化するのではないかと考える。意見を競い合い解を求めるだけではなく、対立する意見を交わらせて昇華させる「対話」の創出が想定できる。場合によっては「ネットワーク」を介在せずに「情報」と接する機会も存在するため、これらは並立するものと考えられる。まとめると「ネットワーク」・「情報」、「討議・対話」、「代理人の選出」、「政策の決定」の五分類四段階となる。これらの機能分類を意識することで、それぞれの取り組みがどの機能に寄与しているか判断がしやすくなり、不足している機能からさらにどのような取り組みが必要かを考えるきっかけとなるであろう。

①エストニアの事例

エストニア議会では、委員会議事録の公開遅延や、議会関連データが機械判別できないデータ形式となっていること等が課題となっており、二〇一八年から改善に取り組み、現在では、委員会議事録については平均して三日間以内、通常は七日間以内に、議会ウェブサイトで公開され

図表 7-3　The Citizens' Initiative ウェブサイト（https://rahvaalgatus.ee/）

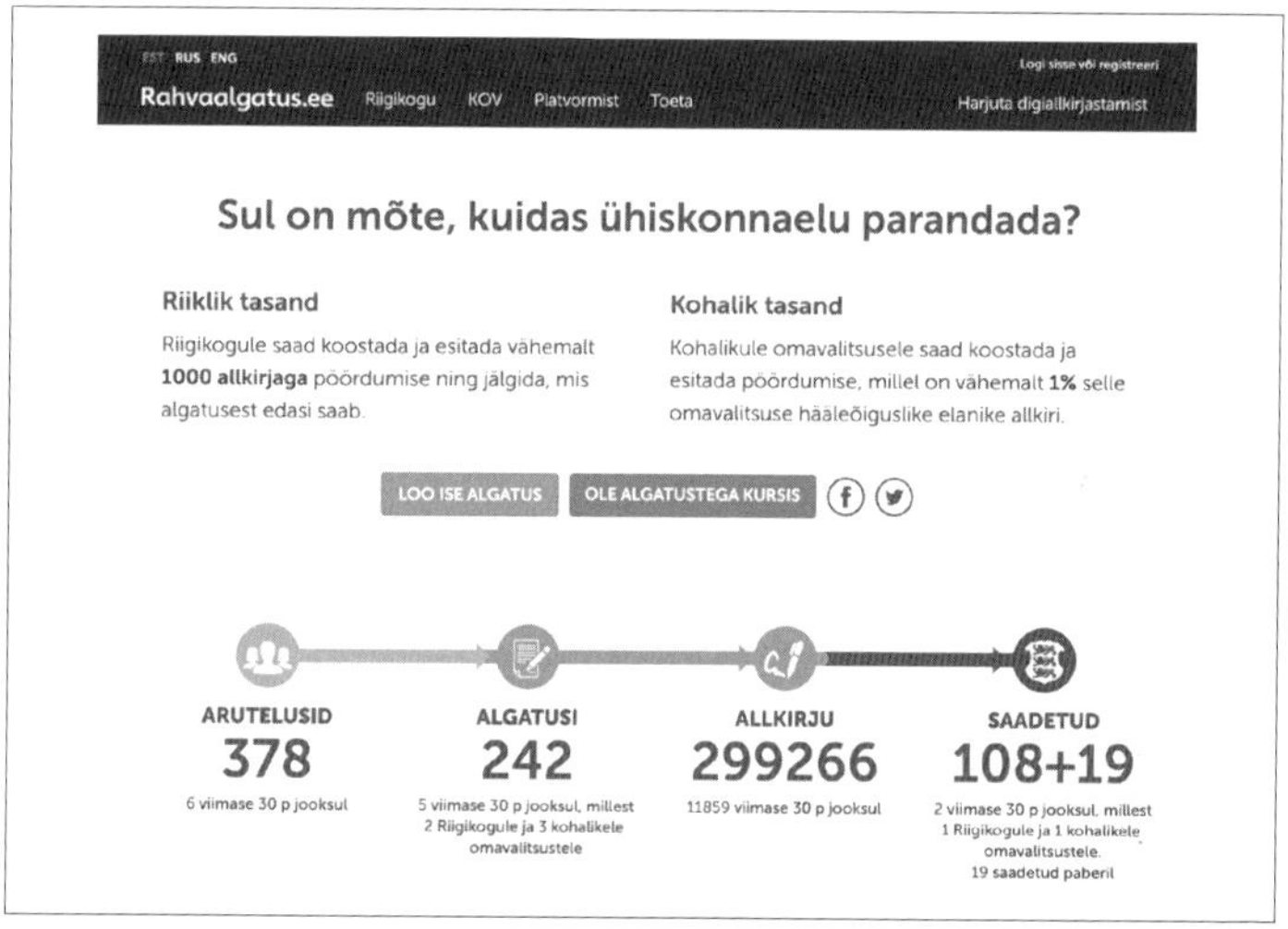

るようになっている（以前は各委員会で公開時期が大きく異なり、数日間から最大で数ヶ月間遅延していた）。また、審議法律案、擬似情報や投票結果等の議会データはAPI機能を通じて機械判別可能なデータ形式（JSON）で取得できるようになった。これらは、ネット請願プラットフォームである「The Citizens' Initiative」上での議会の請願審議ステータスの反映機能に利用されているほか、現地大学が開発した議員活動の分析・可視化アプリ等にも使用されている。

②ブラジルの事例

ブラジル連邦議会下院では、二〇一八年から機械学習を用いた情報サービスを提供するユリシーズ・プロジェクトが進行して

図表 7-4　ユリシーズ・プロジェクトにおける顔認証システムのプロトタイプ画面

出所：IPU YouTube チャンネル（https://youtu.be/4MsVR9LxBJU）。

図表 7-5　ブラジル連邦議会ウェブサイト（https://www.camara.leg.br/）

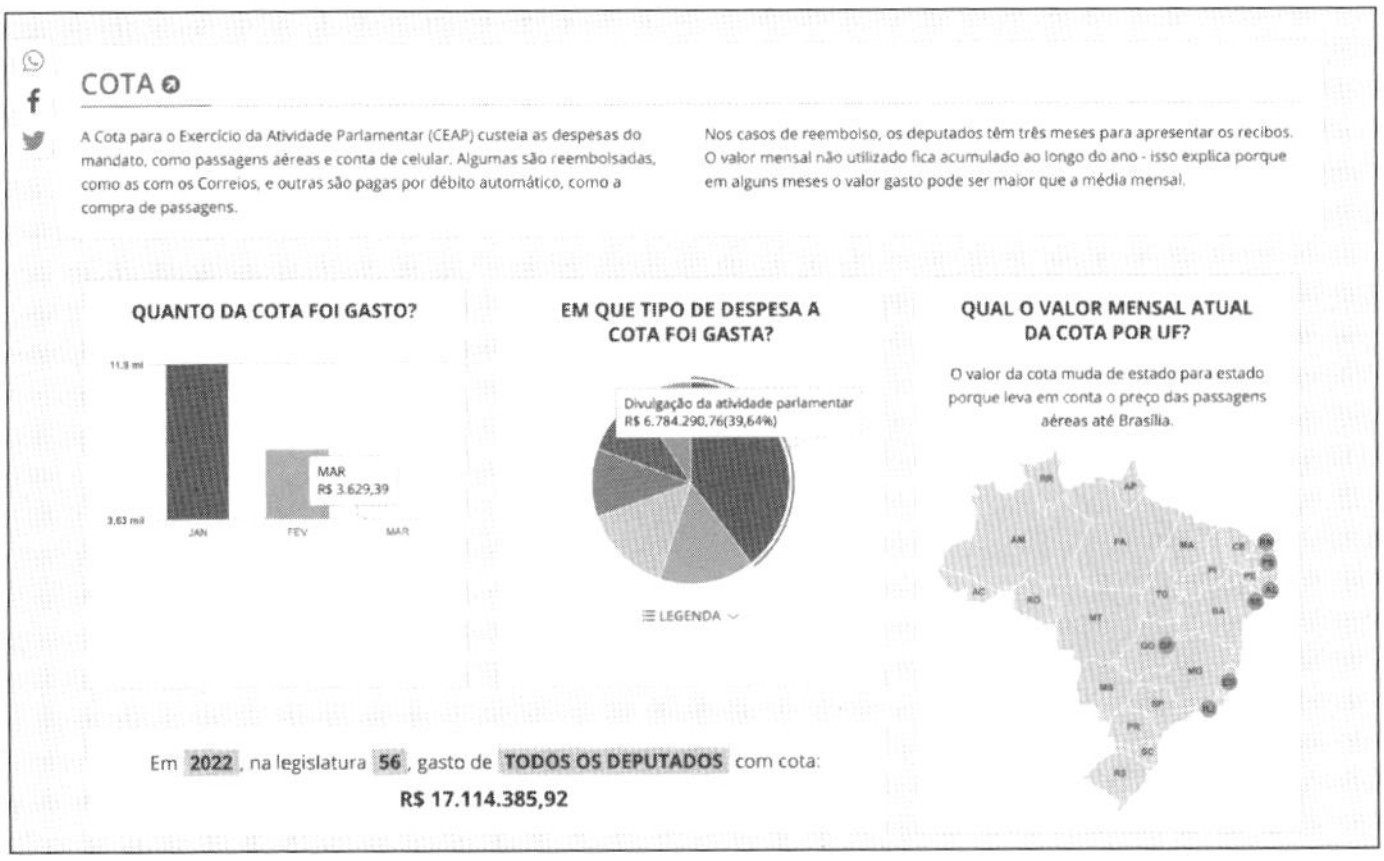

図表 7-6　オープン・ロー・ポータル（https://leyesabiertas.hcdn.gob.ar/）

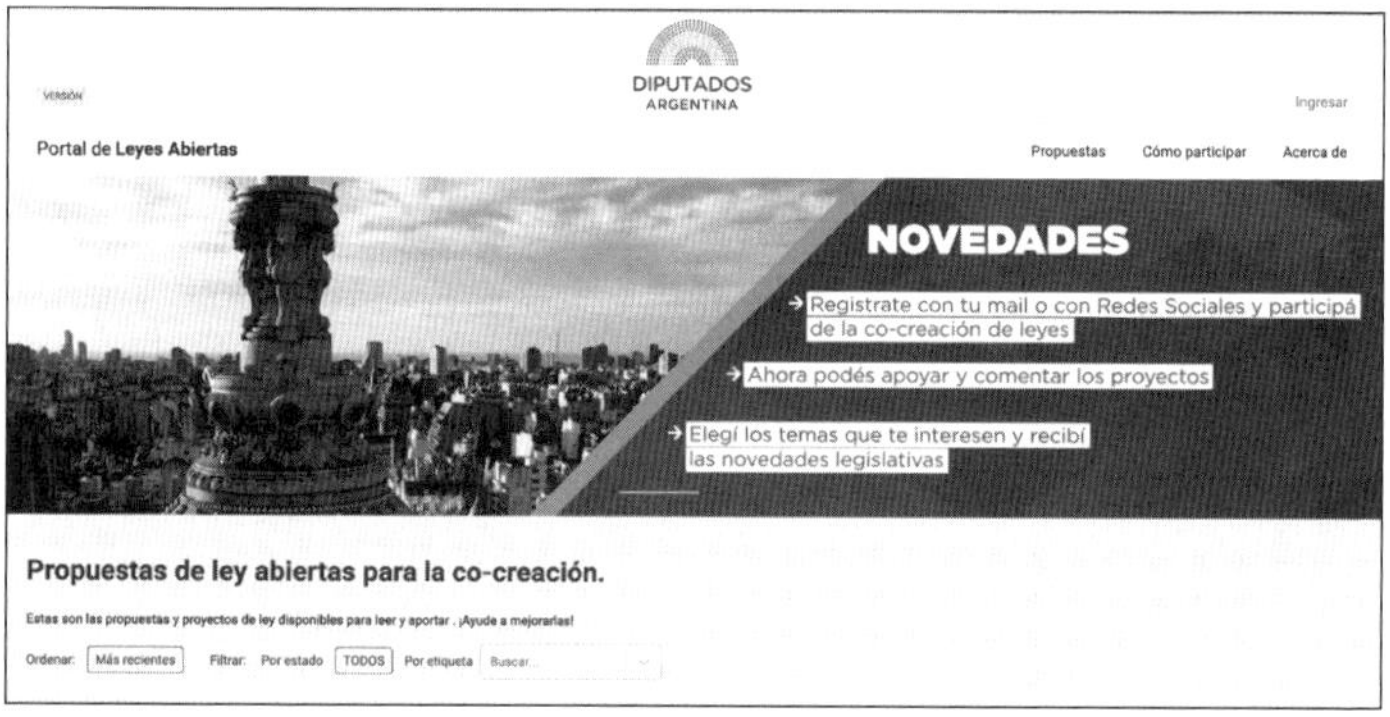

いる。各種テキスト（法律案、議会発言、報告書等）のテーマに応じた自動分類、顔認証による議員の発言時間の記録や電子パネル表示の自動化、対話型インターフェース（チャットボット）による議会情報の提供に取り組んでいる。現在の課題として、法律案等に対して市民から寄せられた意見のマイニング（大量の意見情報から機械が論点の抽出・分析等を行うもの）に取り組んでいる。

③アルゼンチンの事例

アルゼンチン議会下院では、議会の現代化計画の一環として、オープン・ロー・ポータルを立ち上げ、ポータル上ですべての議員が提出前の法律案をアップロードでき、市民は意見やフィードバックを投稿することができる。また、オープン・データ・ポータルでは、各議員の投票結果等が再利用可能なデータ形式で利用できる。これらを受け、二〇二一年に開始した「第一次開かれた議会行動計画（First Open Congress Action Plan）」では、議事資料等のデジタル化及び公開、委員会情報の質的及び量的拡充、議会審議へのさらなる市民参加と新たな仕組みの導入等の目標が設定されている。

④フィンランドの事例

フィンランド議会では、二〇一八年にリシッコ議長（当時）によって、「Facebookライブセッションを用いた市民との交流行事が開始された。セッションは一回あたり三〇分で、議会に関する市民からの質問に議長が直接返答するというもので、Facebookのガイドラインに反するもの（ヘイトスピーチ、脅迫等）を除き、市民からの厳しい批判や意見の投稿も認められた。最初の四回のセッションで最大四五〇〇人の市民が参加し、時間内に返答できないほど多くの質問が寄せられた。

また、フィンランド議会では委員会及び本会議のウェブキャストプラットフォームが整備されており、映像と発言内容が同期する形で提供されている。

⑤南アフリカの事例

南アフリカ議会では、二〇二〇年のコロナ禍への議会対応の一環として、市民参加の促進のため、法律案審議における意見提出にメッセージング・アプリ「Whats App」を利用し、議会の法律制定過程やその他の議事について、アプリを通じて市民が意見を提出することを認めている。その他にも、サハラ以南のモバイルネットワーク下にあるユーザーを意識し、映像に比べてデー

図表 7-7　フィンランド議会公式 Facebook ページ
(https://www.facebook.com/suomeneduskunta/)

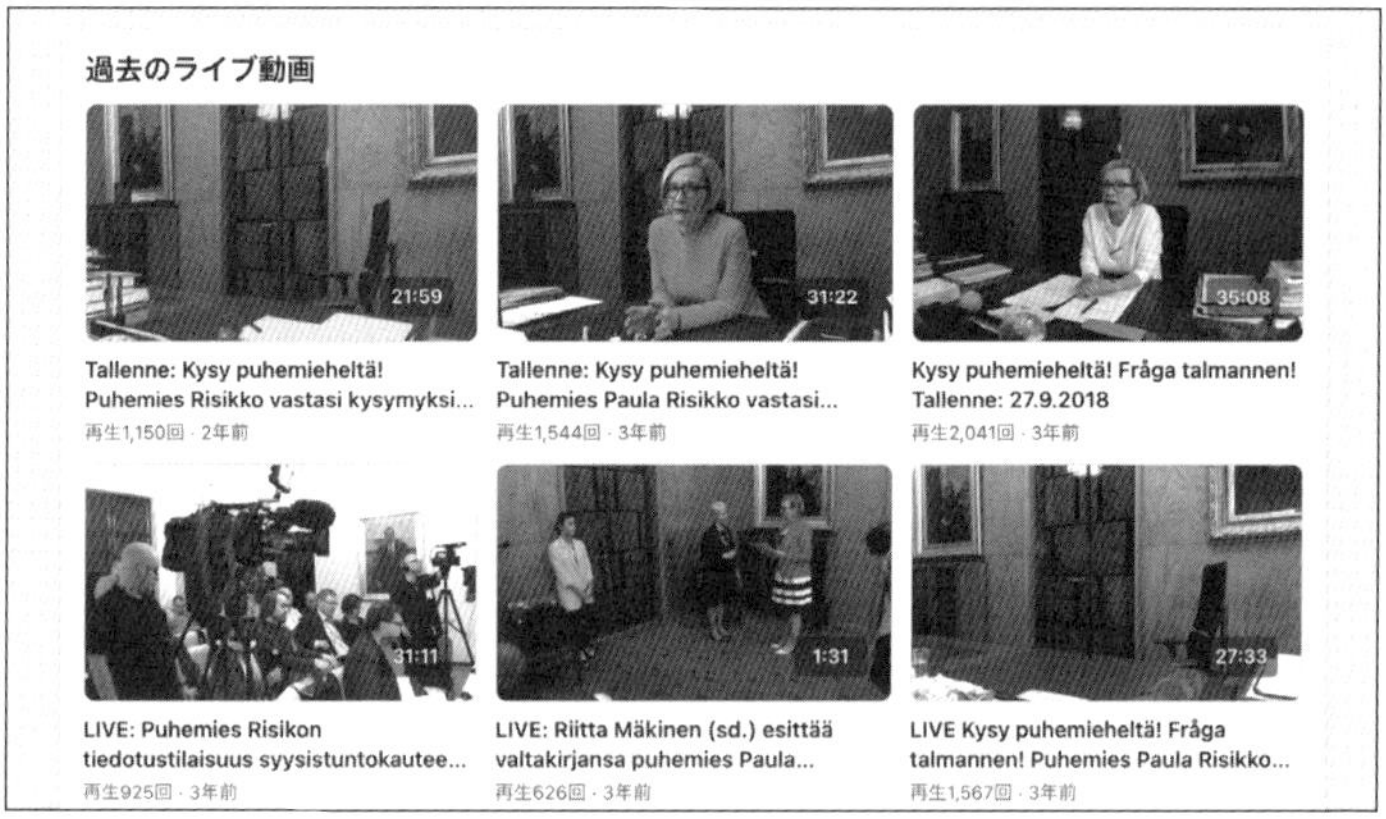

図表 7-8　フィンランド議会ウェブキャストプラットフォーム
(https://verkkolahetys.eduskunta.fi/fi/)

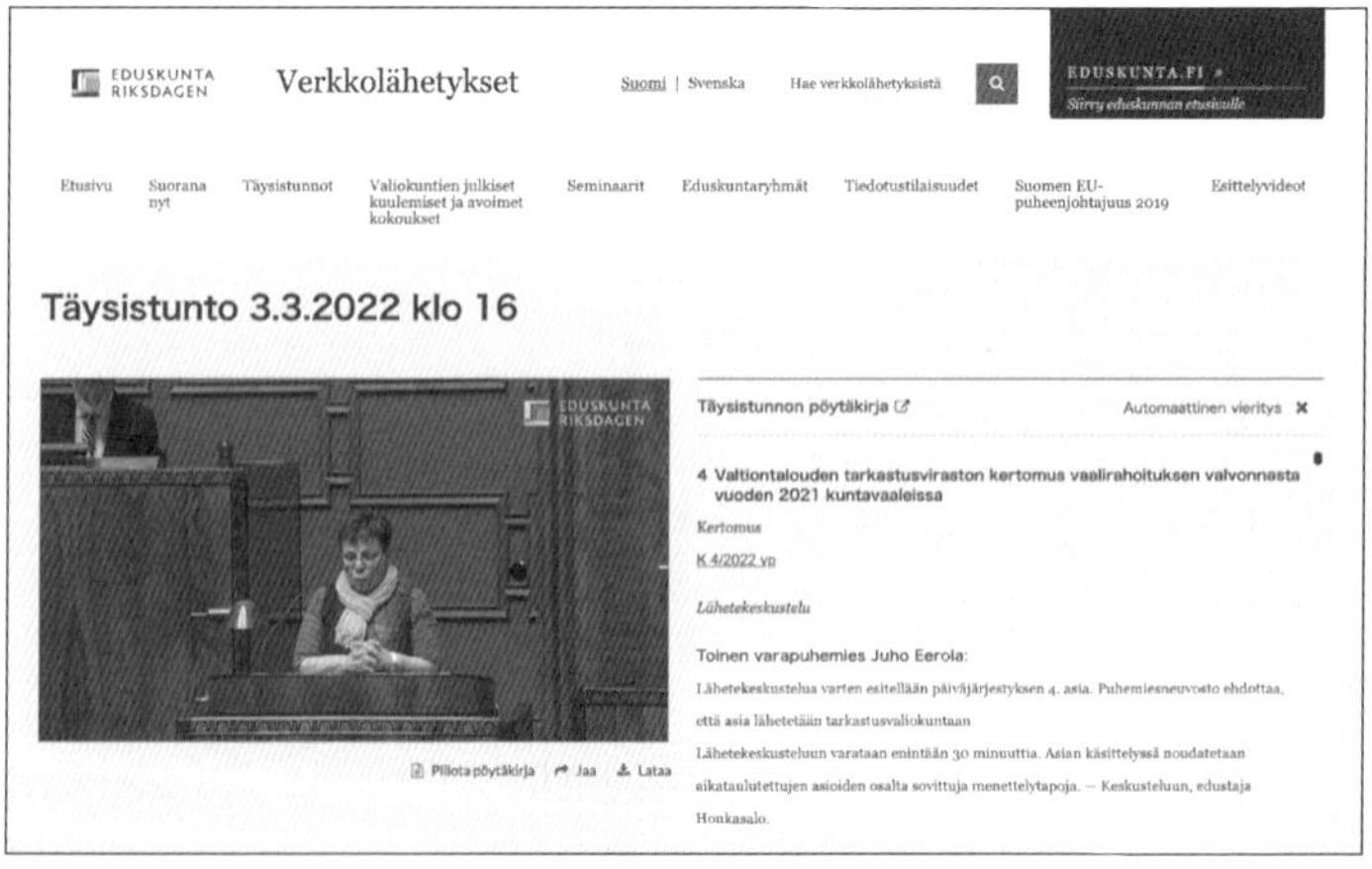

図表 7-9　南アフリカ議会オンラインオーディオプラットフォーム
（https://iono.fm/p/1216）

タ容量の少ない音声によるオンラインオーディオプラットフォームが活用されている。

⑥米国（ニューヨーク州）の事例

ニューヨーク州上院議院では、ウェブサイトのトップページで「我が州の社会的課題について、皆で意見を共有しよう。そして、法案に対して賛成・反対の声を上げ、我々の声を議会に届けよう」と宣言し、州民にとってわかりやすい情報提供を試みている。本稿執筆時点（二〇二一年一〇月時点）において、二〇二一年の法案の状況について、四八二件の法案が法律として成立し、五八件が知事の署名待ち、九件が拒否権を発動されたことがわかりやすく示されている。個別の法案についてもＰＤＦでダウンロードでき、法案の現在の状況や、どの議員が賛成・反対の票を投じたかが明示されている。

図表 7-10　ニューヨーク州上院議院ウェブサイト
(https://www.nysenate.gov)

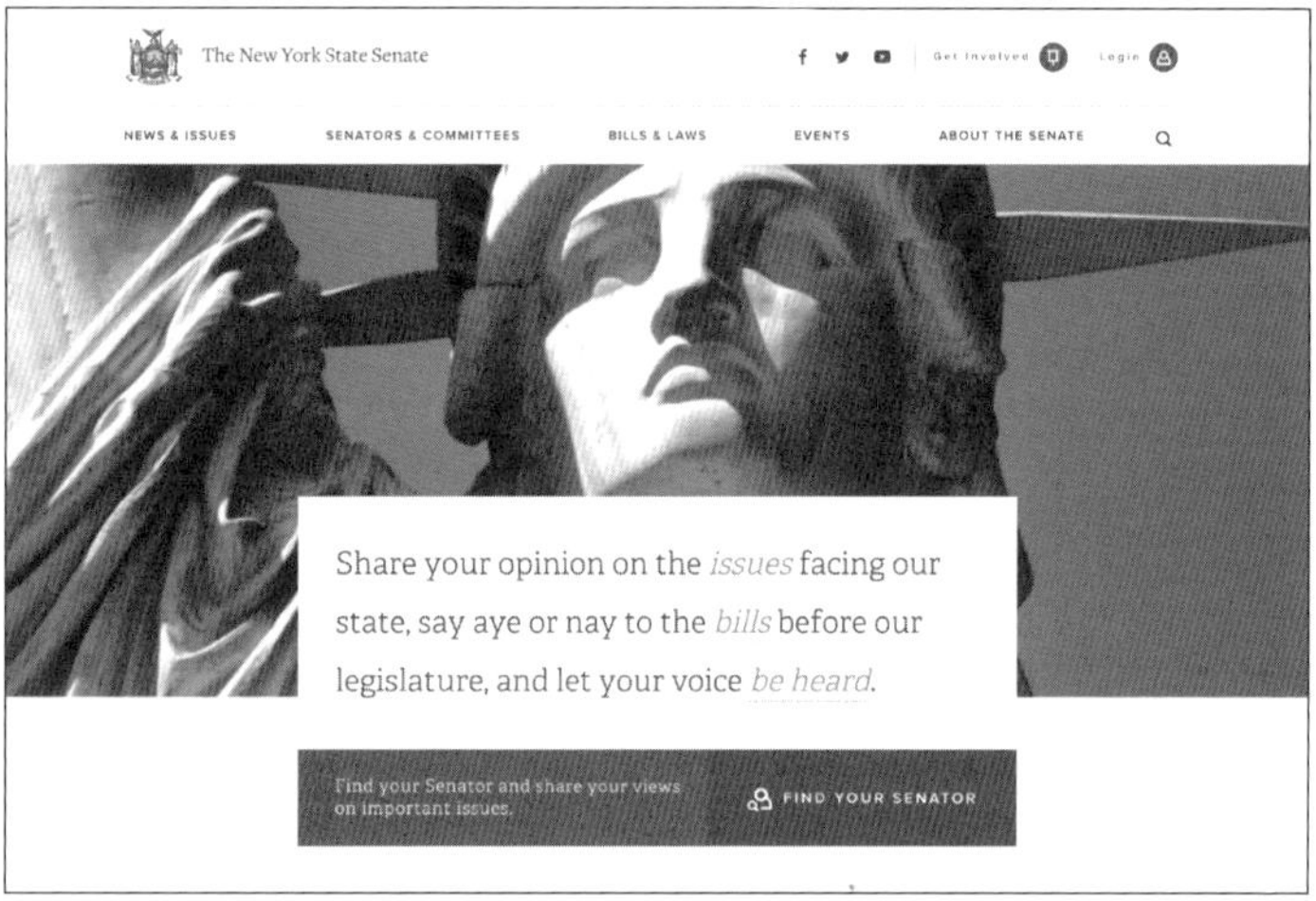

図表 7-11　ニューヨーク州上院議院ウェブサイト
(https://www.nysenate.gov)

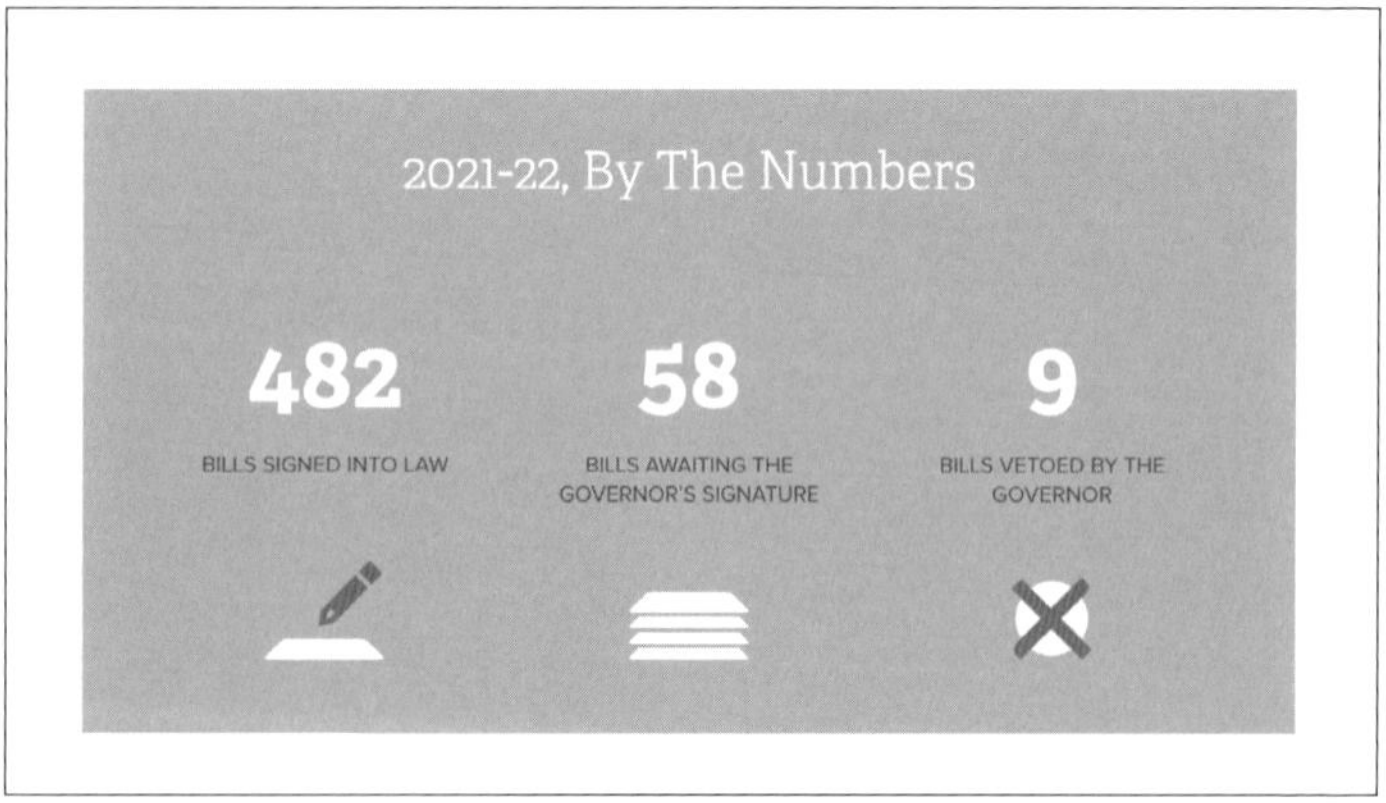

図表 7-12　LA FABRIQUE DE LA LOI（法のファクトリー）ウェブサイト
（https://www.lafabriquedelaloi.fr/）

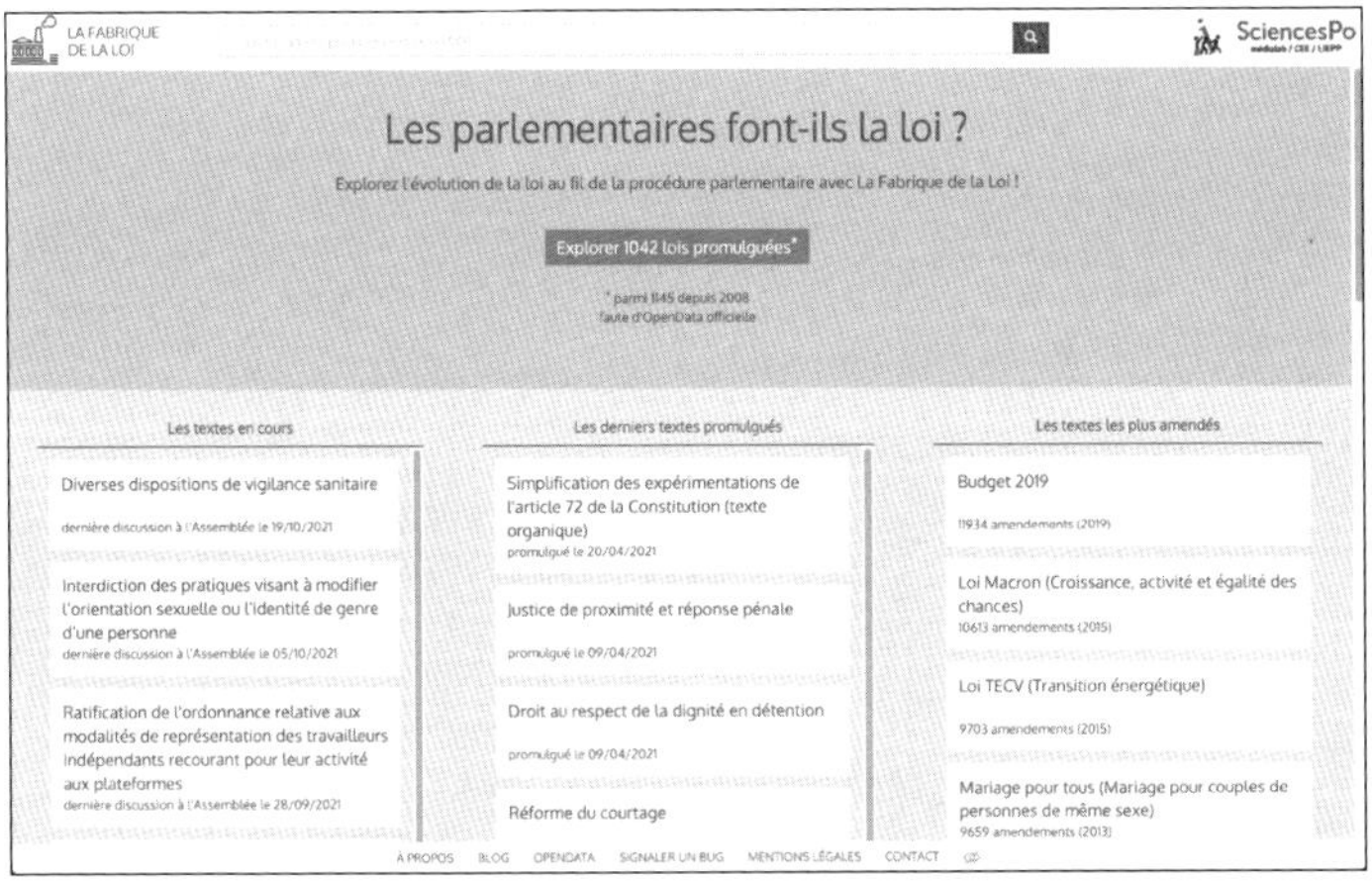

また、州民向けサービスとして、アカウント登録により、関心のある法案の追跡、法案に対する賛成・反対の投票、政策課題や委員会の追跡、請願書への署名、アンケートへの回答、上院議員へのメッセージ送付などが可能となっている。さらに自分用にカスタマイズしたダッシュボードで関心のあるコンテンツをフォローし、選挙区の上院議員とコミュニケーションできる機能も備わっている。

⑦フランスの事例

フランスのNGOであるRegards Citoyensは、二〇〇九年から公共分野におけるオープンデータ原則を推進するとともに、二〇一〇年から透明性を求めるロビー活動を行っており、その一環として、二〇一一年に「LA FABRIQUE DE LA LOI（法のファクトリー）」という共同プロジェクトを開始した。二〇一四年にウェブサイトがリリースされ、本稿執筆時点で二〇〇八年以降制定された一一四五件の法律のうち公式のオープンデータが揃っている一〇四二件の法律が検索でき、バージョン管理されたテキストとしてGitのリポジトリで公開されている。また、法案の成立過程や条文の追加・削除といった変遷の過程をウェブサイト上で視覚的に確認することができる。さらに、各議会で各会派や議員がどのような修正を行い、どのような議論を行ったかということも視覚的に表現されている。

⑧日本の事例

NPO法人Mielkaは、二〇一七年の衆議院議員総選挙から「JAPAN CHOICE」というウェブサイトを公開している。二〇二一年の衆議院議員総選挙に合わせてアップデートされたサイトでは、投票ナビという政党マッチングツールや候補者データベース、政党の政策比較や公約実現度の可視化ツール記事や動画などのリンク集を提供している。他メディアや新聞社等も提供している政党マッチングツールと異なり、議員pediaという視覚的に議員の政策や属性の比較ができるツールなども合わせて、ワンストップで市民の関心を満たすポータルサイトとして提供されている。スマートフォンでも見やすく、ユーザーインターフェースが洗練されている。

これらの事例は一部にしかすぎないが、前述したデジタル・デモクラシーの機能分類である

図表 7-13　投票ナビ（https://japanchoice.jp/vote-navi）

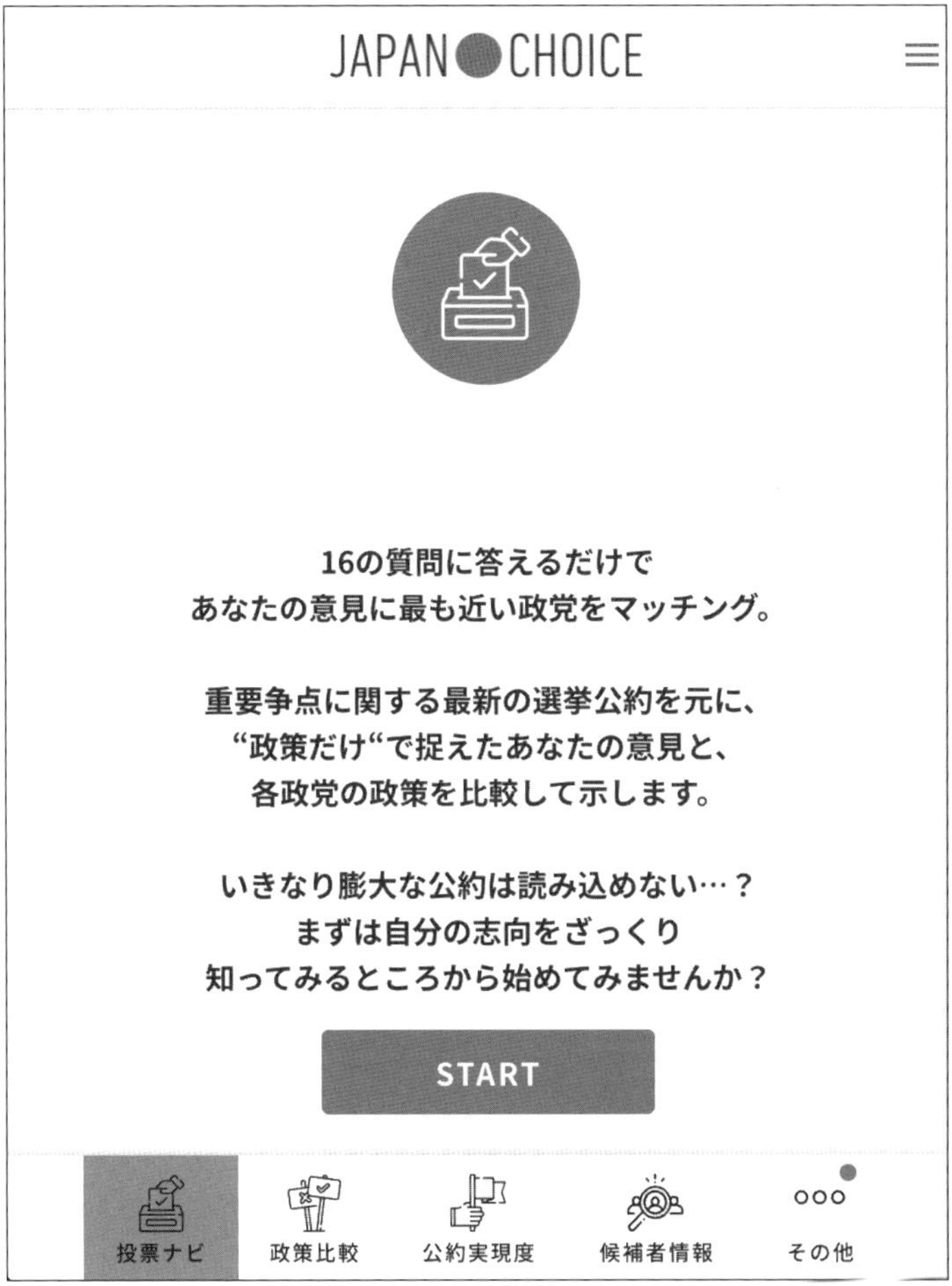
JAPAN CHOICE
16の質問に答えるだけで
あなたの意見に最も近い政党をマッチング。
重要争点に関する最新の選挙公約を元に、
“政策だけ“で捉えたあなたの意見と、
各政党の政策を比較して示します。
いきなり膨大な公約は読み込めない…？
まずは自分の志向をざっくり
知ってみるところから始めてみませんか？
START
投票ナビ
政策比較
公約実現度
候補者情報
その他

「ネットワーク」・「情報」、「討議・対話」、「代理人の選出」、「政策の決定」の五分類四段階のいずれかの要素にそれぞれ何らかの影響を及ぼしている事例と言えよう。

3 デジタル×直接民主主義の可能性

前節では、国別に代表的な事例を俯瞰した。様々な取り組みがあるが、その多くは、間接民主主義を前提とした取り組みである。この節では、前節の事例の一部にも挙げられていた「ネット請願」について取り上げる。ネット請願とは、インターネットで署名を呼びかけ、有権者の声を政治家や行政に届ける仕組みのことだ。これは既存の仕組みをデジタル技術でアップデートすることで直接民主主義的な作用を及ぼす取り組みと言える。二〇一七年三月二一日の『日本経済新聞』では「ネット請願　政治動かすか」という見出しでイギリス下院でのネット請願についての記事が掲載された。二〇一六年にEU離脱の是非を問う国民投票のやり直しを求める請願に四一五万人を超す署名が集まったことや、記事公開時点でドナルド・トランプ米大統領（当時）の公式訪英中止を求める請願に一八六万人が署名していることが記され、注目が集まっていると記事では述べられている。Change.org などのオンライン署名サイトとは異なり、法的に規定された請願権に基づく取り組みとして区別することができる。なお、請願権は主要国で憲法上の権利と

図表7-14　議員pedia（https://giinpedia.japanchoice.jp/）

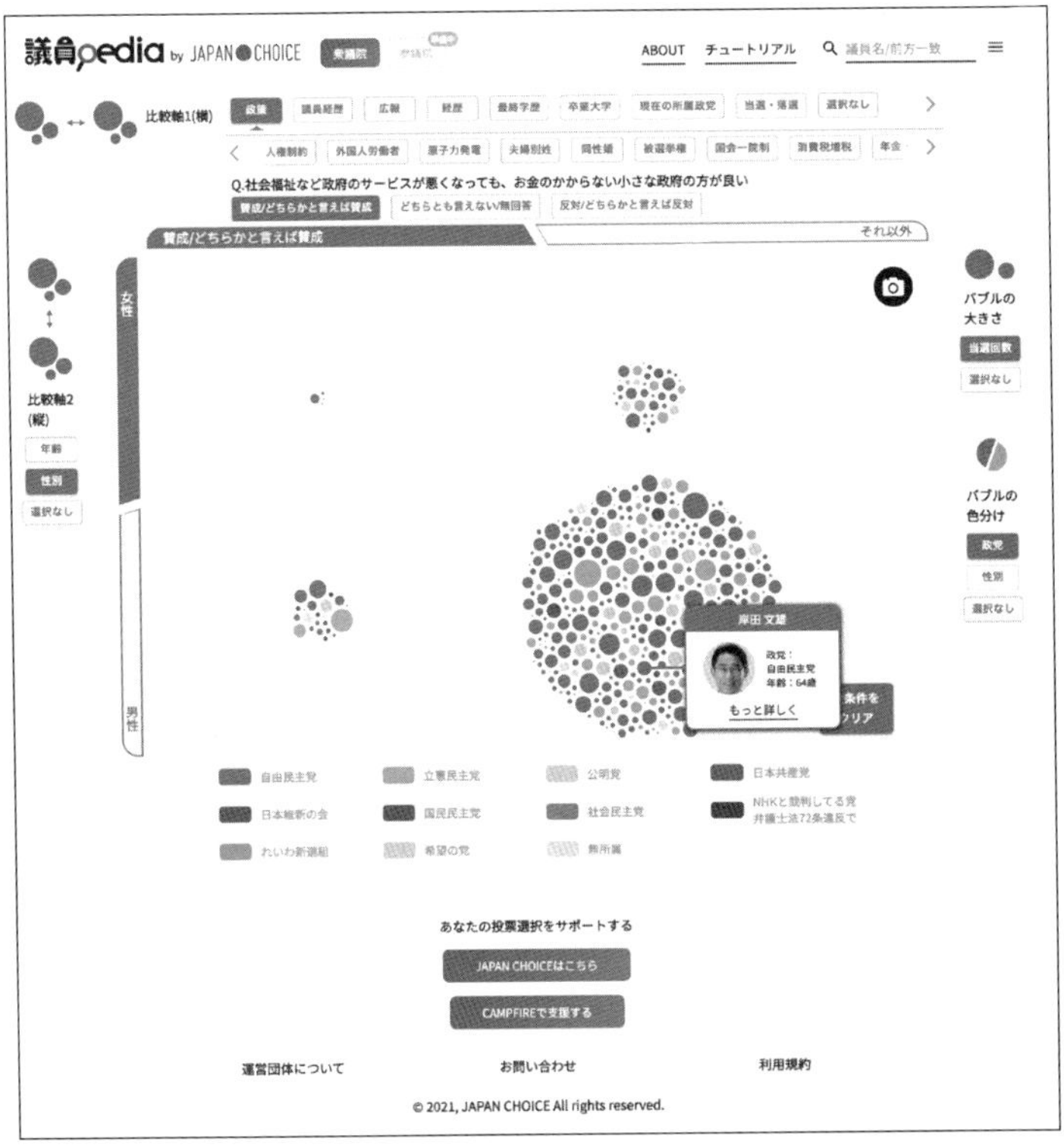

ドイツ下院	イギリス下院
・基本法第 17 条、第 45c 条。 ・下院請願委員会の権限に関する法律。 ・下院規則第 108 条～第 112 条。	・下院規則第 153 条～第 157 条。
2005 年。	2015 年。
何人も、個人でまたは他人と共同して、請願または訴願をなす権利を有する。	イギリス国籍を有する者、イギリス国内在住者。
不要。	不要（紙媒体の請願書を提出する場合、必要）。
・請願者は、下院ウェブサイトでアカウントを作成の上、ウェブサイト経由で請願書を提出する。	・請願者は、自分以外に 5 人の署名を集め、政府と下院が共同で運営するウェブサイト経由で請願書を提出する
・下院ウェブサイトで、4 週間公開される。 ・各請願について、下院ウェブサイト上で賛同の署名を行うことができる。 ・署名者は、氏名・住所・電子メールアドレスを記入する。 ・アカウントを登録したユーザーは、各事案に関する意見を付し、当該事案について議論することができる。	・請願は、共同運営ウェブサイトで、6 ヵ月間公開される。 ・イギリス国籍を有する者またはイギリス国内在住者は、各請願について、共同運営ウェブサイト上で賛同の署名を行うことができる。 ・署名者は、氏名・電子メールアドレス・国名・郵便番号・国籍・居住要件を満たしていることを記入する。
請願委員会（常任委員会）	請願委員会（特別委員会） ※ほぼ常任的
・5 万人の署名が集まった場合、請願者は、請願委員会の公開会議で、委員と議論する機会を得る。 ・署名の数に関わらず、公開された請願は請願委員会によって審査される。 ・請願委員会は、政府機関等に対する証拠の要求、委員に夜現地視察等を行い、議院への議決勧告を決定する。 ・本会議では委員会の議決勧告を審議し、決議を採択する。政府に対し、行動を求める勧告を行った場合、当該勧告に拘束力はないが、政府は自らの立場を正当化するための説明を行う必要がある。 ・請願者には、審査結果について通知される。	・1 万人の署名が集まった場合、政府からの回答を得ることができる。 ・10 万人の署名が集まった場合、請願委員会の勧告により、議会での討論のテーマに取り上げられる（すでに審議された案件や審議の予定のある案件については、審議されない場合がある）。 ・署名の数に関わらず、公開された請願は請願委員会によって検証され、審査対象となるものが決定される。 ・請願委員会は、請願者に対する情報・証言の要請、政府機関等に対する証拠の要請、政府に対する対応要請、下院の他の委員会に対する審査要請を行うほか、請願を下院の審議に付すことができる。 ・請願者及び署名者には、請願の進捗をメールで通知する。
・下院ウェブサイトで公開した請願は 886 件。5 万以上の署名を集めたものは 6 件（2018 年。以下同様）。 ・紙媒体（郵便・FAX）も含め、1 年間で受理した請願は 1 万 3,189 件、集まった署名数は 81 万 1,926 件。請願委員会が審査した請願は 4,369 件、うち採択 1,206 件、不採択 2,987 件、その他 176 件。	・1 年あたりネット請願提出数は平均約 2 万 5,000 件（2015 年 7 月～ 2019 年 7 月）。 ・1 年ごとの 1 請願あたりの平均署名数の下限及び上限は 422（2018 年）～ 933（2016 年）。 ・100 万以上の署名を集めたのは 3 件、10 万以上は 132 件、10 万未満 1 万以上は 746 件（2015 年 7 月～ 2019 年 7 月）。

図表 7-15　ネット請願の各国比較

	スコットランド
請願制度の主な根拠規定	・議員規則第 6.10 条、第 15.4 条〜第 15.8 条。
ネット請願制度導入時期	2004 年。
請願者	議員を除き、個人・団体を問わず、何人も請願を提出することができる。
議員の仲介	不要（ただし、提出にあたり、少なくとも 1 人の議員または政府構成員に対し、事案解決のための働きかけを行っている必要がある）。
提出	・請願者は、議会ウェブサイトでアカウントを作成の上、ウェブサイト経由で請願書を提出する。
賛同者の電子署名	・請願は、議会ウェブサイトで、4 〜 6 週間公開される。 ・各請願について、議会ウェブサイト上で賛同の署名を行うことができる。 ・署名者は、氏名・電子メールアドレス・国名を記入する。 ・各事案に関する意見を付し、当該事案について議論することができる。
審査機関	請願委員会（議事規則に定められた事項を所管する「受任委員会」の一つ）。
請願の取り扱い	・ウェブサイトで公開された請願は、請願委員会が審査を行う。必要な場合には、請願者に証言を求め、関係機関に文章の提出を求めることがある。 ・請願委員会は、当該請願について採るべき措置（政府職員等からの口頭証言の聴取、政府に行動を促す勧告の発出、本会議での審議要求、審査終了等）を決定する。 ・請願者には、審査の進捗、審査結果及び審査終了の理由が通知される。 ・請願の審査状況は、議会ウェブサイトで確認できる。
統計	・紙媒体も含め、直近 1 年間で請願委員会が審査した請願は 164 件で、そのうち新規提出は 71 件（2019 年 5 月〜 2020 年 5 月）。 ・2004 年には、16 万の署名を集めた請願が注目を集めた。

出所：国立国会図書館の調査資料（2020 年 7 月 30 日）をもとに筆者作成。

して保障されており、我が国においても、日本国憲法一六条で、損害の救済や公務員の罷免、法律の制定などについて「平穏に請願する権利」が定められている。

しかし、請願を受けた際に法的な拘束力は持たず、誠実な処理が求められるとされるが、事後処理は各機関の判断に任されており、調査・処理報告などの義務がないために、実効的に活用されていないのが実態であり、無論、ネット請願の仕組みも整備されておらず、デジタル化以前の問題であるため、ここでも他国の事例を頼ることとしたい。前述したイギリス下院の例の他、スコットランドとドイツ下院のネット請願制度について国立国会図書館の調査資料（二〇二〇年七月三〇日）をもとに図表7—15として参照し、デジタル・デモクラシーの領域の一つとして考察する。

図表7—15を見ると、これらの国々では根拠規定に基づいて請願の取り扱いに厳密なルールを設けていることがわかる。デジタル・デモクラシーを機能させるためには、デジタルの技術的要素よりも、制度として作り込まれた法体系が重要であるということである。そして、その法体系を作り出すのは、立法府を構成する政治家であり、デジタル・デモクラシーの発展には政治的意志が不可欠である。そして、その政治的意志を支え、動かすのは市民のまとまった意志であろう。政治家と市民が相互に関係し、基礎となることはこれまでの民主主義と同一であると言える。

4 デジタル権威主義との比較

ここまでデジタル・デモクラシーの具体事例を参照し、部分的に深掘りをしながら、全体像の把握を試みてきた。ここでは、より輪郭を明らかにするために、デモクラシーのない状況下での「デジタル・ガバナンス」を考えてみたい。わかりやすい事例としては一党独裁（衛星政党は存在する）の権威主義体制を採用している中国がある。代表的な事例を四つ参照する。

①大規模情報検閲システム「防火長城（Great Firewall）」

中国国内外で行われるインターネット通信に対して監視するだけでなく、接続規制・遮断も行う大規模なネット検閲システムである。ウェブサーバーへの接続の規制において、検閲対象用語をもとに遮断を行うのが特徴である。画像認識や音声認識を駆使して自動的に検閲する人工知能と機械学習も利用されている。

②密告サイト「举报」

中国国家安全省が二〇一八年四月一五日より運用を開始した国の安全に危害を与える情報を募る専用サイト。スパイやテロのほか、政権転覆、国家分裂を扇動する組織など共産党・政府に反対する動きを密告するよう奨励している。密告時の類型は「暴力とテロ」、「スパイ活動」、「機密

図表 7-16　挙報ウェブサイト（https://www.12339.gov.cn/index）

情報の漏洩」、「分離独立」、「国家権力の転覆」、「その他」の六つの中から選んで送信する。簡単なフォームにより、いつでも、どこでも、誰でも密告が可能になった。なお、密告の対象者を定める根拠となる法律は次の八つとされ、サイトにリンクが掲載されている。

（1）「中華人民共和国刑法」
（2）「中華人民共和国国家安全保障法」
（3）「中華人民共和国スパイ防止法」
（4）「中華人民共和国国家情報法」
（5）「中華人民共和国テロ対策法」
（6）「中華人民共和国国家機密保持に関する法」
（7）「中華人民共和国スパイ防止法の実施に関する詳細な規則」
（8）「スパイ防止のセキュリティと予防措置に関する規制」

③中国共産党公式オンライン理論学習サイト「求是」
中央党学校と中央委員会によって隔月で発行されている中国共産党の理論ジャーナルである「求是」のオンライン版である。二〇二一年一〇月の閲覧時点では、トップページに習近平国家主席の動向や業績を称える記事を中心に、党の理論に関する経済・政治・社会・文化・エコロジー・国防・国際・政党関連などのテーマごとに学者のコラムや各種調査報告書に加え、党員からの手紙など幅広く膨大なコンテンツがある（ちなみに閲覧時点で「習近平」というワードはトップページだけで三三カ所も表示されている）。Weibo や WeChat 版も存在している。

④社会信用システム
二〇一四年六月に国務院より通知された「社会信用システムの構築に関する計画の概要（二〇一四～二〇二〇）」（http://www.gov.cn/zhengce/content/2014-06/27/content_8913.htm）に基づき中国政府が構想する全国的な評価システム開発のイニシアティブである。所得やキャリアなどの社会的ステータスに関する政府のデータに基づいて全国民のスコアリングを行う。二〇一九年二月、AP通信は「China bars millions from travel for 'social credit' offenses（中国は「社会信用」犯罪のために何百万人もの旅行を禁じています）」という見出しで、二〇一八年に中国の裁判所は、社会信用システム上の違反でブラックリストに載っていたことを理由として、国民の航空券の購入を一七五〇万回、鉄道乗車券の購入を五五〇万回阻止したと報じた。

図表 7-17　求是ウェブサイト（http://www.qstheory.cn/）

これらは一例であるが、当然ながらすべて市民主導ではなく中国政府主導の取り組みである。あらゆる領域において集権化を強めるために、デジタル技術が活用されていることは衆目の一致するところであろう。果たして、これらの事例も「デジタル・ガバナンス」の範疇に含まれるのであろうか。冒頭で「デジタル・ガバナンス」とは、「関係者や関係するモノの相互作用を通して、法律（制度）や社会規範、市場、アーキテクチャなどを形成・変化させることで、効率・公正・安定的に社会や経済を治めようとするプロセス全般のうち、デジタル技術が影響を及ぼし、あるいは機能を置き換えることができる範囲」と述べた。中国におけるこれらの事例は、中国共産党や彼らを支持する人々にとっては、効率・公正・安定的に社会や経済を治めることに寄与すると言えてしまうのではないか。ここで、疑問が生じてくる。EGAによるe-Governanceに関する指摘を論拠とし、デジタル・ガバメントとデジタル・デモクラシーが対になることで「デジタル・ガバナンス」が成立するという考え方を示したが、中国の事例を踏まえると、「デジタル・ガバナンス」は、デジタル・デモクラシーが存在しなくても成立すると言えてしまう。すなわち、「デジタル・ガバナンス」のもう一つのあり方として、デジタル・ガバメントと対になるのは、デジタル・デモクラシーではなく、デジタル・オーソリタリアニズム（権威主義）でも良いということなのだ。言い方を変えれば、デジタル・デモクラシーなき「デジタル・ガバナンス」はデジタル・オーソリタリアニズムになり得る。このことの是非をここで言及することはしないが、そこに住む人々がどのような社会で生きたいか、どのような生き方を幸福と考えるかという価値観によってその正しさが自ずと定まってくるであろう。我が国でデジタル・ガバメントに進展が見えつつあり、期待が高まっていると述べたが、そのことが必ずしも人々が想像している「デジタル・ガバナンス」を実現するとは言い切れないことには注意が必要だ。

5　デジタル・デモクラシーの担い手としてできること

民主主義諸国におけるデジタル・デモクラシーの事例と、中国におけるデジタル・オーソリタリアニズムを強化する事例を参照してきた。我が国においても、デジタル・ガバメントが進む機運があるが、デジタル・デモクラシーが発展しないままでは、その先に待っているのは理想とは違った世界かもしれないということを肝に銘じるべきである。

したがって、私たちはデジタル・デモクラシーの担い手として、「デジタル・ガバナンス」が正しい方向に向かっているかを意識的に見極めなくてはならない。インターネットが一般化し、e-Democracyという言葉が使われ始めたとき、それは「民主主義の次なる発展段階として位置づけることができる」（岩崎、二〇〇五）と指摘されていた。社会のデジタル化が進み、デジタル・

ガバメントの進展が見え始める今こそ、市民の一人であり、サイバースペースの一ユーザーである私たち一人ひとりが、普段、空気のように享受している民主主義を再認識した上で、それを発展強化していくための不断の努力を続けなければならないのだ。

おわりに

冒頭で示した通り、本章では、公共経営を念頭におきながら、広義の政府部門と市民部門をつなぐ関係性に注目し、とりわけデジタル社会におけるデモクラシーを含むガバナンスのあり方について、具体事例を参照し検討を行ってきた。民主主義国家によるデジタル・デモクラシーの事例と権威主義国家によるデジタル・オーソリタリアニズムの事例をそれぞれ参照することで、デジタル技術を活用する際の価値観の違いによって、「デジタル・ガバナンス」のあり方は全く違うものになることが明らかになった。他方、デジタル・デモクラシーが「ネットワーク」・「情報」、「討議・対話」、「代理人の選出」、「政策の決定」というそれぞれの機能に前向きな作用を及ぼすことによって、政府・市場・市民それぞれの関与の仕方や関係性が変化する「新しい公共空間」が生まれる可能性を示唆し、今後の検討につなげることとする。

第8章

町と人をつなぐもの

――震災一〇年から考える未来へ向けての町づくりとそのフィロソフィー

峯村 昌子

はじめに

二〇一一年三月一一日に三陸沖を震源として発生した「東日本大震災」から一〇年が過ぎた。最大震度七、津波の最大高さ九・三メートル以上、死者二万人、行方不明二五〇〇人、住家被害は全壊一二万棟、半壊二八万棟、一部損壊七五万棟という未曾有の災害は、津波による福島第一原子力発電所事故も加わり、現地に大きな傷を残している。政府による復興は、令和三年度までの一〇年間で三二兆円という巨額の予算が投入されたが、人口の流出は止まらず、被災地でその効果を実感している人は少ない。

東北の多くの市町村は、日本の多くの地域がそうであるように、震災以前から若者人口の流出とそれに伴う高齢化、商店街の衰退という中で「町おこしをどうするか」という切実な問題を抱えていた。大災害によりインフラが破壊され、多くの身近な住民を失った中での一〇年間の町づくりは、地元の行政と住民に、「どうしても自分たちが守りたい『町』とはなにか」、「『町』の何を取り戻したいのか」、さらには「『町』とはいったい何か」を問う一〇年であったと考える。

観光や流通などの取材活動に新聞記者として三〇年にわたって関わり、大学院で「町づくりとは何か」を研究してきた筆者にとって、東北は馴染みの深い土地柄である。震災後は特に取材を通じて関係の深まった岩手県宮古市、宮城県石巻市などを中心に定点観測を現在も続けている。

復興とは住民の「心」の問題でもある。宮城県石巻市雄勝《おがつ》地区のように、巨額の復興資金を元に、「二度と津波被害にあわない」高い防潮堤建設に取り組んだ結果、「海が見えない」暮らしに町を離れる人が相次ぎ、人口が震災前の四分の一に激減した地区もある。岩手県宮古市では、市民の足である三陸鉄道が、震災前からの悲願でもあったリアス線全線開通を果たした。しかし同鉄道は、開通直後に豪雨被害で被災、さらに今はコロナ禍の中での観光客誘致という難題に頭を抱える。震災から一〇年の二〇二一年三月で廃止されることになっていた復興庁は存続がさらに一〇年延長されたが、「復興資金」という名の「ワクチン」が先細りとなる中での「持続可能な（サステイナブル）町づくり」が求められている。

二〇二〇年から続く新型コロナウイルスによるパンデミックは、観光産業、特にインバウンドに特化した日本の地方の町づくりが、いかに脆く「持続可能でないか」を証明した。東日本大震災からの復興という東北の貴重な事例を検証しながら、「未来へ向けての町づくり」とそのフィロソフィーを提示するのが本章の目的である。

1　町とは何か——町づくりの失敗と成功

神奈川県横浜市を舞台に実践的都市計画を主導した都市プランナー、田村明は、著書『まちづくりの発想』（岩波書店、一九八七年）の中で、「『まちづくり』とは、一定の地域に住む人々が、自分たちの生活を支え、便利に、より人間らしく生活してゆくための共同の場を如何につくるかということである。その共同の場こそが『まち』である」とした上で、その「共同の場」について、①目に見える広場や美しい町並み、共同で利用できる上下水や街路などの施設、②地域に住む人々が互いに知らない間でも守っていけるルールや意識、③生き生きした市民に支えられている自治体、④市民の多くが参加し、連帯感を育てる祭りや催物——を挙げている。[1] また、建築学者の西山夘三は、著書『まちづくりの構想』（都市文化社、一九九〇年）の中で、「まち」を『住民の『生活の器』『生活手段』、物的な『生活空間』」とし、その特徴として①日々作りかえられる、多くの人々の共同の生活の場であり共有の財産、②過去と未来をつなぐ持続性、③地域生活空間がそこに存在するものただ一つであること、かけがえのない存在――としている。[2]

一方、『デジタル大辞泉』（小学館）によると、「まち（町／街）」とは、「①住宅や商店が多く密集している所。都会。②商店の並ぶにぎやかな場所。市街。③地方公共団体の一。市と村の中間に位する。（④以下略）」とされる。「町おこし」は「地域おこし」の同義で、「地方の自治体などが、地元の経済・産業・文化などの活性化を図り、発展させること。また、その活動」とするのである。

地方公共団体には、都道府県、市町村があるが、時の政府の意向が色濃い都道府県や市の設置と比べ、町は、住民の歴史的、伝統的な経済基盤に支えられた生活集落をその成り立ちの基本としている。田村や西山が定義するように、町には目に見える建物や景観のほかに、住民と、住民同士の相互作用が不可欠であり、それは目に見えるものも含めて日々作り替えられながら、時間を超えて一つの価値を持っている。特にそこに住む住民にとって、かけがえのない「ただ一つの存在」である。

『デジタル大辞泉』の定義の通り、人が集まる商家、商店街があり、住む家がある。衣食住、さらに言えば次の世代へと続く「子育て」が行われる交流の場であり、そして住民に限らず多くの人が集まり過ごす「にぎわい」がある。そしてそこでは、人と人、住民同士、さらには他所から訪れる人と住民との間での交流が日常的に行われている。

この人流が、都会への若者の流出や観光客の減少などで著しく偏ってくると、町の危機が叫ばれる。「地域おこし」の代名詞として、「町おこし」が使われるとき、多くの人は、漠然とこの抽象的な「にぎわい」の復活を想定しているのである。人流の変化の原因は、産業構造の変化による伝統産業の衰退であったり、新産業の創出であったりと様々だが、その変化を「良し」とするか、「悪し」とするかは、住民それぞれに異なる立場があり、意見の合致は難しい。しかし、多くの住民は、町を単なる経済や公共インフラの共同体としてだけではなく、「漠然とまとう歴史と文化の場」として捉えており、それこそが町への帰属意識の源となっているのである。

筆者は二〇一〇年、早稲田大学大学院公共経営研究科の修士論文「『町直し』による地域おこし――新しい『つながり』のかたちを求めて」で、日本各地で行われている観光を主としたこれまでの「町おこし」の失敗と成功を分析・検証し、持続可能な「町おこし」の概念として「町直し」という新しいフィロソフィーを提示した。[3]「町直し」とは、戦後の高度成長期、その後の停滞期を経て、「モノ」から「コト」へと移行した日本人の消費行動を中心とした価値観の変化に着目した上で、地域の歴史や景観、暮らしといった歴史的、文化的ストックを地域の人々の知恵や技など潜在能力を引き出しながら持続的に活用していく「町おこし」である。「町直し」において根幹となるのは、地域の人同士、また、地域の人とその地域を訪れる人との間に生まれる結びつきの力であり、それを「つながり力」と定義した。

「町直し」の観点で見ると、二〇〇七年に三五三億円の累積赤字を抱えて財政破綻した北海道夕張市や、二〇〇〇年代に相次いで破綻した宮崎県宮崎市の「シーガイア」をはじめとするリゾート系第三セクターなどの「町おこし」の失敗事例は、推進役の行政が、お客様である訪れる人々や、本来の主役である地元の人々の「心」や「思い」を無視、あるいは軽視したことが原因である。詳細な分析は修士論文に詳しいが、夕張の場合で言えば、「炭鉱から観光へ」を旗印に目玉事業として開館した「石炭の歴史村」には大観覧車が設置されたが、谷底の立地にあったため、見晴らしがよいどころか、周囲の山の道路から大観覧車を見下ろすことができた、という素人でも首をかしげるような開発が行われた事実がある。また、「シーガイア」の場合は、一九九四年のグランドオープン時点で投資総額が二〇〇〇億円に達していた。その債務返済のツケは、料金設定に回され、地上四三階建ての高層ホテルのシングルの最低一泊料金は、当時の東京の高級ホテル並みの一万六〇〇〇円、併設されていた当時世界最大の屋内プール「オーシャンドーム」の利用料金は四二〇〇円と東京ディズニーランドの当時の入場料金（三〇〇〇円）より高額で、ホテル宿泊客にも利用料金がかかった。さらに、年間利用者見込み数は五〇〇万人を掲げたが、これは当時宮崎県に乗り入れていた全航空便すべてが満席になっても追いつかない数字であった。

「シーガイア」は翌年の開業初年度決算で営業損失一二七億円、累積赤字三二四億円を出し、二〇〇一年に会社更生法適用を申請した。

いずれの事例もバブルの好景気に踊らされた行政側が、国の「ふるさと創生資金」（一九八八〜八九年、竹下内閣）や「民活法」（一九八六年制定）、「リゾート法」（一九八七年制定）などによる地域振興策に後押しされて、主役の住民を置き去りにしてリゾート開発に邁進した結果である。その債務のツケはすべて住民に回されたわけで、行政の罪はあまりに重い。

一方で少ないながら、「町直し」のフィロソフィーに基づき、着実な成功につなげた町もある。代表的な例は、兵庫県豊岡市の一地区で、「但馬の小京都」と呼ばれる、人口一万一〇〇〇人の出石《いずし》町である。出石町は、最寄りの駅までバスで三〇分という内陸に位置し、戦後の繊維産業の不振で、一九六五年頃まではさびれる一方の町であった。それを、住民全体が危機感を共有し、一九七三年に町民出資などで広く関わる形で観光協会を改組して事業組織とし、江戸時代からの名物である「出石そば」の振興に乗り出した。これに先立つ一九六八年には、町民から一口二〇〇〇円で総額二三〇〇万円の寄付を集め、出石城の登城門、隅櫓などを再建し、瓦には全出資者の名前が刻まれている。その結果、一九七二年に九万人だった観光客の年間入れ込み数が一九九五年に一〇〇万人を突破、以降三〇年近くにわたりコンスタントに八〇万人を受け入れるだけでなく、観光客のリピート率は八〇％に達する「何度も訪れたい町」として成功している。観光協会の事業は黒字化し、出資した市民に配当を出すほどで、まさに「持続可能な」町づくりを行っているのである（二〇〇五年に旧出石町が豊岡市と合併したため、事業は第三セクター「出石まちづくり公社」に移管、観光協会はNPO法人化）。

出石町の成功の秘訣は、行政がバブル期も無理な借金をせずに黒子役に徹し、住民が「町づくり」の主役であり続けていることである。古くは出石藩の城下町であった歴史を持ち、「平成の大合併」で豊岡市の一地区になった今でも、町内に一歩足を踏み入れると、他地区とは明らかに雰囲気が変わる。朝には町のあちこちで道路を清掃する住民の姿が見られ、通学する高校や中学校の生徒たちは、見知らぬ観光客にまで「おはようございます」「こんにちは」と挨拶の言葉をかける。自分たちの町を大切にする思いと町民であることの誇りが町の空気の中に満ちているのである。

早稲田大学名誉教授、片岡寛光による定義では、公共経営とは、「社会的存在を共有する人々が、共通する社会的ニーズを充足したり、その他の方法で公共的諸問題を解決するために、公共目的を設定し、実施して、問題の解決を図っていくための集合的営為」と言う。[4] 集合とは、政府部門と民間部門、シビック部門（NGOやNPOなど）がバランスよく関わり、お互いの補完を行っていかなければならない。多くの「町おこし」の失敗では明らかにこのバランスを欠き、特に主役である住民の思い、心がないがしろにされている。逆に出石町で見られる「町直し」では、行政（政府部門）は黒子として陰に回り、一方の主役である住民、民間団体、企業を支えることでバランスが良く保たれ、「持続可能な町づくり」を可能としているのである。

2　東日本大震災からの復興――行政（経済）と住民（心）のはざまで

前記の「町直し」の観点から、東日本大震災以降の一〇年を検証してみる。

東日本大震災一〇年にあたり、NHKが二〇二〇年一二月から二〇二一年一月まで、岩手・宮城・福島などの被災者や原発事故の避難者約四〇〇〇人を対象に行った「被災者の声　東日本大震災一〇年被災者アンケート」によると、回答した一八〇五人のうち、復興状況について「遅れている」「まったく進まない」と答えた人は半数の五一％で、「完了した」「思ったより進んでいる」の四五・七％を上回った。「思い描いていた復興だったか」との問いに対して、「思い描いたより悪い」と答えた人は五三・一％あり、具体的に悪いと感じる点についての回答では、「住民同士のつながり」が五九・三％、「にぎわい」が四六・七％と一、二位を占め、「公共施設の充実」は二〇・一％、「安全性」と答えた人は一九・八％にとどまった。[5]

このアンケート結果は、東日本大震災の復興事業の町づくりが、特に「安全・安心」に特化したインフラ、いわゆる「ハコもの」の整備に集中し、そこに住む住民の心の充足がおろそかになっていることがわかる。

また復興庁が、総務省の「住民基本台帳に基づく人口、人口動態及び世帯数調査」に基づいてまとめたところ[6]によると、二〇二〇年と二〇一〇年の比較で、岩手県、宮城県、福島県の震災被害の大きかった三県では、宮城県仙台市とその周辺のあわせて四自治体を除く地域で、沿岸部を中心に一〇%を超える人口減が進んでおり、宮城県女川町では三九・五%、南三陸町で二九・八%に及んだ。全国平均は三%ほどであり、被災三県からの人口流出が著しいことが、復興の町づくりに満足していない、あるいは他の土地での機会を求めて故郷を去った人が少なくないことを示している。

復興庁は、二〇一一年六月二四日公布の東日本大震災復興基本法に基づき二〇一二年二月に誕生し、復興事業の旗振り役となった。一〇年間に投じられた復興予算の総額は約三二兆円と巨額で、その多くは被災した土地から離れ、高台移転した公共施設、道路、住宅の造成・整備に当てられた。五〇万人近い避難者が出る中で、復興計画を策定する各自治体の担当者にはスピード感が求められ、津波災害のあまりの大きさと与えられた巨額の予算もあって、「二度と津波被害にあわない」を金看板にした計画となり、肝心の「そこで暮らす人々」の思いへの配慮、聞き取りがおろそかになったことは、容易に想像できる。

カツオ漁と特産の玄昌石による硯生産で有名だった宮城県石巻市雄勝町を例に見てみる。震災前に四三〇〇人が住んでいた同町は、全一六三七世帯の八九・六％にあたる一四六七世帯が最大遡上高二一メートルに到達する津波の被害を受け、うち一三〇四世帯は全壊、死者一六一人、行方不明七五人という大被害を受けた。石巻市は東日本大震災復興特別区域法に基づく「東日本大震災復興交付金」という資金をもとに、雄勝町の復興計画を制定した。その中心となったのが、リアス式海岸の入り組んだ湾の最奥部にある同町雄勝地区の、二〇メートルにも及ぶかさ上げによる住宅の高台移転と、高さ九・七メートル、長さ三・五キロに及ぶコンクリート製の防潮堤の建設である。

ところが、この建設にあたり、住民の意志が考慮されたかどうかは極めて疑わしい。和歌山大学特任准教授の宮定章の「防災の観点から見た里山・里地・里海――持続的な地域の復興へ向けて」が、当時の住民説明会の様子を詳しく伝えている。[7] それによると、住民で組織する「雄勝地区復興まちづくり協議会」では反対意見も出たが、市は「防潮堤の高さが決まらなければ復興予算もつかなくなる」として話し合いが成立しなかった。二〇一五年三月に中心部の住民説明会が行われたが、やはり「防潮堤の高さは引き下げられない」と一蹴された。住民による宮城県庁への防潮堤撤回の申し入れも行われたが、考慮されず、防潮堤は二〇二三年三月に完成する（当初計画より二年遅れ）。石巻市のホームページによると、二〇二二年一月現在の雄勝町の人口は一〇九六人。二〇一一年六月の住民アンケートでは、回答者の五六％が「これからも雄勝に住みたい」

と答えていたにも関わらず、震災前の四分の一にまで減少した。高齢化による自然減はあるにしても、雄勝での今後の生活に疑問を感じ、去った人も多い。

筆者は、震災から二年後の二〇一三年五月に雄勝町を訪ねている。このとき話を聞いた漁業関係者は、計画される防潮堤について「雄勝は漁で生きてきた町。美しい海を毎日見てきた。良いことも悪いこともみな海から来るが、その海の様子が見られないのは不安。防潮堤はないほうが良い」と口にしていた。

実は「海が見えないことの恐怖」は、岩手県宮古市田老地区での東日本大震災での被害が証明している。同地区は、一八九六年の明治三陸大津波と、一九三三年の三陸大津波により甚大な被害を受けたことから、一九七九年に町全体を囲む総延長二・四キロ、高さ一〇メートルの三重の防潮堤を完成させていた。戦前の着工で足掛け四五年、総工費五〇億円をかけた防潮堤は世界一の規模で、「万里の長城」と呼ばれ、田老地区は「防災の町」として日本のみならず海外からも見学者を集めていた。その「万里の長城」は、東日本大震災で最大高さ一六メートルに及ぶ津波により、五〇〇メートルにわたって崩壊、約二〇〇人の死者・行方不明者を出した。国内の震災遺構第一号となった「津波遺構たろう観光ホテル」（写真8―1）の窓から撮影された、当時の津波を撮影した記録映像を観ると、迫る津波を知らぬまま、防潮堤の下の道路を車が通行し、そのまま津波に飲み込まれる映像が映っている。筆者は、宮古市には二〇一二年三月、二〇一八年二

写真8-1　震災遺構第1号となった「たろう観光ホテル」

月、二〇二一年一一月と三度訪れている。地元で津波の話が出るたびに、多くの人が「防潮堤があると海がまったく見えないが、(防潮堤があるので)大丈夫と思っていた。安心感で避難が遅れて被害が大きくなった」と指摘するのを聞いた。

雄勝地区のように、復興を急ぐあまり、住民の心、声に配慮や、「そこで住民がどう暮らすのか」ということに思い至らず、防潮堤や住宅、商業施設などを建設した例は多い。宮城県女川町には、JR女川駅に隣接した商業施設「シーパルピア女川」と「地元市場ハマテラス」が二〇一五年に建設された。津波で壊滅した町の中心街を五メートルかさ上げし、女川駅から海に向かって広がる風光明媚な立地の施設であり、震災報道のテレビ局の番組でもたびたび登場している。しかしながら、前述のように女川町はこの一〇年で約四〇％も人口が減少しており、「シーパルピア女川」は、地元住民の憩いの場とはなっていない。頼りとなるはずの観光客もコロナ禍で足が遠のき、都会風の施設はいっそう寂しさを感じさせる。

歴史的に繰り返される津波被害のリスクを抱える土地にとって、「安全・安心」な暮らしは、確かに悲願である。しかしそれならば、なぜ昔から人々は危険とわかっている海のそばに生活の場を求め、町を作り暮らしてきたのか。「津波が怖い」からと海から離れて住めば、海で暮らす人はたちまち生活の困難が生じる。先の雄勝町の漁業関係者の言葉のように、「海の恵み」を求めるなら、住民には災害リスクを引き受ける「覚悟」が必要であり、リスク回避をとるなら、住民には「津波前と違う生活はやむをえない」と引き受ける「覚悟」が必要になるのである。この「覚悟」についての問いかけは、簡単に答えを出せるものではない。

行政側が、住民にその覚悟や検討の時間を与えないまま、「安全・安心最優先」で進行したのが東日本大震災の復興事業の多くであった。行政側には「新しい場所で、住民がどう暮らすのか」というイメージがなかったとも言える。「器作って魂入れず」ではないが、建物は持続可能であっても、住民の視点では、持続可能とは言い難い事態を招いているのである。

大震災からの復興でもう一つ、大きな問題となったのが住民同士の心の分断である。

こちらは、インフラが立ち上がるまでのスピードの遅さ、特に復興住宅の建設スピードの遅さが原因となった。

震災一〇年を迎えた二〇二一年一月二五日、岩手県宮古市の仮設住宅に住み続けていた最後の一世帯二人が退去した。県復興局によると、二人は二〇一一年六月に入居したが、期限の一八年三月末以降も退去に応じなかった。県が簡易裁判所に調停を申し立てたが、二人は調停の場に一度も出席しないまま、簡易裁判所が明け渡しを決定通知し、異議申し立てがないため確定した。二人は住宅再建用地を取得していたが、再建はしていなかったという。

東日本大震災で、住民は多くの知り合いを失った。親兄弟、親類縁者、近所の親しい知己を含めれば、住民で知り合いを失って心に傷を負わなかった人はまずいない、と言って過言ではない。それでも程度の差はあり、住宅被害、仕事の被害などを含めると、被災の程度は軽重が大きく分かれる。比較的余裕のあった人たちは、避難所や仮設住宅に入らず、復興住宅の建設も待たずに、自力で用地を見つけ移り住んだ。

前述の宮古市田老地区から三陸鉄道リアス線で二駅、六キロほど南に同市崎山地区がある。宮古市観光協会元事務局長、山口惣一によると、震災直後に一家族が田老を出て、崎山に住み出したところ、田老時代の近隣の人を中心に次々と移転する人が出て、「今では『崎山の田老村』と呼ばれている」という。移り住んだ人たちが最初から集団移住を意図したわけではない。被害の大きかった田老地区の中でも比較的余力のあった人たちは、行政の機会提供を待つことをせず、

「昔からのつながり」を別の場所で維持することを選択したのである。

この逆が前述の最後の仮設住宅退去の世帯である。退去に関わった市の関係者は多くを語らなかったが、「住宅再建用地を取得していたが家を建てていない」という報道からは、津波被害は自身だけでなく多くの係累にも及び、頼る相手のない生活困窮の様子が伝わってくる。

被災者への仮設住宅のあっせんに際して、宮古市をはじめ多くの自治体は、孤立を避けるためにもとの近隣同士を仮設住宅でも隣近所にする配慮を行っていたという。ところが、同じ近隣でも、家族を失った人もいれば、比較的被害の少ない家族もいる。ある自治体関係者によると、薄いプレハブの中で隣の家族の団らんの声を聞きながら孤立を深め、県外へ退去していった人も多かったという。

地震と津波によって家や家族を失った被害は、数字で表わすことができる「目に見える被害」である。個々の住民が心で抱えている苦しみ、悩みといった心に残る大きな傷は「目に見えない被害」である。老齢の親や兄弟など「人生の中で出会う自然な死」に対し、東日本大震災のような災害による死は、量的な意味でも状況的な意味でも「理不尽な死」と言えよう。生き残った人は、怒りの持って行き場がなく、無力感にさいなまれ、生きるエネルギーを見失う危機に見舞われる。実際、仙台市精神保健福祉総合センターの精神科医、大類真嗣らの研究によると、宮城県沿岸部の自殺死亡率は、仮設住宅の供給終了時期にあたる二〇一六年から男性で一〇万人あたり二五人前後と全国平均の二一～二二人を上回り、女性も少し遅れて上昇傾向にあると言う。[8]こうした苦しい思いを抱えながら、この一〇年を生きてきたのが東北の人たちである。町の真の再建には、実は、傷ついたひとりひとりの「心」への細やかな配慮によって、住民同士の心の分断を回避することが求められているのである。

NHKの朝の連続テレビ小説『あまちゃん』で脚光を浴びた第三セクター三陸鉄道（本社・岩手県宮古市）。二〇一九年三月には、JR山田線だった釜石―宮古間が開通して三陸鉄道に移管され、岩手県の久慈から盛まで総営業距離一六三キロのリアス線が誕生したこともあり、東北復興のシンボルとしてもてはやされた。二〇一一年度の乗車人員が二九万六〇〇〇人だったものが、『あまちゃん』放送の二〇一三年度に四九万七〇〇〇人まで伸び、リアス線開業の二〇一九年度には、二〇一〇年度の八五万一〇〇〇人を初めて超え、九〇万八〇〇〇人になり、一〇〇万人突破も目前と期待された。三陸鉄道の関係者は、「『あまちゃん』の影響が大きかった。番組冒頭で三鉄が走る場面が出て、全国的な知名度が上がり、観光列車としての人気が出た」と言う。もともとは通勤や通学、通院や買い物などに日常的に使われる地元の足だった。少子化に震災での学校の移転などもあり利用は減少傾向だったが、観光に傾注したことで、地元との結びつきも強くなった。

ところが三陸鉄道は、全線開通のわずか七カ月後の一〇月、台風一九号による豪雨被害で、全線の七割にあたる区間が線路流出などの被害にあい、再び不通となった。全線開通は五カ月後の二〇二〇年三月で、復興工事は国や自治体が二〇億円を負担し、クラウドファンディングでも全国に寄付をよびかけるなどしたものだった。三陸鉄道の経常収支は赤字で、県や市の支援で成り立つ第三セクターだけに、コロナ禍で全国からの観光客が止まったことは大きな不安材料となっている。

レールのある鉄道は自然災害から逃れることはできない。そして日本では、自然災害は次から次へと起こる。震災地域共通の認識である「他地域の人々に忘れられる」恐怖は、三陸鉄道も同様である。沿線住民は、鉄道があることを既得権と考えがちだが、利益を上げられなければ鉄道会社は企業としては成り立たず、行政の支援も際限なく続けられるわけではない。そうして多くの鉄道路線が廃線となったことは、これまでの歴史が示す通りである。

三陸鉄道では、震災前の二〇〇八年から、岩手県と沿線一二市町村で組織された「岩手県三陸鉄道強化促進協議会」とともに、沿線等利用促進事業を行っている。他地域からの観光客頼りでなく、沿線住民が継続的に相互に行き交うことで鉄道も沿線自治体も潤う取り組みがさらに求められている。

二〇二〇年六月、復興庁設置法等の一部を改正する法律案が公布され、震災一〇年の二〇二一年三月三一日をもって廃止される予定だった復興庁は、さらに一〇年後の二〇三一年三月三一日まで延長されることが決まった。これは国が「東日本大震災からの復興は達成されていない」と公式に認めたことでもある。この報に、地元自治体をはじめ安堵した人は多いが、国からの支援はいずれ終了する。次の一〇年、そしてその次の一〇年……。町づくりに終わりはない。持続的な「復興の町づくり」とは住民ひとりひとりの問題なのである。

3 住民それぞれの「覚悟」――コロナ禍の中の被災地

前述したNHKの被災者アンケートでは、大震災から一〇年を経たことで被災者が感じている不安が浮き彫りになった質問がある。「(世の中の)被災地の復興の関心が薄れる」という問いに対し、五〇・〇%の人が「そう思う」「ややそう思う」と答えた。「震災の被害が忘れられる」という問いにも、二〇・八%の人が「そう思う」「ややそう思う」と答えている。宮古市、石巻市をはじめ、被災各地を訪問していていつも感じるのは、地元の人が持つ「いつか他地域の人に忘れられ、置き去りになってしまうのではないか」という恐怖である。地元のテレビや地元新聞が震災関連の記事を取り扱っていても、「他地域では見られていないのではないか」という不安から逃れられないのである。これは、前節で示した「見えない被害」の表れでもある。

実際、新型コロナウイルスによるパンデミックのさなかで迎えた震災一〇年の節目は、その不

写真8-2　防災ガイドの佐々木純子

安が現実のものとなった。感染拡大の懸念と、移動の自由の制限によって、各地での式典は大幅に縮小され、予定されていたイベントなどもほとんど中止された。季節行事のように三・一一前後だけ盛り上がるテレビ、新聞の震災報道も、コロナの影響は否めず、東北の人たちの孤立感を強くした。一年延期された東京五輪はコロナ禍の渦中のため、聖火リレーをはじめとする関連イベントの中止で、招致で掲げた復興五輪という命題は有名無実となった。

筆者も、新型コロナによる移動制限のため、震災一〇年に合わせた取材、訪問をすることができなかった。宮古市をようやく訪れることができたのは、新型コロナ感染者数が一時激減していた二〇二一年一一月末のことだった。

このときぜひ会いたかった人物が、宮古市田老地区の「たろう観光ホテル」で「学ぶ防災ガイド」を行っている佐々木純子（写真8―2）である。六階建ての建物の四階までが津波で浸水し、一、二階は完全に破壊されて鉄骨がむき出しになった同ホテルは国内の震災遺構第一号となっており、報道で目にした人も多いだろう。津波の恐るべき威力を実感できるホテルでは、佐々木ら四人の被災者が「語り部」となり、当時六階にいた同ホテルの社長が死を覚悟して撮影した津波映像を、その同じ六階の部屋で上映、その後、津波で破壊された堤防に上り、後ろの山に逃げる体験をしながら、津波の教訓を語っている。

佐々木によると、被災地でもコロナの影響は甚大で、町からは人の姿が消えたという。移動制限もあり、他県からの観光客はほとんどゼロとなった。その代わり、制限がやや緩和されたときは、地元、近県の小中高生が増え、ガイドを続けたという。

佐々木は、「誰が来ようと、伝えることは変わらない。どうすれば被害を防げたか。津波にあったときにどうすればよいか。例えば、同じ裏山に逃げるのでも、荷物を持っているのと、いないのではどう違うか。二リットルの水入りペットボトルを二本持って、実際に逃げたコースを使って、持つ、持たない、の差を体感してもらうことも考えている」という。別の男性ガイドは、最近の悩みとして、「津波体験はひとりひとり違うのに、観光客にはどこで聞いても同じ話に聞こえる。つかみとして体験を語ると、恐怖を感じて終わってしまう」と打ちあけた。

佐々木たちは、自分たちの活動を二〇一二年四月のスタートから一貫して「学ぶ防災ガイド」と称している。「震災の記憶を留めるため」ではなく、「被害を少なくするにはどうすれば良いか」が重要と考えているからだ。佐々木との久々の対面では、「地震でがれきに閉じ込められたときのためにホイッスルを作った」という佐々木の話から、「ホイッスルも大切だが、大声で助けを呼ぶ練習をしたほうが良い」という話になり、自分が助けを必要としているだけでなく、隣人を助けるためにも、「『ここに人がいるぞ』と叫ぶ体力が必要」、「自分が逃げるためだけでなく、人を助けるには日頃から身体能力を高める努力がいる」、「結局防災の根本は日々の体力づくり」と話が広がった。

東日本大震災発生直後の避難所には、多くの寝たきりの老人や体の不自由な人たちの姿がみられた。自力で動けない人たちが津波から逃げることができたのは、そうした隣人の存在を日常から気にし、実際に我が身の危険を顧みず連れて逃げる行動をした人がいかに多かったかを物語っている。隣人の名前すら知らない都会の人たちと異なり、東北には、身近な人々とつながり、心を通わせる「町」が生きていた証拠でもある。

佐々木は「一〇年一区切りなんてない。防災ガイドは体力の限り続ける」と言う。その言葉には、生まれ育った町を守り、皆で生き抜いていく使命感と覚悟が込められている。

災害に打ちのめされながらも立ち上がり、前に進もうとする例は他にもある。福島県浜通りの最北に位置し、仙台からも近い福島県新地町のがれきに立てられ、新地町復興のシンボルとなった「復興フラッグ」（写真8―3）がそれだ。初代は、震災から約三週間後に、一面がれきの中に建てられた「日の丸」である。当時、岡山県から災害救援に駆け付けた陸上自衛隊の渡邊昌樹一

写真 8-3　福島県新地町の復興フラッグを伝える筆者執筆の記事

サンケイスポーツ
あす東日本大震災から6年…希望のシンボルを立て被災地は前へ進む
福島県・新地町
復興フラッグ
未来にはためく
失った秩序は取り戻す
初めは拒絶…旗を見て決意 私はここで生きていく
代々受け継がれる思い
震災を風化させない
次々と運転再開
特別版
歩いてみよう!
40代からの毎日を応援する 大人くらぶ

出所：『サンケイスポーツ』2017年3月10日付。

等陸尉（当時）が、行方不明者の捜索中にがれきの中で折りたたまれたまま放置されていた「日の丸」を発見し、手近にあった壊れた網戸の枠に括り付けてブロック塀の穴の跡に立てた。渡邊一尉は、「人の姿も町の形もない中で、『我々は絶対に負けないぞ』という衝動にかられて立てた」と振り返っている。二代目は、同じ自衛隊の福岡の部隊が、ボロボロになった初代の旗を見て、「負くんな新地」の寄せ書きを入れた「日の丸」を立て、震災後に再開した「広報しんち」の表紙に取り上げられた。現在の旗は二〇二〇年に立てられた五代目で、旗を目印に新地に集まるようになったバイク愛好者が立てた四代目を同デザインのまま一回り大きくしたもの。現在は旗の周囲が整備されて「復興フラッグ広場」となっている。ピンク色の日の丸風の旗には、中央の赤い丸の周りを取り囲むように笑顔の町の人のイラストが描かれ、「頑張ろう！　新地」の大きな文字の他、「気がついたんだ。ここが好きだ……」で始まるメッセージが書き込まれている。

この旗を守る海岸ボランティアグループの代表が、川上照美である。川上の自宅は、初代フラッグの立てられた場所から二〇〇メートルほどのところにあり、津波により跡かたなく流されていた。夫と車で逃げる途中に、老人施設に預けていた祖母を迎えに行くことができず失ってしまった川上は、震災直後は自分だけが助かった罪悪感に苛まれた。旗の存在は聞いて知っていたが、「がれきの中の旗なんか見たくない」としばらくは近づくこともできなかったという。川上が実際に「復興フラッグ」を見たのは三年ほど後の四代目である。最初は遠くに見えたピンクの布に「いたずらかな」と思って近づくが、旗に書かれた「何度も無理だって思ったけど、何度もくじけそうになったけど、あきらめない！　新地が好きだから」という文章を読んで号泣する。「私は仙台出身で震災当時は新地に住んで七年目。仙台に帰る選択肢もあったが、夫はこの町出身、祖母はこの町で眠っている。旗の文字は夫の心情そのものだと直感して、私もここで生きていこう！　と思ったら、それまで我慢して、こらえてきたものがワーッと溢れ出てきた」と振り返る。旗を守る活動とともに続けている海岸の清掃活動は、子供のように可愛がり、震災で津波にさらわれた愛猫の遺品が、「もしかしたら打ち上げられているかもしれない」という思いで震災直後に海岸に立ったのがきっかけだった。「あるはずがない」と頭でわかっていても追い求めることをやめられなかったという。被災の心の傷は今も癒えたわけではなく、「復興フラッグのもとに集まろう！」などのネットの呼びかけを見ると、「正直、被災していない人にわかるのって聞きたい気持ちもある」と言い、「前に進むのはゆっくり、ゆっくり。追い立てられるようには動けない。私たちなりの進み方でいいと思うようになった」と話す。

災害で多くが失われた町で踏ん張り、どんな変化にも負けずに生きていく。町を愛し、町の未来を思う二人の姿は、町づくりにおいて本当に大切なものは何なのか、を教えてくれる。

4 人と人 町と人をつなぐもの

以上、東日本大震災以降のこの一〇年の復興作業の経過と、復興がもたらしたもの、そしてそこに生きる人たちの思いを見てきた。これらはもちろん、点描にしかすぎない。被災地は広く、各地には、その場所で生き続けることを決意した人、複雑な思いを抱いて郷里を去った人、それぞれの苦しみ、思い、「覚悟」が存在している。

筆者には、予算獲得を急ぎ「ハコもの」中心の復興計画を遂行した行政側を責める意図はない。

東日本大震災の地元の復興担当者は、多くが被災者でもあった。郷里が津波の猛威で破壊された中で、町の復興を願い、少しでも多くの復興予算をつけて、未来へ向けたより良い安全な町づくりを願った人は多く、バブル期の第三セクター系リゾート担当者などとは、はっきりと異なる。

第2節で見たように、行政側に「新しい町で、人がどう生きていくか」というイメージがなく、住民の心が置き去りにされた面は否めないが、自治体が、庁舎の修復もそこそこに、あるいは被災して移った仮庁舎で、家を失った人のために避難場所、食料、医療、各地からの義援物資の仕分け、配付に奔走しているさなかでは、一刻も早い計画の遂行が望まれ、担当者が立案に多くの時間をかける余裕はなかったと言える。一方で、当事者の被災した人たちには、被災した町でどう生きていくか、の「覚悟」を決めるには相応の時間が必要で、この双方が持つ「時間差」が、美しくでき上がった建物や街並みに人がいない、という落差を招いているのである。

第2節で取り上げた宮城県石巻市雄勝町には、九・七メートルという防潮堤の高さが問題となった雄勝地区に隣接した湾に、波板《なみいた》地区がある。六五歳以上の高齢者ばかりのこの地区では、震災では当時六〇人の住民のうち四人が犠牲となり、二人が行方不明となった。波板地区では、雄勝地区とは異なり、行政が住民の要望を聞き入れ、防潮堤の高さが震災前と同じ四・八メートルにまで引き下げられた。しかし住民はそれでは飽き足らず、「限界集落の未来に挑戦する」をテーマに二〇一三年から活動を開始した「ナミイタ・ラボ」(代表・青木甚一郎)が、クラウドファンディングで全国から集めた三〇〇〇万円超の資金をもとに、特産の玄昌石を扇形と三日月型に加工した九〇〇〇枚の石を防潮堤に埋め込み、二〇一六年に次世代につなぐメモリアルウォールとして完成させた。[9]

前出の宮定の論文でも、波板での住民によるがれきの撤去や、浜に残った家を補修した地域交流センターの活動を紹介している。

重要なことは、「町」とは、そこに住む人、あるいはそこを訪れる人、それぞれの「思い」がつながってできていることを知ることである。

筆者が修士論文で提言した「町直し」のフィロソフィーでは、「町直し」の原動力となるのは、人と人とを結ぶつながりから生まれる「つながり力」であり、「つながり」から生まれる「幸福感」が、「人を呼ぶ力」となり広がっていく、とする。

思想家の中沢新一は、著書『愛と経済のロゴス（カイエ・ソバージュⅢ）』（講談社、二〇〇三年）で、現代の経済に働くとする「交換と贈与」の原理のうち、「贈与」の原理が重要とし、「人と人とが人格の結びつきを実現しようとしている現場では、交換とは違う原理が働きだそうとしている」とする。そして、親しい友人同士の、プレゼントとその返礼という行為を例に挙げ、「贈与では、たとえモノを媒介にして人と人との間につながりが発生しているときにも、モノにこめられている意味や感情が、モノに乗って相手に伝わっていくことのほうが大事だ」と分析している。[10]

また、フランス文学者の内田樹は、著書『ひとりでは生きられないのも芸のうち』（文藝春秋、二〇〇八年）の中で、こうした人がつながる力を、「キャッチボール」にたとえ、「私が投げる球を受け取った相手のグローブの発する『ばしっ』という小気味よい音と、相手が投げる球を捕球したときの手のひらの満足げなしびれのうちに、私たちは自分がそのつど相手の存在を要請し、同時に相手によって存在することを要請されていることを知る」と、「つながり力」がもたらす「幸福感」について語っている。[11]

こうした、「人」と「人」との思いのつながりの中で、「町づくり」を考えるとき、「町づくり」に、万人が納得する絶対の「解」はないことがわかる。

その町を愛し、町で暮らす「覚悟」はその人ごとに異なり、東日本大震災のような過酷な災害の中では、「この場所から去る」という選択肢もありうる。実際にそうした決断のもと、断腸の思いで郷里を去った人は少なくなかった。

しかし、絶対の「解」はなくても、「町に残る」、「この町で暮らす」決断をした人たちの間には、いくつかの共通項が存在する。それが、町の自然、歴史、文化、共通の知人、話題といったものである。「世界遺産」をもじった「世間遺産」という言葉は、二〇〇四年頃から様々な自治体を中心に使われ出したとされるが、文字通り、身近な世間にある、地域の皆が昔から親しんできたものを指す。他の地域の人には関心を払われなくても、その地域の人に認識された「世間遺産」

はその地域で特別な意味を持って輝き、誇りを持って「世間遺産」を語る、また思うことで町の人々の顔を輝かせていく。その輝きは、「つながり力」によって町の外の人をもひきつけ、呼び寄せていくのである。

飲食業界では、成功の秘訣として「作っている人間が美味しい、と思って作っていない料理を、誰が美味しいと感じるだろうか」とよく言われる。町づくりも同じである。住む人が愛していない町、楽しく暮らしていない町をいったい誰が好んで訪れるだろうか。旅先に限らず、たまたま入った店の店主の人柄と、店の居心地の良さに惹かれて、つい通うようになったといった経験は多くの人が持っているだろう。料理の味も、居心地の良さも、人が惹きつけられる多くの出来事は、最後は「人」に行きつく。「つながり力」が人と人、人と町を幾重にも結び付け、そうして持続可能な未来へ向けての町づくり「町直し」が実現していくのである。

「町直し」が成功するには実は重要な条件が二つある。

一つは、町の「身の丈」に合わせることである。

人口、歳入額、産業の種類と規模などが、その町の「身の丈」である。その中には、人々の暮らしぶりや文化、歴史も含まれる。ここを煎じ詰めると、第1節で触れたように、町の「身の丈」が旧地名に代表される歴史的な集落に基づくことに気がつく。戦後繰り返された市町村の大合併は行政による業務の合理化が目的だったが、半面、町への帰属意識を大幅に低下させることになり、住民が町の運営に積極的に関与することを阻害する弊害を生んだ。東日本大震災からの復興は、大規模化した市や町が単位であり、さらにそこに官僚的な合理性が働いたことで、住民の意見の集約が難しくなり、住民の心が置き去りになった面もある。

そしてもう一つが、住民ひとりひとりが、町の問題を「我がこと」と引き受けて、町のため、地域のために自分に何ができるか、を考え続けることである。町を思うこと、考え続けることは、同じように責任を持って考える「同志」を結び付けることになる。

自然災害に限らず、パンデミック、産業構造の変化と、何が起こるかわからない時代に、旧態依然として古いものを守り続けることが「町づくり」ではない。「町直し」の成功例として挙げた兵庫県出石町のように、繊維から観光へと舵を切ることも選択肢の一つである。町を愛し、町に残りたければ、逃げることはできない。誰かのせいにしたり、行政や外部の人間に頼り切ったりするのではなく、自分たちの問題として引き受け、考え続けることが「町づくり」なのである。

おわりに――未来へ向けての町づくり

新聞記者として毎年のように東北の各地に取材に出かけ、地域政策、地域振興の研究も行っていた筆者にとって、東日本大震災は文字通り、「身内」を襲った衝撃であった。筆者は、二〇一一年三月一一日当日は東京におり、横浜の自宅には戻らず会社で夜を明かした。それまで当たり前のように見てきた馴染みの風景が壊れる様子をテレビで見るたびに、心がきしむように痛み、取材の仕事のかたわら、現地で知り合った多くの知人に電話をかけ続け、安否の確認を行った。ようやく通じた電話で、ある市役所職員から、「あまりの惨状にもう何も感じなくなった」と聞かされ、その人の人間としての心の痛みと、決して逃げ出すことのない職員としての使命感を思い、胸が張り裂けるような気持になった。

それから一〇年、地元に通っての交流を続けて思うのは、町とは「人の集合体」である、ということである。東北の町は、良くも悪くも変化している。白い砂浜と青い海のコントラストで有名な宮古市の国の名勝、浄土ヶ浜は、今はすっかり整備され、あの津波がなかったかのように美しい。だが、名物だった遊覧船はコロナ禍の影響もあり、二〇二一年一月、五八年の歴史に幕を下ろした。危機感を感じた市では、クラウドファンディングなども使い新しい船を建造することを決定、二〇二二年七月の運行開始を目指すが、そこになじみの船長がいるわけではない。

観光には、名所旧跡を巡ったり、気に入った食を楽しんだりと様々な要因がある。しかし、同じ場所を再び訪れるようになる理由を探ると、そこには必ず「人」との出会いがある。人との出会いもまた、旅の重要な要素である。その人と人との出会いの繰り返しで「つながり」は広がっていく。筆者もそれは同じである。震災後の定点観測も兼ねて続けた取材で、交流はさらに密になり、家族も含めた知り合いとなった。彼らが東京に来れば歓待し、「どうすれば市や町はよくなるか」、「どうすれば都会の人を招くことができるか」を議論する。彼らを連れていくことで、東京の店にも馴染みの顔ぶれが広がり、取材を離れてお互いを思いやる関係になっている。横浜で地震や豪雨があれば、彼らから筆者を心配する電話がかかってくる。

一点、こうした東北の人たちに共通していることがある。地元への愛情、愛着である。彼らとつながったことで、筆者もそれぞれの町への愛情、愛着を共有するようになっている。

観光に特化することの多い地方の「町おこし」にとって、「身の丈」、「考え続けること」と同様に重要なのが、「マスコミとのつながり」である。震災復興の町づくりのように、マスコミを通じて世間への認知度を上げることで、評判を呼び、自分たちの力とすることができる。二〇一〇年の修士論文発表時点ではそれほど脚光を浴びていなかったが、フェイスブックやツイッター、LINEなどのSNSでの発信もマスコミと同様に重要である。費用がかからずに、手軽に映像、画像とメッセージを送ることのできるSNSは、コロナ禍で移動制限される状況にあって、重要度がさらに増した。

東日本大震災の復興でも、宮城県石巻市雄勝町の「ナミイタ・ラボ」は、六五歳以上で組織するにもかかわらず、クラウンドファンディングやフェイスブックを使って双方向のコミュニケーションをとることで全国の注目を集め、活動を成功させている。

写真 8-4　大震災から 10 年目の節目に三陸鉄道に入社した東京出身の成瀬賢紘

大震災から一〇年目の二〇二一年四月、三陸鉄道に一人の東京出身の運転士候補生が誕生した。成瀬賢紘（写真8―4）と言い、小学校を卒業した春休みに起きた東日本大震災に衝撃を受け、入学した中学校の友達と折った激励の千羽鶴を宮古市の三陸鉄道本社に届けた少年である。祖母が沿線の久慈市に住み、夏休みに訪れると乗車するなど、もともと三陸鉄道のファンであった。中学からは鉄道研究会に所属し、休みのたびに三陸鉄道に乗車、撮影にいそしみ、会報にまとめた。成瀬は、「子供時代から乗って、三鉄が地元の人に愛されていることがよくわかる。被災後の運転再開時には、大漁旗を振って祝い、涙を流している地元の人も見た。鉄道と町の暮らしは深くつながっていると思う」と話す。鉄道ファンとして憧れた少年が、今では運

転士候補生として採用され、業務のかたわら運転士資格取得のための猛勉強中である。車掌としての勤務では乗客から声をかけられることも多く、「都会では考えられない人と鉄道のつながりの深さと、地元への責任を感じる」と言う。

祖母が久慈に住む縁はあったとは言え、成瀬自身に東北や三鉄との直接のつながりはなかった。そんな東京から来た人材が「宮古の人」となり、三陸鉄道の未来を背負う。

「つながり力」で結びついた「町」が「人」を育て、そうして集まった「人」がまた「町」を守り、成長させる。持続的な町づくりはそうして未来へと続いてくのである。

注

1 田村明『まちづくりの発想』岩波書店、一九八七年、五二―五三頁。

2 西山夘三『まちづくりの構想』都市文化社、一九九〇年、二〇八―二〇九頁。

3 峯村昌子「『町直し』による地域おこし――新しい『つながり』のかたちを求めて」早稲田大学公共経営研究科修士論文、二〇一〇年。

4 片岡寛光「今なぜ公共経営か?」『早稲田パブリックマネジメント』(第一号)二〇〇四年、八―一一頁。

5 NHK「被災者の声:東日本大震災一〇年被災者アンケート」(https://www3.nhk.or.jp/news/special/shinsai-portal/10/questionnaire/pdf/shinsai10_questionnaire.pdf〔最終閲覧日二〇二二年二月二〇日〕)。

6 復興庁東日本大震災発生一〇年ポータルサイト「数字で見る復興」(https://www.reconstruction.

go.jp/10year/data.html〔最終閲覧日二〇二二年二月二〇日〕。
7 宮定章「防災の観点から見た里山・里地・里海――持続的な地域の復興へ向けて」『日本海水学会誌』(第七〇巻第四号)二〇一六年、二四一―二四四頁。
8 大類真嗣ほか「東日本大震災後八年間の宮城県沿岸部の自殺死亡率の動向」『精神神経学雑誌』(第一二二巻第八号)二〇二〇年、五七三―五八四頁。
9 READYFOR ナミイタ・ラボ「防潮堤を地元の「波板石」で埋め尽くして次世代に引き継ぎたい!」(https://readyfor.jp/projects/namiita〔最終閲覧日二〇二二年二月二〇日〕)。
10 中沢新一『愛と経済のロゴス(カイエ・ソバージュⅢ)』講談社、二〇〇三年、三六―三七頁。
11 内田樹『ひとりでは生きられないのも芸のうち』文藝春秋、二〇〇八年、七九頁。

第9章

「地域の物語」とその再生

――「持続可能性とは何か」を地域の側から「問い」直す

藤倉　英世

1　問題の所在と本章の目的

「持続可能性とは何か」を地域の側から捉え直す

平成の合併[1]が進んだ現在においても、東京一極集中や人口減少などの複合的な要因から、「地方の消滅」、言い換えれば地方や地域の「持続不可能性」が課題となり続けており、基礎自治体では人口増減が政策の成否の指標となっている。しかしながら、そもそも私たちが地方や地域の「持続可能性」を問題にする場合、誰にとっての、どのような状態が想定されているのだろうか。

私たちは、この「持続可能性」という概念の内実を、一度、しっかりと確かめ直してみる必要があるのではないだろうか。

以下、「持続可能性」を捉え直すための参考に、現在、世界規模での活動となっているSDGs、持続可能な開発目標（SDGs: Sustainable Development Goals）と、「地方消滅」という言葉の震源である増田寛也の編著書『地方消滅』から、その政策的なコンセプトを抽出してみた。

国際目標であるSDGsは、二〇一五年九月の国連サミットの加盟国で採択された「持続可能な開発のための二〇三〇アジェンダ」に記載されたものである。具体的には、持続可能で、よりよい世界を目指すための一七のゴール、一六九のターゲットから構成されている。コンセプトは、地球上の「誰一人取り残さない（leave no one behind）」ことにある。[2] 一方、増田は『地方消滅』において、二〇四〇年までに消滅可能都市（自治体）が全国で八九六に上るというショッキングな予測を行っている。政策提言としては、「地域資源の再配置」、「地域間の機能分担と連携」における「集中と選択」が示されている。[3]

ここで筆者が問題にしたいのは、その提言内容ではなく、コンセプトの対比である。そこには、「誰一人取り残さない」、「選択と集中」という、相反しかねないマクロ的なコンセプトが語られている。地域の側では往々にして、こうしたマクロ的な発想に立った政策提言を個別、固有な状況に鑑みて咀嚼し、持続可能性のもとに全国的な流れに乗って活用していく状況が続いているからである。しかし、本来であれば、基礎自治体や地域の持続性を考える場合には、こうしたマクロ的な発想からは一旦離れて、地域の様々な実態を丁寧に読み解きながら、地域の側にとっての持続可能性のあり方を捉え直していく視点、論理を積み上げ、それを公共政策に活かしていく必要があるのではないだろうか。

二つの地域の「まちづくり事例」の分析を通じた試論の展開

以上の問題意識を踏まえて本章では、まず、地域にとっての持続可能性とはどのような状態であり、それが今日までどのように維持、更新されてきたのか、という点に対して「まちづくり」事例の詳細な読み解きを行い、そこから地域活動の持続性に関わるヒントとなる事項を抽出しようと試みる。その上で、「持続可能性」を捉え直すための「試論」を展開し、得られた視点や論点を基礎自治体や地域の「持続可能性とは何か」という「問い」に向けて整理、展開していくことを目的とした。

「まちづくり政策」は一般には、インフラ整備や企業誘致などに比較して経済規模は小さいため、地域への影響が限定されている場合もある。その一方で、「まちづくり」に内在する行政と住民の協働、企業との連携、大学の協力などによる公共経営的な動きが、地域の将来ビジョンの模索を促し、持続性を支えている枠組みを更新していく事例も存在している。

ここでは、長野県木曽郡木曽町開田高原地域（以下、「開田高原」と略す）と、同じく長野県上伊那郡宮田村の二事例における公共政策を分析の対象とした。二つの事例は、地域固有の課題に直面しながら、新たな将来展望を現在進行形で模索し続けている点に、持続性を現場から問い直す手がかりの抽出が期待できたからである。

事例分析に先立ち、ごく簡単にではあるが、本章で用いた基本的な用語と事例分析の方法についての整理をしておきたい。依拠、参考とした学術的文献や先行研究は「注」に記しているので、より詳細な内容を把握する際の参照とされたい。

まず、基本的な用語である「公共政策」については、政府部門が計画、実施する施策に加えて、その目的が公共に資する市民や民間の活動をその対象に含めている。「公共（Public）」の語源（ラテン語の publicus）が持つ「open to all：すべての人に開かれている」という語意を踏まえており、この公共の捉え方は本章に通底する。その上で「公共経営（Public Management）」は、行政、民間、住民の各部門が共同で公共的な課題の解決を目指す際の管理運営、調整機能として用いている。[4]「政策アクター」は公共政策、公共経営になんらかの形で関わる人々と捉え、「ローカル・ガバナンス」は、基礎自治体内で行政や住民、民間、その他のアクターが相互協調、補完、参加を図りながら行う統治のあり方、として用いている。[5]

次に、事例分析の方法に触れておきたい。本章の第2、3節の分析では、主要な政策アクターや政策内容の変遷実態、政策アクター相互の関連性を時系列的に整理した上で、政策の成果が地域空間に与える影響と、地域空間が政策アクターに与える影響の相互関係を捉える方法を用いている。[6]その際に、「多くのアクターの所有、管理、運営、活動が集中、重層し、かつ地域外のアクターとの関連が生まれている、開かれた〈場〉」を「公共圏的空間」と名づけ、地域を活性化する上での重要な役割を読み取ろうと試みる。また第4節の考察では、「地域の物語」という仮説を用いて分析結果を読み解く。「公共圏的空間」という空間把握、「地域の物語」という仮説は、筆者が参加する学際的研究グループの手法を本稿の分析、考察に援用したものである。[7]

なお、本章で取り上げる二事例において筆者は、地域づくりの研究者として政策アクターに加わっている。[8]この点から、参与観察による分析を含んでいる点を併せて明記しておきたい。

2　開田高原の半世紀に及ぶ「景観まちづくり」と連携、協働の展開

開田高原事例の特徴

第一の事例は開田高原である。開田高原は、二〇〇五年の木曽福島町、三岳村、日義村との町村合併で木曽町開田高原地域となる以前は、基礎自治体の開田村として存続していた。総面積は約一五〇平方キロメートル、標高一一〇〇メートルの高原地帯であり、年間平均気温は八℃と低

く、最低気温はマイナス二〇度を下回ることもある。主要道路である国道三六一号に新地蔵トンネルが開通する以前は、交通の便が極めて悪く、木曽馬の生産という独特の産業に支えられていた。現在の主要産業は、高原野菜や蕎麦の生産、リゾート地としての観光などで、地域の総人口は一四三九人（二〇二〇年度国政調査）である。

開田高原では、開田村時代に遡る一九七二年に、村内ほぼ全域において広告物の掲出を禁止するなどの先駆的な内容を含む開田高原開発基本条例（以下「基本条例」と略す）を制定し、その後に町村合併を経験しながらも、約半世紀、一貫して景観まちづくり政策を継続実施している。半世紀という歳月の中、日本社会の環境や中央政府の政策も大きく変化してきた。以下では「景観まちづくり」の歴史を四つの期間に区分し、政策内容と成果、行政、住民の政策アクターとしての連携、協働、公共経営的な動きの実態を分析していく。

第一期（一九七一〜一九八六年）：景観まちづくりの黎明期

景観まちづくり以前の開田高原は、木曽郡においても僻地と捉えられており、そこに至る道路には地蔵峠という難所があった。一方で、不便な地域ならではの豊かな自然環境、農村景観は最大の魅力で住民の誇りでもあった。だが、一九六〇年代には主要産業の木曽馬の生産、林業などの衰退が著しくなり、行政、住民はともに自然環境を活かした観光産業への転換に活路を模索していた。その中で長野県企画局が主導し大規模な保健休養地開発（一九七〇年分譲開始）が行われていた。ところが、この開発に便乗した一部の開発業者が、上下水道も整備されていない森林内に別荘地の分譲を始め、一夜に複数の住民宅を業者が訪問し、土地の買い上げを持ちかけた。地域に緊張が走り、これが開田高原の初めての景観まちづくり政策である「基本条例」策定へのきっかけとなった。政策運営の中心は青樹操村長であった。

青樹村長は何人かの村議会議員と相談の上で、業者が取得していた用地にも規制をかける目的で自主条例の策定を企画し、規制内容は長野県地域課の職員と、罰則項目は法務局と相談にもとづき検討した。条例の第一条には、「開田村が古来よりすぐれた自然景観を有し、それが住民生活と密接に関係している」と明記され、詳細な基準は施行規則に定められた。広告物の表示、設置に関する規制までを示した先駆的内容が、開田高原のほぼ全域に適用された。結果、開田高原は住民の誇りである自然環境、景観を保全する手段を自らの手で獲得することになった[9]。

条例制定の二年後、一九七三年発行の「広報かいだ」に、観光協会の総会で「村内の各所にある看板は素朴な開田村の自然のイメージをこわしてしまう」との意見が見られた。「基本条例」の施行後も、村内には旅館などへの案内誘導の機能を持つ広告物が多く残り、撤去は容易ではなかった。

この状況を打開するため、財団法人観光資源保護財団の「木曽開田高原——農村景観の保全と再生（一九七九年）」を参考とし、景観を阻害する広告物を撤去しつつ、同時に統一された標識を設置することで、案内機能を損なわず広告物を撤去する「サインシステム整備事業（一九八二年）」が企画された。青樹村長は、複数の地元旅館経営者との議論を重ね、役場の振興課と観光協会が合同で「看板統一委員会」を設置して検討に当たった。

当該事業の行政側の位置づけは、「基本条例」の規制を実現し広告物の案内誘導の機能を統一案内サインに代替するものであった。他方、観光協会側は広告物を撤去する代わりに正式な案内サイン内に施設案内を掲出してもらうことになった。案内サインの設置場所や記載内容については、区会（地縁的な住民自治組織）に相談したと想定される。この政策は、景観阻害の解消を目的に行政、民間、住民がともに協力して事業を進めることにより、第二期で大きく展開する公共経営的な活動の素地を作っていった[10]。

第二期（一九八七～二〇〇〇年）：ユニークな政策の連続と人口減少の抑制

一九八七年に国道三六一号に新地蔵トンネルが開通し、開田高原の交通事情は劇的に改善された。そして社会基盤の整備に一区切りをつけた青樹村長が勇退し、神田正知村長が就任した。この時期、「総合保養地域整備法」（通称リゾート法、一九八七年）を背景に全国規模での地域振興が進んでいた。

地域振興へ舵を切る中、「毎年、コブシの花を楽しみに高原に来ていたのに、切られてしまった」という来訪者からの手紙が役場に届いた。この手紙はすぐに開発企画課長から「区長会」（毎月一回、各区の区長と首長が意見交換する会）に持ち込まれた。地域では意識していなかったコブシなどの花木などが、来訪者の思いを惹きつけていることを行政、住民がともに実感し、「銘木百選事業」（一九八八年〜）が実現することになった。事業内容は至ってシンプルで、行政が銘木の所有者に記念の栖を送るもので、銘木の選定・解除は区会に一任された。

「沿道景観整備事業」（一九八九年〜）は、新地蔵トンネルの開通で新たな玄関口となる国道三六一号の周辺に自生している白樺の林をそのまま残すため、沿道の幅七〇メートル、長さ約八九〇メートルを三四人の地主から行政が借地するものであった。この事業の結果、白樺の自然林は現在も、四季折々の美しさを際立たせている。

「集落内景観整備事業」（一九八九年〜）は、各区会に年一〇万円の補助金を出し、区会が自由に、独自の景観施策を実施する政策であった。この政策は野焼きの再開、花壇整備にもつながり、一時期年間に延べ一〇〇〇人を越える住民が参加する大行事に展開した。

それぞれの規模は小さいが、住民、来訪者の双方に象徴的な意味を有する政策が進むにつれ、資材置き場の修景にイチイの植栽を施すなど、住民が自主的な景観づくり活動を始めた。そして一九八九年には住民まちづくり団体「がったぼ会」が生まれ多彩な活動を展開した。[11]

写真 9-1　御嶽山と開田高原

写真 9-2　サインシステム整備事業（1982 年 -、1995 年改良）

写真 9-3　沿道景観整備事業（1989 年 -）

住民の動きと平行し、行政も中部電力、NTT、警察などの村外機関に電柱、交通標識柱の茶系色化、電話ボックスの色彩などに関して協力を要請し、また水生植物園の整備（一九九二年）を含む景観施策を進めた。村長と区長が政策企画、運営を直接議論できる区長会という〈場〉が、ローカル・ガバナンスの質を高めていた点も見逃せない。

美しい白樺と目を楽しませる銘木、水生植物や手入れが行き届いた花壇などの〈場〉を写真に収め、スケッチする来訪者も増加した。第二期の景観まちづくりは、開田高原に多くの移住者を呼び込み人口減少に歯止めがかかるなどの大きな成果をもたらした[12]。

第三期（二〇〇一～二〇一〇年）：合併と景観まちづくりの停滞

開田村に合併の話が持ち上がったのは、二〇〇一年一〇月であった。背景には「平成の大合併」がある。合併検討は、木曽福島町、日義村、三岳村、開田村の四町村の合併により新生木曽町が誕生する二〇〇五年一一月一日まで約四年続いた[13]。

この合併の内容については、木曽郡の中心地である木曽福島町の田中勝己町長（当時）が「町村合併を考える、田中試案」（二〇〇二年七月）を含む複数の構想を発表し主導した。その特徴は「合併して、尚輝く自治の町」をスローガンに、「徹底した住民自治の地域自治組織。行政からも自立した自治組織」、「情報公開を徹底する。計画段階でも公表する」、「住民代表による政策決定権としての政策諮問会議」など、住民の自治を徹底的に重視した政策の実現を目指す点にあった。[14] 当該構想は、新生木曽町の「木曽町まちづくり条例」（二〇〇六年一月）に収斂された。[15] この条例を根拠として住民自治協議会が旧四町村に設立され、政策諮問会議も設置されることで、住民側の提案権の強化と徹底的な住民参加の姿勢が明確にされた。

それにもかかわらず、この変化を開田高原側から捉えると、村長職、議会を失い、村役場は木曽町役場の出先機関、開田支所となったため、職員や各団体の役職の割り当てが激減した。首長と住民の直接対話が可能な区長会という〈場〉も喪失した。一時的に止まっていた人口減少の傾向が進行し始め、「景観まちづくり」は停滞期に入った。[16]

第四期（二〇一一年～現在）：多様な政策アクターの出現

転換は、二〇〇八年に新たな住民まちづくり団体「開田高原倶楽部」が結成された頃から始まる。この団体と前述の「がったぼ会」が企画した「第九回全国まちづくり交流会」（二〇一一年）は、全国からまちづくり団体が多数参加した大規模企画で、地域に大きなインパクトを与えた。

両団体は、その後、長野県の「地域発　元気づくり支援事業」など補助金も活用し、Iターン者フォーラム（二〇一七年度）、景観ウォッチング（二〇一八年度）、ドローン調査（二〇一九年度）などの事業を毎年積み上げ、合併前の「景観まちづくり」の成果を点検した上で、それらを新生木曽町の社会的なシステムに引継ぎ、更新していく役割を果たした。加えて各企画は、大学関連の研究者、研究室との連携を強化した。[17]

こうした動きと並行し、「地域おこし協力隊[18]」としての木曽町での派遣期間を終えた隊員の一人が開田高原に移住し、木曽町の委託を受けて「木曽町移住サポートセンター」(二〇一九年)を事業化した。さらに、この元協力隊員と、地域の子育てサークルのメンバー、慶應義塾大学の研究室による学習支援活動(二〇一七年～)の各メンバーが連携し、「開田高原盛り上げ隊(二〇二〇年～)」が形づくられた。これが地域協議会の広報担当として認知され、開田高原での日々の暮らしを伝える「KAIDA web magazine」の公開が始まった。

しかし、そうした新たな活動の一方で、急激な人口減少、高齢化、森林の手入れ不足、獣害、空き家、中学校統廃合の可能性など、合併を経てなお、今も未解決のままの多くの課題が拡大し続けているのも事実である。

これに対し、開田支所、地域協議会、地域選出の町議会議員が意見交換し、合併後の「まちづくり条例」に根拠を持つ、地域協議会から町長への政策提案が行われた。この提言を受け対象範囲を開田高原に限定し「景観指針」を検討することが決まった(二〇二一年度に開始)。そして現在、開田支所が事務局となり地域の活動分野の主要メンバーを委員とする景観指針の検討において、前述の多様な課題の解決に向けての、新たな模索が開始されている。

開田高原事例のまとめ（合併の影響を越えて続く景観まちづくり）

開田高原のまとめとして、約半世紀にわたり持続している「景観まちづくり」の政策アクター、政策内容の変遷を図表9―1に整理した。この図表から政策アクター間の連携、協働の形成過程や、政策アクターの活動が持続してゆく構造、政策成果の地域空間への蓄積と、その蓄積が政策アクターに与えた影響などを読み解きたい。

第一期の二つの政策は行政が主導し、観光協会や住民との合意、連携が育まれた。これに対して、第二期では政策アクターが多様化する。沿道景観整備事業のような行政と住民の協働施策に加え、政策の枠組みだけを行政が決め、政策内容や実施方法などは住民（区会）にゆだねられる銘木百選や、解決すべき課題自体を住民が決める集落内景観整備事業などが行われ、行政とは離れて、住民側が独自に実施する政策も生まれてきた。また行政が村外の企業を含む他組織と連携する協力依頼も進んだ。

そしてこうした政策には、観光客や来訪者の思いを取り入れる配慮も含まれていた。「景観づくり」という問題設定が共有されたことで、各アクターが連携し、開田高原全域を対象として公共経営的な政策が実現されているとも捉えられる。

以上の政策成果は、開田高原の空間に、いわば〈蓄積〉されていく。具体的には構造物規模や

図表 9-1　開田高原の政策展開

国レベルの動き	各期の期間、特徴	景観まちづくりに関連する政策・活動		主要な政策アクター				地域外の関係
		時期	景観政策、まちづくり活動	行政側が主体	行政と住民等の協働	協議会が実施	住民側が主体	
日本列島改造論（1971）	【第一期】行政主体の動き	1972	開田高原開発基本条例	●				
第１次オイルショック（1973）		1979	サインシステム整備事業		●			○
リゾート法（1987）								
	【第二期】行政主導から行政と住民の協働へ展開	1988	銘木百選事業		●		○	○
		1989	沿道景観整備事業		●		○	○
		1989	集落内景観整備事業		●			
バブルの崩壊（1991-93）			・がったぼ会が結成（1989）				●	
		1992	水生植物園整備	●				
		1993	住民の主体的取り組み）				●	
地方分権一括法（2000）		1994	村外機関へ協力要請（1994）	●				○
	【第三期】合併による景観まちづくりの停滞		・合併構想の開始（2004）					
平成大合併ピーク（2005-06）		2005	新生木曽町：4町村合併					
			・まちづくり条例成立（2006）					
リーマンショック（2008）	【第四期】住民主体の動きから地域全体としての動きに展開		・開田高原倶楽部が結成（2008）				●	
東日本大震災（2011）		2011	全国まちづくり交流会		○		●	○
			・慶應大学研究室の学習支援（2017）		○			○
		2018	Iターン者フォーラム（2017年度事業）				●	○
			・移住サポートセンター設立（2019）	○			●	
		2019	景観ウォッチング（2018年度事業）				●	
コロナ禍発災（2020）			・開田高原盛り上げ隊が結成（2020）					
			・ KAIDA web magazineの公開（2020）			○	●	○
		2020	ドローン調査（2019年度事業）				●	○
		2021	景観指針の策定検討	●	○	○	○	○

◆公共圏的空間の形成

◆空間再編の可能性

注：●：主要なアクター　○：補助的なアクター　「地域外の関係」とは：来訪者、参加者、研究者等を示す。

出所：本図は、本章第２節で整理した政策アクター、政策内容情報を用いて筆者が作成した。

色彩などのデザインを整え（「基本条例」）、来訪者へのホスピタリティを高め（案内サイン、銘木百選、沿道景観整備事業）、また、集落内景観整備事業により住民は区会内の合意を得て、区内に自ら政策を実施できる状況が育まれている。この時点で開田高原の空間は、単なる物理的単位ではなく、地域空間とこれを支える社会システムが有機的に結びつき、かつ生活実態との遊離がない密度を持つものとなっている。また来訪者を意識した政策により、地域の空間全体が本章第１節に示した「公共圏的空間」の特性を帯びている。

この特性が美しい景観に象徴され、開田高原の「地域イメージ（＝ブランド)」が確立されていく。[19] それが、高原野菜やトウモロコシ、蕎麦などの付加価値を高めた。そ得た。そして自然環境、景観は観光客、移住者を呼び込み人口減少に歯止めがかかるという大きな成果を得た。

第三期の町村合併が、この緊密な空間と社会システムのバランスを損なわせたことは否めない。その一方、合併は、基礎自治体の財政状況を充実させ、政策提案権限を有する地域協議会が設立されるなど、新たな可能性を提供した。ただし、この可能性を実現するには行政、住民の双方の意識更新、ノウハウの蓄積が不可欠であった。

第四期に入り、状況を回転させたのは、第二期までに育まれた住民の地道な自治活動であったと考えられる。住民活動が、景観観察を通じて合併前の開田村の政策成果を点検し、これを木曽町開田高原の社会システムへ移行させる作用を果たした。そして、地域協議会を含めて、第二期に比較し、より多様な住民活動が展開していった。合併後に施行された「まちづくり条例」を活かした政策提案により、「景観指針」の策定が開始された点は象徴的である。そして現在、多くの課題に直面しながらも、新たな多様なアクターが、地域空間と社会システムのバランスの再構築を模索する作業に取り掛かっている。

3　宮田村の「まちなか」イメージが転換されていく

宮田村事例の特徴

本節では、前節の開田高原と対照的に、短期間の戦略的、集中的な「まちづくり」を通じて、持続可能性の更新が試みられている宮田村の中心市街地の分析を行った。

長野県上伊那郡宮田村は、中央アルプスを西端とし、東端は天竜川までを村域としている。中央アルプスから天竜川に一気に下る大田切川の急流により扇状地が発達し、扇状地上には豊かな田園風景が広がっている。江戸時代、伊那街道の宮田宿として栄え、明治期に入り製糸が盛んとなった。総面積は約五五平方キロメートル、土地利用は現在、山林が七〇パーセントを占め、農地は九パーセント、宅地が四パーセントとなっている。産業構成は第一次、二次、三次の比率がそれぞれ七パーセント、四二パーセント、五〇パーセント（二〇一五年）、総人口は八九〇七人（二〇二一年）である。小規模自治体でありながら、人口減少もなく安定した地域運営がなされている。その中で課題となっているのが、中心市街地（通称「まちなか」）の空洞化である。

この「まちなか」には、江戸時代の宿場の特徴を残す敷地割、町屋や蔵、水路などの姿が見られ、宮田村のイメージを象徴している。しかし近年は、歴史的建造物の老朽化、空き家の増加、住民の高齢化、商店数の減少などが重なり活力が失われてきていた。

本節は、この「まちなか」の再生を目指し、住民まちづくり団体、行政、大学、企業などの政策アクターが、多様なまちづくり施策を通じて協働、連携、補完の関係を形成していく過程を分析していく。

住民が戦略的なまちづくり活動を開始

「まちなか」の再生の動きは、二〇一五年の住民まちづくり団体「宮田村の景観を考える会」(以下、「考える会」と略す)の設立が契機となっている。「考える会」は宮田村が景観計画を策定する際の「勉強会」をもとに設立されており、その特徴はその多彩なメンバー構成にある。[20] 様々な地域づくり活動を実践・支援してきた村議会議員が会長となり、フリーマーケットの主催経験が豊富な住民、福祉関係者、教育委員会の文化財担当者、景観工学、公共政策の研究者も加わっている。

前述の「まちなか」の現状を、宮田村行政、住民ともに課題と捉えていたが、私有財産である町屋や蔵の保存・活用に行政の立場からは踏み込んだ意見を出しにくい。他方で住民側にとっても、行政が「まちなか」に対して将来展望を示すまでは対応方針を決めかねる、という双方での見合いの状態が続いていた。

この状態を打開する手段として、「考える会」では「まちなか」を対象に、住民の目に留まり、その変化を誰もが感じられるような活動を集中的に実施することとした。その上で、「まちなか」に関連する行政各部署や住民まちづくり団体と連携を図り、これまで断片的に行われていた活動を重層させて、その成果を「まちなか」に〈蓄積〉していく戦略をとった。具体的には、相互に関わりが発生する「文化／歴史／景観」、「賑わいと福祉」、「情報／人材ノウハウの蓄積」の三つの分野で活動を展開し、三年間に限定して、「長野県地域発　元気づくり支援金」や宮田村の補助金を活用しつつ「まちなか」の将来イメージを模索する作業を進めた。以下、二〇一六年度から二〇一八年度の活動内容を確認していく。

「まちなか空間」に活動イメージを重層させる

活動初年度（二〇一六年度）は、「歴史文化の発見と交流」をテーマに、以降持続的に充実、展開が図れそうな基本的な活動、企画を進めた。文化／歴史／景観分野では、まちなか探検ガイドツアー、まちなか博物館、賑わいと福祉分野では、福祉施設と連携したオープンカフェ、情報／人材ノウハウの蓄積分野ではトーク・イベントを実施した。また、統一デザインのチラシによる活動のブランド化、各企画内でのアンケート実施など情報やノウハウの蓄積に務めた。補助による予算総額は一六九万円であった。

写真 9-4　探検ガイドツアー

写真 9-5　トーク・イベント

写真 9-6　宮田市《いち》

探検ガイドツアーは、「まちなか」に残る伊那街道宮田宿の面影を、ガイド役の住民とともに散策する企画である。江戸末期から明治期の町屋や蔵の機能、そして建築としての特徴、社寺に関する解説を行った。また、まちなか博物館は、探検ツアーの起点となる公民館や神社の社務所に、天保年間の古地図のレプリカを広げ、歴史的な町屋や蔵の解説パネルを飾り、「まちなか」の歴史的な変遷などへの理解を高める企画であった。

福祉施設と連携したカフェは、神社の祭りに合わせて公民館前に場所を確保し、「まちなか」に立地する福祉施設の職員、利用者、他団体とともにオープンカフェ、工芸品店などを開催したものである。

続く二〇一七年度は「歴史文化を活かす協働・連携」をテーマとして、初年度企画の定着を図りつつ、新たな展開を模索した。補助による予算合計は一七七万円であった。最も大きな展開は、福祉連携カフェをベースに拡大を図った宮田市《いち》の開催であった。県道（旧伊那街道）の自動車交通を止めてフリーマーケットと模擬店、イベントを総合的に実施した。

この企画は、その後、商店会との連携に結びついた点、福祉施設の利用者と住民との交流の機会が増えた点、役場の職員有志が住民の立場として模擬店を出店し、交通整理などを支援した点など、活動の枠組みを一気に「見える化」する役割を果たした。また、トーク・イベントでは歴史的建造物、まちなみの保存活用に関する専門家、実践家を招聘して集中的に情報提供と議論を開始し、宮田村を研究フィールドとしていた大学生、大学院生の卒業・修了研究の発表会も開催された。[21]

二〇一八年度は、補助金事業の最終年度と位置づけ、「歴史・文化の交流拠点化」をテーマに、各事業を展開させながら情報やデータの蓄積に務めた。宮田市《いち》は年に二回実施して定着を図った。予算は一七〇万円であった。

以上の三年間の活動を通じて、まちなか博物館の観覧者数は八一三人、宮田市《いち》は三回実施、多い回の滞在人数は約一四〇〇人、出店数五一店舗、参加団体数は三〇団体に及んだ。またトーク・イベントを一二回実施し二七四名が参加した。「考える会」の事業は、短期間で行政、住民の双方に「まちなか」の可能性を目に見える形で示す社会実験的な役割を果たすことに成功した。

下支えとなる教育委員会の地道な活動

宮田村教育委員会では、「考える会」の活動以前から、ふるさと発見講座などの文化講座を継続してきた。特に学芸員資格を有する文化財担当職員が二〇一二年に採用された後は、文化財展示などを積極的に実施してきた。この担当職員が、住民としての立場で「考える会」に参加し、多方面で行政、住民の協働を橋渡しする役割を担っていた。

当該職員は、「探検ツアー」（二〇一六年度）のガイド役を引き受け、翌年にはこれを教育委員会主催の公立小中学校の教員、職員向けのツアーに応用した。また「考える会」のトーク・イベントと教育委員会のふるさと発見講座を合同企画に発展させ、前述の町屋や蔵の活用実績を持つ専門家の講演などを複数回実施した。イベント後の懇親会では歴史的建造物の所有者、行政の参加者、住民、専門家の間に率直な対話が育まれ、意見交換を通じて蔵と町並みの活用へのそれぞれの思いが、一気に顕在化していった点も見逃せない。

ついに歴史的建造物の本格的な調査が始まる

江戸時代の宿場の面影を残す「まちなか」のまち並みは、その一部に大学の研究室の調査（一九七五年）が入って以来、まとまった学術的な調査は実施されなかった。調査員が個人の居住スペースに入り間取りや構法などを確認する作業は、所有者には心理的負担が、行政には経済的負担が生じる場面がある。調査実施に漕ぎつけられたこと自体が、「考える会」と教育委員会の活動の成果であった。

調査（二〇一七〜二〇二一年）は専門性を有する外部団体に委託され、大学の研究室や飯田市の歴史研究所の技術協力を得て実施された[22]。調査により明治二三年の大火を免れた北部側の地区に江戸後期、明治前期の建造物が多く残存し、南部の地区は町屋が焼失し蔵が残ったことなどから、明治中期に火事につよい土蔵づくりの建造物で復興された点が学術的に確認された。また調査を通じて、専門家との人的なつながりが一気に拡大したことも大きな成果であった。

調査対象とした歴史的建造物のうちの五棟は、文化庁による事前調査を経て、二〇二一年度内に国の登録有形文化財への意見具申資料が提出されている。そして宿場の北端に位置する取り壊しの寸前にあった蔵が、「まちなか」で建築年代が特定できる最古の蔵であることが判明した。特に象徴的なのは、この蔵の所有企業が、駐車場用地として取得したものでありながらも、蔵の公共的な価値を認めて、蔵とその底地を宮田村に寄贈したことである。

企画部門の事業展開と新たな村議会改革の動向

最後に村長部局と村議会の動きを概観しておく。現村長は文化歴史に造詣が深く、その二期目（二〇一七年）に新たに就任した副村長は、企画部門である「みらい創造課」を事務局とする「まちなか活性化庁内検討会」と「魅力創造プロジェクトチーム」という二つの部署横断型の会議を編成した。

前者は幹部職クラスの会議体であり、歴史的建造物や町並みの保存活用の方針を決めるため、住民の意向ヒアリングなどを進めている。後者は、住民との協働企画のための実践部隊であり、「考える会」の三年間の集中的施策の後を引き継ぐ形で、歴史的建造物を活用する「宮田宿軒下ギャラリー」などの企画を実施している。

村議会の動きを詳細に記す余裕はないが、二〇一九年に村議会議員でもある「考える会」の会長が、当時の長野県では最年少で村議会議長に就任したことを契機に、その後、村議会では「議会の機能強化」、「議会の広報公聴活動、議会への住民参加の充実」、「議員のなり手不足解消」の三つの課題に取り組んでいる。このうち住民参加では、議会が村民の意見を直接聞く「むらびと会議」を公募により開催するなどの先進的な取り組みを実現している[23]（二〇二一年）。

宮田村事例のまとめ（公共圏的空間と持続性の更新）

宮田村事例のまとめに際して、「まちなか」の活動を巡る政策アクターの連携、協働の流れを中心に、その展開、政策成果の「まちなか」への蓄積過程を、図表9―2に整理した。

「考える会」の設立は、景観計画の勉強会に端を発していた。ただし、先行して教育委員会や文化・歴史に関連する住民団体が活動しており、「まちなか」に関する問題設定の素地ができあがっていた。「考える会」の重要性は、文化・歴史、フリーマーケット、福祉などの様々な活動の流れを「まちなか」の空間に集約したことで、人と人、問題意識、活動内容を接続する〈触媒〉としての役割を担った点にある。こうした活動を可能にした要因は、多方面に豊富な経験を有するメンバー構成と、村議会議員や行政職員が住民の立場として参加していた点に見出される。

多彩な人材が戦略的企画を生み、人的なネットワークを拡大し、活動成果を波及させた。村議

図表 9-2　宮田村「まちなか」の政策展開図

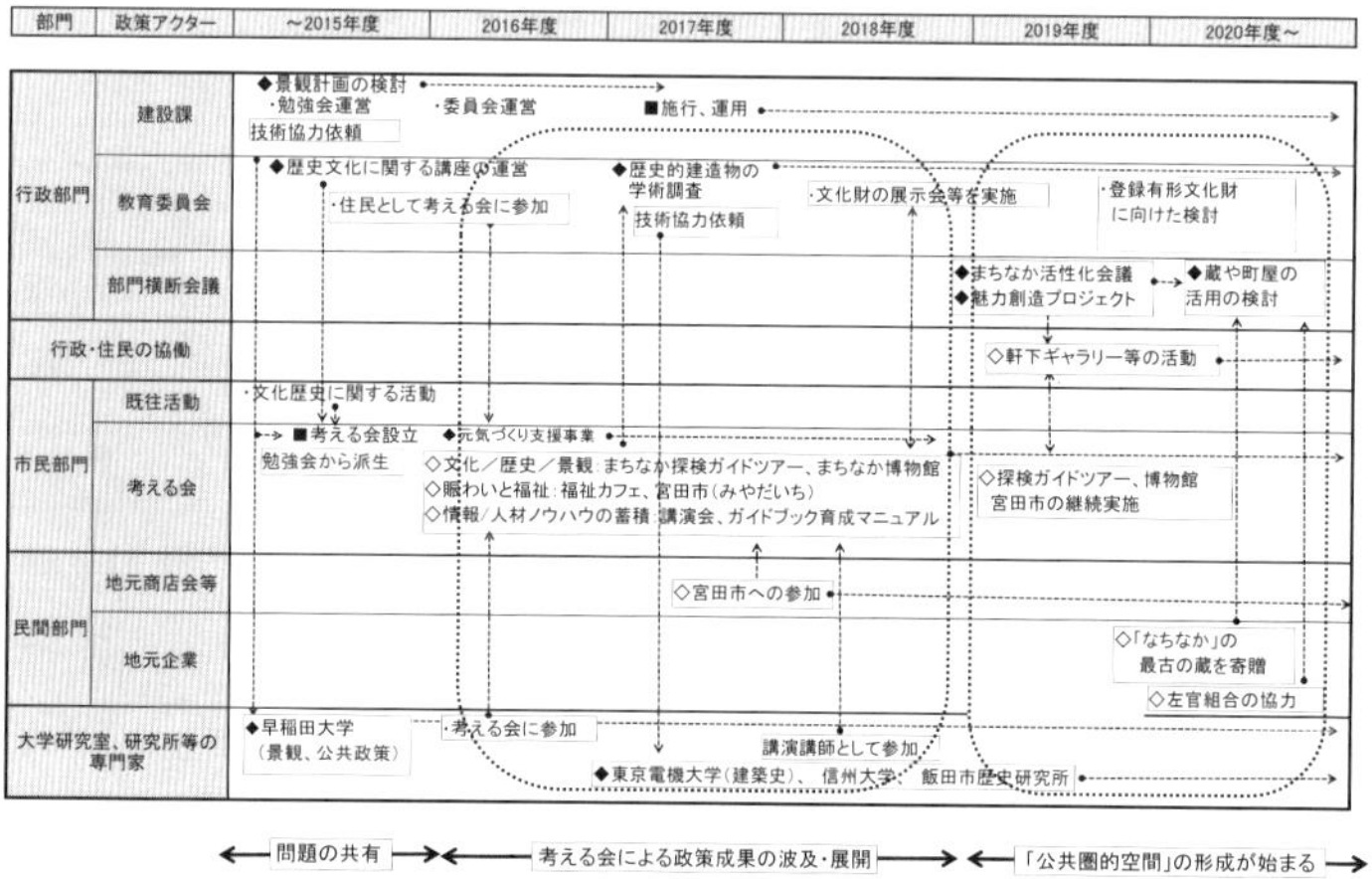

出所：本図は、本章第３節で整理した政策アクター、政策内容情報を用いて筆者が作成した。

会議員、役場職員の参加は「考える会」への信頼性を高め、同時に行政と住民の協働事業を、ごく自然に受け入れられる雰囲気を作った。

そして「考える会」、教育委員会、魅力創造プロジェクトの活動は、変化には慎重であった「まちなか」にあって、宮田市《いち》に象徴される多様な主体の関わりを一定程度容認し、来訪者を受け入れる「公共圏的空間」の特性を徐々に育んだ。この影響が「まちなか」の空間イメージを変化させつつある点に着目したい。

「まちなか」では、かつての宿場町の賑わいから、製糸や商業が発展して、町屋、蔵の町並みが形成された。しかし近年、活動が停滞ぎみで老朽化、空き家、空地が目立っていた。この停滞したイメージが、「町屋、蔵などの歴史的建造物を活用し、多彩で賑やかな活動を展開しうる〈場〉が生まれる」、という期待を抱かせる「将来イメージ」に更新されつつある。

今後、歴史的建造物の国の登録有形文化財への採択や、まちなかで年代の確定できているものの中では最古の蔵の、本格的な活用が実現した段階では、前述の「まちなか」の将来イメージが定着していく可能性がある。

4 「地域の物語」とその再生

第2、3節では、半世紀にわたる様々な社会環境の変化を受け止め、地域の固有性を維持しつつ社会システムを更新してきた開田高原と、比較的短期間に中心市街地の持続の方向性転換を模索している宮田村「まちなか」の実態を詳細に分析してきた。

二つの地域からは、「基本条例」、景観計画の検討などの行政の動きが住民活動の起点となりえること、合併などによる行政の枠組み変化を住民の自治的な活動が補完していくこと、政策アクターの多様性が政策波及、展開に〈触媒〉としての役割を果たすこと、地方議員や行政職員の地域住民としての活動が協働の促進に果たす重要性、そして、政策成果が地域空間に蓄積される点など、さらに考察を深めたい多く視点が抽出された。また、開田高原の第二期、四期の変遷過程と宮田村の短期的な変遷のなかに、一定の共通点が確認できた。

本節では、二事例に共通して地域全体の活性化との強い関係性が読み取れた、「地域で活動する多様な人々の間で、自分自身がその〈主体＝アクター〉であると感じられる「地域イメージ」が共有される過程で、まちづくりが活性化し持続性が更新されていく[24]」、という論点に集中して、以下に試論を展開し検討を加えてみたい。

ここで、「地域イメージ」とその更新の過程を詳細に観察すると、その前提として二事例では、政策成果が地域空間と社会システムの関係に蓄積され、多様な人々に開かれた「公共圏的空間」が形成されていた。その上で、それらの空間の魅力が象徴性を帯び、地域イメージの変化、更新が始まる様子が見て取れた。同様の経過を、本章第1節で言及した学際的研究グループが国内外の事例比較を通じて確認している[25]。

同グループでは、「地域の物語」という仮説を用い、「地域イメージ」の内部の構成を、過去から未来への時間的な了解のなかで解読しようと試みている。仮説は以下の通りである。

「すなわち、活発で安定した活動が持続している地域では、住民が暗々裏に「これまで…してきた私たちは、これから―であろうとして（未来の可能性をめがけて）、いま～をしている」という、過去から未来に向かう時間的な了解を伴った地域イメージ（＝「地域の物語」）を共有しているのではないか[26]」。

当該仮説では、強い外的要因などを通じてこの「物語」の過去、未来、現在の時間的な了解が崩れるとき、地域で共有されてきた活動意識や社会システムが危機に直面する。

この仮説で二事例を解読すると、例えば、開田高原の第一期では、「木曽馬と素朴な農村生活によって育まれた美しい自然景観の地域」という過去の蓄積の価値が、商業観光、乱開発に曝され、将来の可能性を見失いかけた。第三期の町村合併では、「地域」という単位、つまり「私たち」という枠組み自体が不安定化した。

宮田村「まちなか」では、「宿場町から蓄積され現在に至る町屋、蔵の町並み」という過去の蓄積の価値が、空き家や老朽化、人口減少などにより見失われ始め停滞が生じていた。

ではこの「地域の物語」の持続危機は、どのような過程を経て更新、転換されるのか。

開田高原では、第一期から二期にかけて、政策アクターが行政から観光協会、住民自治組織、村外の関連機関へと広がり、地域住民に加えて来訪者など地域外の人々の思いをも政策内容に取り入れた。その結果、地域空間と社会システムが密接に関連し、広く外部にも開かれた「公共圏的空間」が育まれてくる。宮田村「まちなか」では、アクターの複合化、連携により政策成果が波及、重層し、宮田市《いち》などを通じて空間が地域外にも開かれつつある。

こうして育まれた地域外にも開かれた「公共圏的空間」において、自然景観や蔵や町屋など、地域固有の価値を活かす可能性がアクター同士の共通の政策課題となり、公共経営的な活動が活発化する。そこを起点に例えば、「人々を迎え入れる厳しく美しい自然環境、景観」、「上伊那の文化歴史の交流拠点」とでも表現できるような、地域以外の人々の活動をも取り込んだ形での「地域の物語」が再生され始める。

その上で、活動する多様な人々の間に生まれる管理、運営の新たな枠組みが軸となりローカル・ガバナンスの再構築が動き出し、その過程で新しい「物語」が地域の住民一般に波及、展開、定着していく。

まとめ――「持続可能性」という「問い」の本質

前節における試論では、二つの事例に対して、「地域の物語」という仮説を用いた考察を試みてきた。その結果、「公共圏的空間」の形成⇓そこでの公共経営的な活動の活性化⇓ローカル・ガバナンスの再構築を通じた「地域イメージ＝地域の物語」の再生、波及、定着という一連の流れが明らかになり、これがまちづくりの活性を持続、更新していく構造として導かれた。[27]

本章のまとめに向けて、この流れの中で得た視点、論理を、ここからは他の研究からの知見も踏まえ、「持続可能性とは何か」の読み解きへと検討を深めていく。

まず、二つの地域の活性化や持続に極めて重要な働きがあった「公共圏的空間」が、公共という用語の本質的な特性（「open to all」）を、目に見える形で人々に開示している点が注意を惹く。前述の研究グループでは、ハンナ・アーレントの公的（öffentlich）の概念を要約し、「何事かが公示され人々に見られ聞かれる。人々を結びつける、持続的な空間として存在する」という特性を「公共圏的空間」に見ている。

この先行研究では、こうした「公共圏的空間」の中で、美しい自然景観、歴史的な町並みなどの地域固有の価値を蓄積、更新する活動が進められ、人々が強く魅力を感じる象徴的な〈景観〉が形成されるとき、それがローカル・ガバナンスの刷新や「地域の物語」の書き換えにつながる可能性がある、という点が指摘されている。[28]

このように、地域社会や空間の構成要素にまで踏み込んで「持続可能性とは何か」を捉え返していくと、この「問い」には、公共とそれを支える主体（基礎自治体や地域）の成り立ち自体を問うような、より本質的な「問い」が含まれる点に気づかされる。この点、開田高原、宮田村「まちなか」に立ち帰ってみると、そこでの持続性は、日常的な人々の絶え間ない公共的な活動や、それを支える様々な社会システム、また、そこに生じる変遷構造に支えられていた。このことは、基礎自治体をごく簡単に、「公共サービスを効率的、公平に提供する枠組み」という機能的枠組みや論理として理解するならば、地域の活動や公共の多様性という、本質的なものが欠落してしまうことを示している。

こうした点に関して、例えば遠藤宏一は、自治体を自治の「容器」と定義し、より広く自然環境まで含めた共同社会的条件の枠組み、これを支える社会的権力として捉えた考察を行っている。そこでの「公共関係（人間と自然との関係、自己と他者という人間の関係）」をどのように取り結ぶかによって、その姿や個性（地域性）が大きく異なる、という指摘は、本章で見た事例の実態によく整合する。[29]

さらに、この自治の「容器」を「地域」が下支えしている（sustain）ことをイメージして、二つの地域で得た地域像の概念的な整理を、以下に試みてみた。[30]

現代の地域とは、「そこで活動する人々（住民、事業者、地縁的団体、その他団体など＝「主体」）に共通する利益を追求・実現するための何らかの社会システムを有する空間的範囲。そして、人々が絶えず自己実現を目指して拮抗し合いつつ、自分たちの共通利益を生成するとともにそれを実現するために意思決定を行い、社会システムや空間特性を更新、蓄積していく〈場〉」、とでも表現できるのではないだろうか。

二つの事例においては、この地域という〈場〉を象徴するように「公共圏的空間」が形成され、多様な人々が自己実現を拮抗させながら、そこに時間的な了解をともなった地域イメージ（＝「地域の物語」）を生成させていた。先に見た仮説では、こうした動きを内包させつつ、活動する多様な人々を取り込み、基礎自治体内にローカル・ガバナンスの再構築が進む過程で、再生された新しい「物語＝イメージ」が地域の住民一般に波及、展開、やがて定着して持続性が更新されていく。

翻ってさらに、こうした地域を下支えている現場では、開田高原においては、町議会議員、地域協議会、若手の住民活動である「開田高原盛り上げ隊」や大学の研究者を含むメンバーが、新たな景観指針（＝地域イメージ）の検討を始めている。宮田村では、地元企業からの寄贈を受け、教育委員会、左官組合の連携による住民ワークショップが実施されてきた「象徴的な蔵」の、本格的な活用が検討されていく。

そして、その現場にこそ今、「地域の物語」の再生やローカル・ガバナンスの再構築、そして地域の持続可能性の更新に向けて進もうとする人々の、現在進行形の姿が現れているのである。

最後に本稿を閉じるにあたり、以下に本章の位置づけと結論をまとめておく。

本章は、開田高原、宮田村「まちなか」の二事例を対象とした分析をもとに、先行研究が示す仮説を用いて考察を進めた一試論である。その位置づけのなかにおいて、「持続可能性とは何か」を地域の側から「問い」直した。その結果として、基礎自治体とそれを支えている地域、地域に形成される「地域の物語＝地域イメージ」や「公共圏的空間」という重層的な構造を抽出した。そして、そのすべては、地域内での人々の多様な、公共的な活動の下支えによって持続されてきた点を明らかにした。
私たちは、地域の刻一刻の変化と、その底にある固有性を見定め、そこに住む人々が直接に関わりを結び合う地域という〈場〉に立ち帰り、現在の公共（open to all）の政策を捉え直してみても良いのでないだろうか。

注

1　政府が主導し全国的に推進された市町村の合併。その目的は、人口減少・少子高齢化等の社会経済情勢の変化や地方分権の担い手となる基礎自治体にふさわしい行財政基盤の確立であった。この合併推進の結果、市町村数は三二三二（一九九九年三月三一日現在）が一七二七（二〇一〇年三月三一日現在）となった（総務省HP：https://www.soumu.go.jp/kouiki/kouiki.html〔最終閲覧日二〇二二年二月一〇日〕）。

2　SDGsについては、外務省HPの記載内容などを参考に整理した（https://www.mofa.go.jp/mofaj/gaiko/oda/sdgs/about/index.html〔最終閲覧日二〇二二年二月一〇日〕）。

3　増田寛也編著『地方消滅――東京一極集中が招く人口急減』。同書では、二〇一〇年から四〇年までの間に「二〇～三九歳の女性人口」が五割以下に減少する市町村を「消滅可能都市」として、その数を算出している（同書二八頁）。「集中と選択」の記載内容に関しては四八頁を参照。

4　本章における「公共（Public）」、「公共政策（Public Policy）」、「公共経営（Public Management）」という用語の定義は、Koichiro Agata,"Public Management, Public Policy, and Public Policy Research"に

依拠している。当該論文では、公共経営（Public Management）は、governmental（政府）、market（市場）、civic（市民）という基本原理の異なる（正確には different fundamental principles regarding the exchange of goods and services with payment.）アクターの協力、補完関係により成り立つとし、厳密な定義を行っている。本章では、対象が「地域」である点を踏まえ、公共経営を構成する各部門に対し、政府は概ね行政を、市場は民間を、市民は住民というように、ごく簡易な意味合いで用いている。

5　ガバナンス概念に関しては、日本行政学会編『ガバナンス論と行政学』の各論稿、その他を参考とした。ローカル・ガバナンスに関しては、羽貝正美の「住民の自治、地域の自治と自己決定を重視し、同時に立案から評価に至る政策の循環過程に広く住民の参加・参画を促しながら、求められる自治体政策の実現を志向する自治体の自己統治のあり方、住民参加型自治の実践」という定義と、ガバナンス論に民主主義の統治形態（自己統治）の改革実践論・運動論としての性格を見出す捉え方を参考としている（羽貝正美「住民参加型自治への展望」『自治と参加・協働――ローカル・ガバナンスの再構築』の二六一頁、二六二頁を参照）。

6　開田高原事例、宮田村事例とも、政策アクターや政策内容に関する諸情報は、関係者へのヒアリング、参与観察などに依った。ただし、開田高原事例の第一期、第二期に関しては、藤倉英世「基礎自治体における景観と自治の再構築に関する実証的研究」の情報を基本に、さらなるヒアリング調査による情報を加えている。それ以外の文献からの情報については、その都度、注に記している。

7　具体的には行政学、社会哲学、都市科学、景観工学、建築の各分野の研究・実践者からなる学際的な研究グループ「風景―主体研究会」が二〇一一年より実施している以下の研究成果を踏まえている。

藤倉英世、他『「地域の物語」の再生を巡る自治の諸相」――1960年代以降の日・独・仏における公共圏的空間、風景、ローカル・ガバナンスの変遷とその構造比較』。

山田圭二郎、他「「地域の物語」の再生と自治の諸相――公共圏的空間、風景、ローカル・ガバナンスを巡る日仏構造比較」。

なお、同研究グループでは「公共圏的空間」という用語を、ハンナ・アーレントの「公的空間 der öffentliche Raum」の概念などを参考に定義している。注26で示した参考文献、及び注28を参照のこと。

8　開田高原事例においては、「景観指針」の策定に向けた調査を、筆者が代表理事をつとめる一般社団法人公共経営研究ユニットが実施している。宮田村事例においては、筆者は住民まちづくり団体「宮田村の景観を考える会」の活動に個人的に参加している。また、前述の公共経営研究ユニットが「宮田宿」の調査を受託している。

9　一九七二年時の自主条例としては画期的であった。例えば、伊藤修一郎『自治体発の政策革新――景観条例から景観法へ』などを参考とすると、基礎自治体で本条例以前に制定された罰則を伴う自主条例（景観関連）としては、例えば、辰口町（現・石川県能美市）の自然景観等保護条例（一九七一年）がある。しかし、屋外広告物の規制を基礎自治体全域に設けた例は、旧開田村の「基本条例」以前には存在しないようである。

10　縣公一郎は、公共経営的な政策は、政府、市場、市民の三部門が、「共通の社会問題」、「問題解決に必要な協力」、「自己犠牲の準備」という三つの共通の側面により成り立つことを指摘している。「サインシステム整備事業」にも、こうした側面が見られる（Koichiro Agata,"Public Management, Public Policy.

and Public Policy Research")。

11 「がったぼ」は開田高原の方言で腕白小僧を意味する。森林づくり、人づくり、地域づくりをキーワードに、勉強会「がったぼ塾」の開催、保育園やデイサービスセンターとの交流、登山道整備、都市住民との交流会「開田高原ふるさと交流会」など様々な活動を展開した。

12 木曽郡の人口は、二〇〇〇年四月には約四万二〇〇〇人であったものが、二〇〇五年四月には約三万四〇〇〇人まで減少している。これに比較し、旧開田村の人口減少は、一九九〇年以降には一九〇〇人程度で一旦歯止めがかかった。その一因にはIターン者の増加がある。大日富美雄「Iターン者と地域活性化についての一考察」によれば、旧開田村の二〇〇六年までのIターン者の総数は二六八名、総人口に対して一三パーセントに達している。また、転入理由として約四割（一一三名）が、美しい環境を挙げている。

13 まず木曽郡の全一一町村の合併による木曽市構想が断念され（二〇〇二年七月）、その後木曽郡北部の七町村（木曽福島町、開田村、上松町、木祖村、日義村、三岳村、王滝村）による合併構想が進んだが、木祖村は住民意向調査の結果、反対が多数となり合併協議会を離脱（二〇〇四年七月）、その後に上松町、王滝村も離脱し最終的に四町村の合併により新生木曽町が誕生している（二〇〇五年一一月一日）。

14 合併の試案を構想する際、田中勝己木曽福島町長（当時）は、京都府美山町の視察において、合併前の旧村ごとに地域振興会を作って成功した点や、財団法人日本都市センターの報告書「自治的コミュニティの構想と近隣政府の選択」の考え方、ニセコ町の「まちづくり基本条例」などを参考としている。田中勝己「未来に輝くいなか――自治の花ひらく町へ、新たな挑戦」の一六頁から二二頁を参照。

15 住民協議会の設立に関して、合併特例法による地域自治組織としなかった点、また「木曽町まちづくり条例」に関するその後の専門家の評価なども、田中勝己「未来に輝くいなか――自治の花ひらく町へ、新たな挑戦」にまとめられている。

16 開田村役場（五八名勤務）が合併後に木曽町役場開田支所（一六名勤務）となり、旧開田村以外の出身の職員の中には本庁のある木曽福島へ転居した職員もいた。また、議員数、農業委員会委員、選挙管理委員会の委員なども大幅に減少、加えて、観光協会、交通安全協会は支部化し、消防団も支団となった。以上の情報は、大目富美雄「開田高原」『東京経済大学国際シンポジウム「自治しうる〈主体〉と〈場〉を問いなおす」』より抜粋整理した。また一九九三年以降は一旦、一九〇〇〇人強で止まっていた人口減少が一気に加速している。国政調査では、一九九二人（二〇〇五年度）一八一五人（二〇一〇年度）、一六三六人（二〇一五年度）、一四三九人（二〇二〇年度）。

17 開田高原倶楽部の実施したイベントには、東京経済大学、東京医科大学、早稲田大学、金沢工業大学などの研究者が参加、協力している。

18 地域おこし協力隊は、都市地域から過疎地域等の条件不利地域に移住して、地域ブランドや地場産品の開発、販売、ＰＲ等の地域おこし支援や、農林水産業への従事、住民支援などの「地域協力活動」を行いながら、その地域への定住・定着を図る取り組み。隊員は各自治体の委嘱を受け、任期は概ね一年以上、三年未満（総務省ＨＰ：https://www.soumu.go.jp/main_sosiki/jichi_gyousei/c-gyousei/02gyosei08_03000066.html〔最終閲覧日二〇二二年二月一〇日〕）。

19 開田村ではこの第二期において、「まちづくり」に関連する賞を多数受賞した点も、地域イメージの向上に結びついた。受賞例としては「全国過疎問題シンポジウム（国土庁など主催）」における過疎地域活性化連盟会長賞（一九九四年）、「第3回美しい日本のむら景観コンテスト（農林水産省主催）」で、むらづくり対策推進本部長賞（一九九五年）、「農村アメニティコンクール（国土庁）」で特別優秀賞（一九九六年）、「毎日・地方自治大賞（毎日新聞社主催）」（一九九六年）の奨励賞受賞などが挙げられる。

20　宮田村では二〇一四年から景観計画の策定が進められたが、その二〇一四年度から二〇一五年度にかけて勉強会（勉強会の名称は「宮田村の景観を考える会」）が四回開催された。正式な景観計画策定委員会の設立時に解散したこの勉強会のメンバーが「考える会」を設立した。「考える会」の構成メンバーが多彩な理由は、この勉強会に地域活性化を目指す住民や村議会議員、景観、公共政策の専門家が招聘されていた点に起因する。

21　早稲田大学の景観デザイン研究室（佐々木葉教授）、東京電機大学の建築史の研究室（横手義洋教授）が宮田村を研究フィールドの一つとしており、研究成果を地域住民に報告する発表会が実施された。なお、前者は「考える会」のメンバーとして、「考える会」の活動を技術支援している。

22　滋賀秀實（東京電機大学名誉教授）、横手義洋（東京電機大学教授）と横手研究室、土本俊和（信州大学工学部建築学科教授）、樋口貴彦（飯田市歴史研究所研究員：当時）、福村任生（同歴史研究所研究員）、丸山日出夫（長野県文化財保護指導委員）などの技術協力を得て実施された。

23　宮田村議会むらびと会議に関しては、以下に詳しい。https://www1.g-reiki.net/miyada/reiki_honbun/e750RG00000745.html（最終閲覧日二〇二二年二月一〇日）。

24　活性化や持続性に関する計量的な説明は難しいが、例えば、開田高原の人口減少の歯止め、受賞数など、宮田村「まちなか」におけるイベント参加人数、蔵と土地の村への寄贈、登録有形文化財への動きなどは、活性化と持続性の更新を示していると考えられる。

25　学際的研究グループでは、仏独の小規模自治体リヨンス＝ラ＝フォレ（Lyons-la-Forêt、ノルマンディ地域圏、フランス）、コルンラーデ（Colnrade、ニーダーザクセン州、ドイツ）及び、妻籠地区（長野県南木曽町）、開田高原地区（長野県木曽町）を対象としている。ただし、開田高原地区に関しては合併前の期間を主対象としている。

26　当該仮説による事例の解読に関しては、以下の文献を参照されたい。
山田圭二郎、他「「地域の物語」の再生と自治の諸相——公共圏的空間、風景、ローカル・ガバナンスを巡る日仏構造比較」。

なお、当該仮説は、前述の学際的研究グループに参加する社会哲学者の西研が、M・ハイデッガー『存在と時間』（一九二七年）を根拠としてこれを共同体に当てはめて捉え直したものである。（西研『哲学は対話する』四三二頁参照）。

27　前述の学際的研究グループでは、景観工学の技術を応用した「空間—社会構造図」という独自の手法を用い、地域内の社会的な諸活動と物理的空間の各構成要素の対応を整理することで、「公共圏的空間」の構造を実証的に分析し、そこから論を展開している。詳しくは注26に掲載した文献を参照のこと。

28　ハンナ・アーレントの公的（öffentlich）の概念に関しては、ハンナ・アーレント『活動的生』の六三頁から六六頁を参照。前述の学際的研究グループは「公共圏的空間」においては様々な社会的背景を有するアクター、制度などが競合するため、多様な価値観が拮抗し活性化しやすい傾向が現れる、としている。

29　遠藤は（自治体とは）「地域空間における一定の「区域」に、生産と生活を営む人々、住民が存在し、その人々が社会的契約により一定の諸制度をもつことによって構成された「自治」の組織、「容器」である」、とした上で、「……住民が生産と生活のための共同社会的条件（生態系の一員として生存しうる自然環境と生産と生活の社会的基盤）」を創設・維持・管理するためにつくられた社会的権力のことであり……（中略）……その在り方は人間と自然との関係と、自己と他者という人間の関係（いわゆる「公共関係」）をそれぞれどのように取り結ぶかによって、その姿や個性（地域性）が大きく異なる。」としている（遠藤宏一『現代自治体政策論』六頁より抜粋し引用）。

また、羽貝正美は、この遠藤の自治の「容器」という自治体観に考察を加え、「そのなかの「自治の実践の場・その在り方」の問題を捨象しては考えられないという指摘は、「地方自治」の本質をついたものとして特筆に値する」と指摘している。本章ではこれらの指摘とともに、当該論文における「住民自治に基礎づけられた団体自治」という論点を参考としている。（羽貝正美「地方分権一括法施行20年と基礎自治体」）。

30　sustainability（持続可能性）という単語を構成する「sustain」には、その語源に下から支えるという意味合いが含まれている。ここでは、自治の「容器」としての基礎自治体を「地域」が下から保持し、この地域は「公共圏的空間」により支えられ、「公共圏的空間」は、そこを巡る多様な活動によって支えられている、という構成をイメージしながら「地域」という枠組みを捉えてみた。

おわりに

『地域から公共政策を考える』と題された本書の企画は、コロナ禍において実施された早稲田大学公共政策研究所による連続公開講座での研究報告を編纂出版することをミッションとして企てられた。コロナ禍は、大学という知的共創の場での本源的な営みである対話と創発の機会を制約し、自由で豊饒な人間知の躍動を妨げ、世界に停滞と閉塞をもたらした。このたびの連続公開講座と本書刊行に参画した面々は、こうした状況に拱手するのではなく、大学人、研究者、実務家として知の探究と創造になしうる限りの貢献を果たすことがいまなさねばならぬミッションであるとの思いをともにしている。江戸後期朱子学者である佐藤一斎（一七七二―一八五九）の言説に「提一燈行暗夜　勿憂暗夜只頼一燈」（言志晩録一三条）があるが、本書の企てが知の光としてコロナ禍の世界の一隅を照らす効を果たせればこの共同作業の所期する一端がかなえられる。

本書の共同執筆者たちはすべて公共政策研究所招聘研究員であるとともに、そのほとんどが二〇〇三年四月に設置された大学院公共経営研究科（公共経営大学院）を共通の研究母体として研究発展を遂げてきたキャリアを有している。この公共経営研究科修了者としてのキャリアを共通していることこそが、「地域から公共政策を考える」という着想と問題関心を共有するプラットフォームになっていると言える。

公共経営大学院は、設立当時日本最初の公共政策系専門職大学院として、「公共経営」的視野をもって社会で活躍する高度専門職業人を養成することを目的に、政治学研究科、経済学研究科と並ぶ独立研究科として開設された（開設時の初代研究科委員長片岡寛光教授、同教務委員縣公一郎教授）。「公共」に関する洞察力を備え、公平と効率の均衡を図りつつ的確な政策判断とマネジメントができるクリエイティブな人材、国際性、人間性豊かな、責任感のある社会のリーダーの育成を研究科の最優先順位のミッションとして位置づけていた。さらに独立した博士後期課程も開設し、高度な専門知識とともに高度な研究能力を備えた研究者の輩出も研究科の使命に加えられた。

またなによりも大学院の特色であったのは、その名称に、早稲田大学創立者大隈重信の名を英名に冠して The Okuma School of Public Management（大隈記念大学院）とした点である。「大隈精神」、つまり強靭な意志の力と幅広い識見をもって近代国家を切り拓いていった大隈重信の精神を土台として研究を推進し、さらに研究の成果を社会に還元することで社会発展に貢献するという研究科のミッションと密接につながっていた。

こうした Okuma School のヴィジョンとミッションを実装するために、公共経営大学院には研究領域として行政、公共政策、公共経済、情報ジャーナリズムの四つのフォーカスが設けられ、フォーカス相互の連携と融合のもとに、ポリシースタディ、ケーススタディ、フィールドスタディなどアクティブラーニング・プログラムや具体的な政策立案・提言などを内容とする研究プログラムが展開されていた。こうした多彩なプログラムの中でも中核的な位置を占めていたのがキャップストーンプログラムである。

キャップストーンとは、周知のようにピラミッドの頂上に積まれた冠石を指すが、ここでは大学院での研究課程をピラミッドにたとえ、キャップストーンプログラムを研究で培った知見やアイディアを土台に実装で活かす産学域公のコンソーシアムプログラムとして特色づけている。ここでは、大学院とパートナーとなる自治体、地域、NPO、企業等が協働連携し、それぞれが抱える実際の問題や課題に実践的に取り組むことを狙いとしていた（問題・課題解決型Problem-based/Project-based learning）。

公共経営大学院は、その保有する知的資源、ネットワークを動員して、自治体や地域が直面する問題解決や課題達成に寄与・貢献し、多くの専門人材の輩出に顕著な成果を遂げてきたが、大学院組織再編の経緯の中、政治学研究科公共経営専攻に統合され、ついには二〇二一年三月に廃止されることになった。

言うまでもなく、現代日本において、人口縮減・少子高齢化、グローバリゼーション、地域経済の衰退、財政危機の深刻化、地域格差の拡大など、自治体や地域を取り巻く環境が厳しさを増す中で、地域活力を再生し、地域固有の資源や特性を活かした魅力ある地域づくりが急務の、喫緊の課題であることに変わりはない。これこそが公共経営大学院の揺るぎのないパーパスであり、本書の書名『地域から公共政策を考える――現場の実践知をいかした課題解決』に鏡合わせに示されている。こうした痛切な問題意識に立って、本書刊行の企画が、大学と自治体、地域、NPO、企業の協働連携が突破口になるとの確信をもち、社会課題解決のアントレプレナーとしての使命を果たす一助になればなによりの喜びである。

公共経営大学院修了生によって組織される公共経営稲門会が、公共経営大学院創設一〇年を記念して取り組んだ「大隈スクールの魂を永遠に！　記念植樹プロジェクト」によって植樹された佐賀市大隈記念館「楠の木」銘板／大学早稲田キャンパス三号館入口「ハナミズキ」プレートに刻まれているフレーズ「大隈スクールの魂を永遠に」の精神は本書に託され、これからもつながれていくことを信じて疑わない。

二〇二二年五月

早稲田大学総合研究機構公共政策研究所研究所員　藤井　浩司

参考文献

【序】

Koichiro Agata, "Public Management, Public Policy, and Public Policy Research" *Doshisha University Policy & Management Review*, 22 (2), pp.13-18 2021.

【第1章】

荒木昭次郎『参加と協働——新しい市民＝行政関係の創造』ぎょうせい、一九九〇年。

泉澤佐江子「多様な担い手の育成」『SDGsの達成に向けた地域協働のあり方及びその担い手育成に関する研究会報告書（令和二年度）』自治研修協会、二〇二一年、一七五—一八九頁。

泉澤佐江子「地方団体と企業との包括連携協定」『企業との新しい連携』自治研修協会、二〇二一年、六五—八〇頁。

泉澤佐江子「協働の捉え直しと基礎自治体の役割——意識の問題を中心に」『ローカルガバナンス新時代における地域コミュニティの役割及び研修に係る研究会報告書（令和元年度）』自治研修協会、二〇二〇年、三〇—三九頁。

泉澤佐江子「協働は本当に進んでいないのか——自治体職員を対象とした意識調査から」『自治体学』（第三一—二号）自治体学会、二〇一八年、七九—八五頁。

井出英策、柏木一惠、加藤忠相、中島康晴『ソーシャルワーカー——「身近」を革命する人たち』筑摩書房、二〇一九年。

稲継裕昭編著『自治体行政の領域「官」と「民」の境界線を考える』ぎょうせい、二〇一三年。

今井照『地方自治講義』筑摩書房、二〇一七年。

浦安市「地包評だより」（第1～37号）。

浦安市「障がい福祉ガイドブック（二〇二一年度版）」。

大森彌・大杉覚『これからの地方自治の教科書』第一法規、二〇一九年。

勝部麗子『ひとりぽっちをつくらない——コミュニティソーシャルワーカーの仕事』全国社会福祉協議会、二〇一六年。

コルブ、ピーターソン『最強の経験学習——ハーバード大卒の教授が教える、コルブ式学びのプロセス』辰巳出版、二〇一八年。

佐藤久夫・小澤温『障害者福祉の世界（第五版）』有斐閣、二〇一六年。

佐藤真久、関正雄、川北秀人「第1部　SDGsとマルチステークホルダー・パートナーシップ」佐藤真久・関正雄・川北秀人編著『SDGs時代のパートナーシップ——成熟したシェア社会における力を持ち寄る協働へ』学文社、二〇二〇年。

関谷昇「市民自治を起点とする行政運営」『月刊地方自治職員研修』（九月号）公職研、二〇一六年、一二—一四頁。

関谷昇「自治体における市民参加の動向と行方——「共有」としての作為に向けて——」『千葉大学法学論集』（第二六号第一・二号）二〇一一年、一二五—一九一頁。

田尾雅夫『公共マネジメント——組織論で読み解く地方公務員』有斐閣、二〇一五年。

田尾雅夫『市民参加の行政学』法律文化社、二〇一一年。

玉野和志「コミュニティからパートナーシップへ――地方分権改革とコミュニティ政策の転換」羽貝正美編著『自治と参加・協働――ローカル・ガバナンスの再構築』学芸出版社、二〇〇七年。

地方公務員制度調査研究会「地方自治・新時代の地方公務員制度――地方公務員制度改革の方向」一九九九年。

中原淳『経営学習論――人材育成を科学する』東京大学出版会、二〇一二年。

中原淳『職場学習論――仕事の学びを科学する』東京大学出版会、二〇一〇年。

西尾勝『自治・分権再考――地方自治を志す人たちへ』ぎょうせい、二〇一三年。

西川正『あそびの生まれる場所――「お客様」時代の公共マネジメント』ころから、二〇一七年。

畠山弘文『官僚制支配の日常構造――善意による支配とは何か』三一書房、一九八九年。

前田成東「NPO活動の展開と行政の変容――参画・協働を支える行政のあり方とは」羽貝正美編著『自治と参加・協働――ローカル・ガバナンスの再構築』学芸出版社、二〇〇七年。

モンク、ヤシャ『自己責任の時代――その先に構想する、支えあう福祉国家』みすず書房、二〇一九年。

山縣文治、岡田忠克編『よくわかる社会福祉（第一一版）』ミネルヴァ書房、二〇一六年。


【第2章】


イソップ著、河野与一編纂・訳『イソップのお話』岩波書店、二〇〇〇年、四五～五〇頁。

片岡寛光「今なぜ公共経営か」『早稲田パブリックマネジメント第01号』日経PB出版センター、二〇〇四年、八～九頁。

金池潤、金栽滸、永島佑樹、加藤孝明「韓国・浦項地震における避難所の運営実態調査」『生産研究』（七十巻四号）二〇一八年、二五一～二五五頁。

神奈川県「神奈川県地域防災計画」二〇〇〇年。

環境省「気候変動に関する政府間パネル（IPCC）第六次評価報告書第一作業部会報告書（自然科学的根拠）政策決定者向け要約（SPM）の概要」二〇二一年。

気象庁「異常気象分析検討会報告」二〇二〇年。

国土交通省「令和二年度国土交通白書二〇二〇、危機を乗り越え遥かな未来へ」二〇二〇年、八九頁。

「北海道でM9・3、津波三〇メートル、内閣府、国内最大の地震想定」『産経新聞』二〇二〇年四月二一日、朝刊。

東京都建設局高潮浸水想定区域図（http://www.kouwan.metro.tokyo.lg.jp/yakuwari/takashio/shinsuisoutei.html〔最終閲覧日二〇二二年二月一日〕）。

内閣府「令和三年度版防災白書」二〇二一年。

「政府・地震調査委の平田直委員長インタビュー」『日刊スポーツ』二〇二〇年二月二八日。

榛沢和彦「人道的な避難所設営と運営を（視点・論点）」NHK解説アーカイブス、二〇一八年六月二五日。

広瀬弘忠『人はなぜ逃げおくれるのか――災害の心理学』集英社、二〇〇四年、二五頁。

米国連邦緊急事態管理庁（FEMA）編著、まちづくり計画研究所（machiken）訳・監修『アメリカFEMAから学ぶ災害危機管理と防災対策――ノースリッジ地震一年間の軌跡』近代消防社、一九九六年。

文部科学省地震調査推進研究本部地震調査委員会『全国地震動予測地図二〇二〇年版』二〇二〇年、一二三頁。

横浜市「横浜市防災計画震災対策編」二〇二一年。

Sphere Association『スフィア・プロジェクト――人道憲章と人道対応に関する最低基準』二〇一八年。


【第3章】


Richard Florida, *The Rise of the Creative Class*, Basic Books, 2002（井口典夫『クリエイティブ資本論――新たな経済階級の台頭』ダイヤモンド社、二〇〇八年）。

青木幸弘「地域ブランド化を推進し地域の活性化を図る」『かんぽ資金』（三一四号）、二〇〇四年。

大谷尚之、松本淳、山村高淑『コンテンツが拓く地域の可能性――コンテンツ製作者・地域社会・ファンの三方良しをかなえるアニメ聖地巡礼』同文舘出版、二〇一八年。

阿久津聡、安島博幸「地域ブランド・マネジメントの現状と課題　調査研究報告書」地域活性化センター、二〇〇六年。

奥山雅之、NPO法人ZESDA『グローカルビジネスのすすめ――地域の宝を世界80億人に届ける』紫洲書院、二〇二一年。

恩田守雄『グローカル時代の地域づくり（第二版）』学文社、二〇一〇年。

杉山慎策『日本ジーンズ物語――イノベーションと資源ベース理論からの競争優位性』吉備人出版、二〇〇九年。

平松守彦『地方からの発想』岩波書店、一九九〇年。

【第4章】

加谷珪一『日本は小国になるが、それは絶望ではない』角川書店、二〇二〇年。

河合雅司『世界一〇〇年カレンダー――少子高齢化する地球でこれから起きること』朝日新聞出版、二〇二一年。

工藤勇一『学校の「当たり前」をやめた。――生徒も教師も変わる！　公立名門中学校長の改革』時事通信社、二〇一八年。

佐高信『不敵のジャーナリスト――筑紫哲也の流儀と思想』集英社、二〇一四年。

筑紫哲也『若き友人たちへ――筑紫哲也ラスト・メッセージ』集英社、二〇〇九年
千代田区立麹町中学校「進取の気性」二〇二〇年。

途中塾『塾Contents Report』(二〇一四年四月〜二〇一六年三月)二〇一六年。

途中塾『塾Contents Report』(二〇一六年三月〜二〇一七年三月)二〇一七年。

途中塾『途中塾　講座の記録』二〇一九年。

成毛眞『二〇四〇年の未来予測』日経ＢＰ、二〇二一年。

日本経済団体連合会・二一世紀政策研究所「グローバルＪＡＰＡＮ――２０５０年シミュレーションと総合戦略」二〇一二年。

日本再建イニシアティブ『人口蒸発「五〇〇〇万人国家」日本の衝撃――人口問題民間臨調調査・報告書』新潮社、二〇一五年。

日本財団「一八歳意識調査」第20回テーマ「社会や国に対する意識調査」二〇一九年。

日本創生会議「消滅可能性都市」二〇一四年五月八日。

広尾学園小石川中学校・高等学校「GUIDE BOOK 2022」。

PwC英国『調査レポート：二〇五〇年の世界』二〇一七年二月七日。

溝上慎一責任編集、京都大学高等教育研究開発推進センター・河合塾編『高大接続の本質―「学校と社会をつなぐ調査」から見えてきた課題』学事出版、二〇一八年。

溝上慎一『大学生白書――いまの大学教育では学生を変えられない』東信堂、二〇一八年。

読売新聞教育ネットワーク「異見公論59」二〇一八年一二月一一日。

早稲田大学公共経営研究科「途中にて――早稲田という踊り場の三年間」二〇〇六年。

早稲田大学公共政策研究所「若者のシチズンシップ発揮につながる学校教育のありかた――若者の学びニーズ調査報告書」二〇一六年。


【第5章】


James Surowieck. *The Wisdom of Crowds: Why the Many Are Smarter Than the Few and How Collective Wisdom Shapes Business, Economies, Societies and Nations*, Random House Audio, 2004（スロウィッキー、ジェームズ著、小高尚子訳『「みんなの意見」は案外正しい』角川書店、二〇〇九年）。

赤川彰彦『地方創生×SDGs×ESG投資―市場規模から見た実践戦略で甦る地方自治体と日本』学陽書房、二〇二〇年。

アトキンソン、デービッド『国運の分岐点――中小企業改革で再び輝くか、中国の属国になるか』講談社、二〇一九年。

――『日本人の勝算――人口減少×高齢化×資本主義』東洋経済新報社、二〇一九年。

市川宏雄『東京一極集中が日本を救う』ディスカヴァー・トゥエンティワン、二〇一五年。

大原透「日銀の金融政策とＥＴＦ購入」早稲田大学総合研究機構『プロジェクト研究』（第一四号）二〇一九年。

岡田豊・木下斉・佐藤主光・砂原庸介、Wedge 編集部「幻想の地方創生」『Wedge』二〇二〇年二月号。

木下斉『まちづくり幻想――地域再生はなぜこれほど失敗するのか』ＳＢクリエイティブ　二〇二一年。

高田創・柴崎健・大木剛『２０２０年消える金融――しのびよる超緩和の副作用』日本経済新聞出版、二〇一七年。

野崎浩成『消える地銀　生き残る地銀』日本経済新聞出版、二〇二〇年。

増田博也監修『地方創生ビジネスの教科書』文藝春秋、二〇一五年。

みずほ総合研究所編『キーワードで読み解く地方創生』岩波書店、二〇一八年。

宮崎雅人『地域衰退』岩波書店、二〇二一年。

富山和彦『なぜローカル経済から日本は甦るのか――ＧとＬの経済成長戦略』ＰＨＰ研究所、二〇一四年。


【第６章】


エドワーズ、リー著、渡邉稔訳『現代アメリカ保守主義運動小史』育鵬社、二〇二一年。

縣公一郎「Public Management, Public Policy, and Public Policy Research」『Doshisha University policy & management review』二〇二一年。

片岡寛光「今なぜ公共経営か」『早稲田パブリックマネジメント』（第一号）日経ＢＰコンサルティング、二〇〇四年。
久保文明編『アメリカ政治を支えるもの――政治的インフラストラクチャーの研究』日本国際問題研究所、二〇一〇年。
宮田智之『アメリカ政治とシンクタンク――政治運動としての政策研究機関』東京大学出版会、二〇一七年。

【第7章】

"Artificial Intelligence: Innovation in parliaments, "Innovation Tracker, Issue 4,12 Feb 2020.Inter-Parliamentary Union website (https://www.ipu.org/innovation-tracker/story/artificial-intelligence-innovation-in-parliaments).
Datos Abiertos Diputados website (https://datos.hcdn.gob.ar/).
"ESTONIA Riigikogu Transparency (EE0050)." Open Government Partnership website (https://www.opengovpartnership.org/members/estonia/commitments/EE0050/).
"Finnish Parliament: Citizen Interaction via Facebook Live," Innovation Tracker, Issue 228 Jun 2019. Inter-Parliamentary Union website (https://www.ipu.org/innovation-tracker/story/finnish-parliament-citizen-interaction-facebook-live).
"Modenization in the Chamber of Deputies of Argentina: the road towards an open, innovative and plural Congress," Innovation Tracker, Issue 8, 29 Mar 2021. Inter-Parliamentary Union website (https://www.ipu.org/innovation-tracker/story/modernization-in-chamber-deputies-argentina-road-towards-open-innovative-and-plural-congress).

“South Africa’s digital innovations in a time of pandemic,” Innovation Tracker, Issue 9, 27 Jul 2021. Inter-Parliamentary Union website (https://www.ipu.org/innovation-tracker/story/south-africas-digital-innovations-in-time-pandemic).

縣公一郎、‘Possibilities of Public Management’、桜井徹・イアン・マクドナルド・吉田達雄・縣公一郎、*Financing Public Services: Taxes, User Pay or Other Forms of Service Delivery?*、早稲田大学出版部、二〇一三年。

岩崎正洋編著『eデモクラシー・シリーズ1　eデモクラシー』日本経済評論社、二〇〇五年。

榎並利博「立法課程のオープン化に関する研究――Open Legislation の提案」（抄）『研究レポート』二〇一六年二月、富士通総研経済研究所。

片岡寛光「今なぜ公共経営か」『早稲田パブリックマネジメント』（第一号）日経ＢＰコンサルティング、二〇〇四年。

国立国会図書館調査及び立法考査局政治議会調査室・課「諸外国議会の電子請願制度」二〇二〇年七月三〇日。

谷口将紀・宍戸常寿『デジタル・デモクラシーがやってくる！――ＡＩが私たちの社会を変えるんだったら、政治もそのままってわけにはいかないんじゃない？』中央公論新社、二〇二〇年。

西田亮介・越塚健司編著『「統治」を創造する――新しい公共／オープンガバメント／リーク社会』春秋社、二〇一一年。

「ネット請願　政治動かすか」『日本経済新聞』二〇一七年三月二一日、夕刊。

米山知宏「eデモクラシーの動向と展望――再び注目が集まるeデモクラシー」『三菱総合研究所所報』五三号、二〇一〇年五月三一日。
＊本稿におけるURLは、二〇二二年二月二八日現在閲覧可能である。

【第9章】


Koichiro Agata, "Public Management, Public Policy, and Public Policy Research," *Doshisha University Policy & Management Review*, 22 (2) 13-18 2021.

伊藤修一郎『自治体発の政策革新――景観条例から景観法へ』木鐸社、二〇〇六年。

遠藤宏一『現代自治体政策論――地方制度再編下の地域経営』ミネルヴァ書房、二〇〇九年。

大目富美雄「Iターン者と地域活性化についての一考察」信州大学大学院経済・社会政策科学研究科修士論文、二〇〇六年。

大目富美雄「開田高原」東京経済大学国際シンポジウム企画製作委員会編『東京経済大学国際シンポジウム「自治しうる〈主体〉と〈場〉を問いなおす」』東京経済大学国際シンポジウム「自治しうる〈主体〉と〈場〉を問いなおす」企画製作委員会、二〇一六年。

開田村役場総務課編『広報かいだ（復刻版）』開田村役場、一九八二年。

田中勝己「未来に輝くいなか――自治の花ひらく町へ、新たな挑戦」私家版、二〇一〇年。

西研『哲学は対話する――プラトン、フッサールの「共通了解をつくる方法」』筑摩書房、二〇一九年。

日本行政学会編『ガバナンス論と行政学』ぎょうせい、二〇〇四年。

羽貝正美「住民参加型自治への展望」羽貝正美編『自治と参加・協働――ローカル・ガバナンスの再構築』

学芸出版社、二〇〇七年。

羽貝正美「地方分権一括法施行20年と基礎自治体」現代法学編集委員会編『現代法学第三九号』、東京経済大学現代法学会、二〇二一年。

ハンナ・アーレント著、森一郎訳『活動的生』みすず書房、二〇一五年。

藤倉英世「基礎自治体における景観と自治の再構築に関する実証的研究」首都大学東京都市環境科学研究科博士論文、二〇一三年。

藤倉英世、山田圭二郎、羽貝正美「風景を分析するための手法とその成果」中村良夫、鳥越皓之、早稲田大学公共政策研究所編『風景とローカル・ガバナンス――春の小川はなぜ失われたのか』早稲田大学出版部、二〇一四年。

藤倉英世、羽貝正美、西研、山田圭二郎、薩田英男、鹿野正樹、中村良夫『「地域の物語」の再生を巡る自治の諸相』――1960年代以降の日・独・仏における公共圏的空間、風景、ローカル・ガバナンスの変遷とその構造比較』一般社団法人公共経営研究ユニット、二〇一九年。

増田寛也編著『地方消滅――東京一極集中が招く人口急減』中央公論新社、二〇一四年。

長野県木曽郡開田村誌編纂委員会編『開田村誌 上下巻』長野県木曽郡開田村誌編纂委員会、一九八〇年。

山田圭二郎、藤倉英世、羽貝正美、西研、エヴラン・勝木慶子「「地域の物語」の再生と自治の諸相：公共圏的空間、風景、ローカル・ガバナンスを巡る日仏構造比較」Projets de Paysage23、二〇二〇年。

執筆者紹介（掲載順）

縣　公一郎（あがた　こういちろう）

早稲田大学政治経済学術院教授、早稲田大学公共政策研究所長

早稲田大学政治経済学部卒業、ドイツ・シュパイアー行政大学院より Dr. rer. publ.（行政学博士）を取得。早稲田大学政治経済学部助教授などを経て、現職。専門は行政学。

主著：『検証　独立行政法人――「もう一つの官僚制」を解剖する』（共編著、勁草書房、2022 年近刊）『オーラルヒストリー　日本の行政学』（共編、勁草書房、2020年）、*Financing Public Services*（共編著、Waseda University Press、2013）など。

藤倉　英世（ふじくら　ひでよ）

一般財団公共経営研究ユニット代表理事、早稲田大学公共政策研究所招聘研究員

早稲田大学大学院公共経営研究科修了、首都大学東京都市環境科学研究科都市システム科学域博士後期課程単位取得退学。博士（都市科学）。公共政策デザイナーとして、社会科学、工学の両側面から多くの企画、構想、プランニングに携わる。傍ら、学際的研究グループ「風景 - 主体研究会」の一員として、トヨタ財団などの助成により日・仏・独の小規模自治体の国際比較研究を続けている。著書に『風景とローカル・ガバナンス――春の小川はなぜ失われたのか』（共著、早稲田大学出版部、2014 年）など。

泉澤　佐江子（いずみさわ　さえこ）

（株）それいゆ代表取締役、（一財）自治研修協会リサーチパートナー、早稲田大学公共政策研究所招聘研究員

早稲田大学大学院公共経営研究科修了、修士（公共経営学）。早稲田大学大学院政治学研究科後期博士課程満期退学（公共政策領域）。モチベーションを中心に、自治体の組織・人事、公共的人材の育成について研究。25 年半にわたる地方自治体での勤務では、住民参加・協働、障害福祉、幼稚園、外国人相談、広報、国際交流、商工振興等の現場を中心に配属。退職後は、高崎経済大学にて非常勤講師（行政学・行政経営論）。主な論文に「Public Service Motivation 研究の展開：先行研究サーベイ」『早稲田政治公法研究』（第 107 号）等がある。

源田 孝（げんだ　たかし）

早稲田大学公共政策研究所招聘研究員

元航空自衛官（空将補）、元防衛大学校教授。防衛大学校航空工学科卒業、早稲田大学大学院公共経営研究科公共経営修士（専門職）修了。戦略研究学会理事。軍事史学会監事。航空自衛隊幹部学校幹部高級課程（AWC）講師も務める。専門は、軍事史、危機管理。自衛隊の現場での多様な経験を踏まえて、雑誌投稿や部外発表を行っている。

畠田 千鶴（はただ　ちづる）

一般財団法人地域活性化センター メディアマーケティングマネージャー兼月刊『地域づくり』副編集長、一般社団法人移住・交流推進機構 総括参事、早稲田大学公共政策研究所招聘研究員

早稲田大学大学院公共経営研究科修了。自治省（現総務省）を経て、地域活性化センターに勤務。専門分野は、地方創生、地域経済、地域ブランド。主な著作に『地域おこし協力隊の強化書――12人の奮闘から学ぶ』（監修、共著、ビジネス社、2022年）がある。内閣府地域活性化伝道師。

羽田 智恵子（はねだ　ちえこ）

一般社団法人途中塾代表、早稲田大学公共政策研究所招聘研究員

早稲田大学卒。早稲田大学大学院公共経営研究科修了。専門は、「学校の教室を社会の現場につなぐプログラム化」。東京都庁で医療と保健政策部門の人事制度と育成研修を担当。40代から出版社の役員編集長を務める。国際通信社を起業し、代表取締役に就任。外務省・日本外交協会と「海外安全ネットワーク」を立ち上げ、事務局長。途中塾で次世代のトップリーダーを支援・育成。日本記者クラブ会員、日本外交協会会員。著書に『演劇思考――「人生」と「ビジネス」を成功に導く「ストーリー」』（共著、生産性出版、2020年）がある。

大原 透（おおはら とおる）

独立行政法人中小企業基盤整備機構　共済資金運用サポーター、小田急電鉄（株）社外取締役、早稲田大学公共政策研究所招聘研究員

1978年早稲田大学政治経済学部経済学科卒業。同年、東京海上火災保険（株）入社。東京海上アセットマネジメント取締役運用部長、米国フランクリン・テンプルトン日本法人専務取締役運用本部長、岡三アセットマネジメント専務取締役運用本部長を歴任。運用歴40年以上。内外の運用会社で25年以上最高投資責任者を務めた。国民年金や中東最大産油国のファンドなど巨額ファンドの運用に従事した。

渡瀬 裕哉（わたせ ゆうや）

事業創造大学院大学国際公共政策研究所上席研究員、早稲田大学公共政策研究所招聘研究員

早稲田大学大学院公共経営研究科修了。米国トランプ大統領の当選を世論調査・現地調査などを通じて的中させる。日系・外資系ファンド30社以上に米国の動向に関するポリティカルアナリシスを提供する国際情勢アナリストとして活躍。著書に『儲かる！米国政治学』（PHP研究所、2022年）、『なぜ、成熟した民主主義は分断を生み出すのか――アメリカから世界に拡散する格差と分断の構図』（すばる舎、2019年）など。

仁木 崇嗣（にき たかつぐ）

早稲田大学公共政策研究所招聘研究員

1986年奈良県生まれ。デジタルハリウッド大学院修了（デジタルコンテンツ研究科デジタルコンテンツ専攻）。市民社会組織（CSO）の創設や運営、国会議員秘書の経験を生かした公共政策領域とのコミュニケーションを得意とする。現在は複数のCSO活動の傍ら、公共政策系コンサルファームに所属し、国連機関のアドバイザリー等も行う。専修大学経営学部兼任講師。デジタルハリウッド大学院メディアサイエンス研究所研究員。国会議員政策担当秘書資格保有。元陸上自衛官。

峯村 昌子（みねむら　まさこ）

ジャーナリスト、日本更年期とヘルスケア学会幹事、早稲田大学公共政策研究所招聘研究員

産経新聞社記者、フリージャーナリストとして30年以上、地域政策、観光、医療をテーマに取材。2010年、早稲田大学大学院公共経営研究科修士課程修了。修士（公共経営学）。筑紫哲也賞受賞。2015年、新潟大学医歯学総合研究科博士課程修了。博士（学術）。地域振興に積極的に関わり、全国町並みゼミ大会などで講演を行っている。医療分野では、女性の医療情報取得についての研究を行う。2018年、日本更年期とヘルスケア学会で学会奨励賞受賞。

藤井 浩司（ふじい　こうじ）

早稲田大学政治経済学術院教授、早稲田大学公共政策研究所研究所員

早稲田大学法学部卒業、同大学院政治学研究科修士課程修了、同博士後期課程満期退学。東北福祉大学社会福祉学部講師、龍谷大学社会学部助教授を経て、現職。専門は行政学、福祉行政。
主著：『地方自治の基礎』（共編著、一藝社、2017年）、『ダイバーシティ時代の行政学——多様化社会における政策・制度研究』（共編、早稲田大学出版部、2016年）、『自治体経営学入門』（共編著、一藝社、2012年）など。

索　引

す

せ

そ

た

ち

編者紹介

早稲田大学公共政策研究所

2005年10月1日、公共政策の理論的・実践的研究を目的に、早稲田大学総合研究機構下のプロジェクト研究所として設置された。相互に行動原理の異なる政府部門・民間部門・シヴィック部門3部門の役割分担と交互協力に基づき、公共政策を、共有する問題を共同にて解決する手段として捉えて研究対象としている。

地域から公共政策を考える

現場の実践知をいかした課題解決

2022年6月30日　初版第1刷発行

編　者　早稲田大学公共政策研究所

発行者　須 賀 晃 一

発行所　株式会社　早稲田大学出版部

169-0051　東京都新宿区西早稲田1-9-12

☎ 03-3203-1551

http://www.waseda-up.co.jp

編集協力　有限会社アジール・プロダクション

装　丁　三 浦　正 已

印刷・製本　精文堂印刷株式会社

ISBN978-4-657-22010-3